A GUERRA DO
CÁLCULO

Jason Socrates **BARDI**

A GUERRA DO
CÁLCULO

Tradução de
ALUIZIO PESTANA DA COSTA

Revisão técnica de
MICHELLE DYSMAN

4ª EDIÇÃO

EDITORA RECORD
RIO DE JANEIRO • SÃO PAULO
2022

CIP-BRASIL. CATALOGAÇÃO NA PUBLICAÇÃO
SINDICATO NACIONAL DOS EDITORES DE LIVROS, RJ

B225g   Bardi, Jason Socrates
4ª ed.   A guerra do cálculo / Jason Socrates Bardi; [tradução de Aluizio Pestana da Costa]. – 4ª ed. – Rio de Janeiro : Record, 2022.

   Tradução de: The calculus wars
   ISBN 978-85-01-07680-9

   1. Cálculo – História – Século XVIII. I. Título.

08-2925   CDD: 515.09033
                                          CDU: 517.2/3

Título original em inglês:
THE CALCULUS WARS

Copyright © Jason Socrates Bardi, 2006

Todos os direitos reservados. Proibida a reprodução, armazenamento ou transmissão de partes deste livro através de quaisquer meios, sem prévia autorização por escrito.

Direitos exclusivos de publicação em língua portuguesa para o Brasil adquiridos pela
EDITORA RECORD LTDA.
Rua Argentina, 171 – Rio de Janeiro, RJ – 20921-380 – Tel.: (21) 2585-2000, que se reserva a propriedade literária desta tradução.

Impresso no Brasil

ISBN 978-85-01-07680-9

Seja um leitor preferencial Record.
Cadastre-se no site www.record.com.br
e receba informações sobre nossos lançamentos e nossas promoções.

Atendimento e venda direta ao leitor:
sac@record.com.br

Agradecimentos

Escrever um livro com 12 capítulos é muito mais difícil do que escrever 12 ensaios separados (isolados), advertiu-me uma vez uma escritora com mais experiência, quando eu começava pela primeira vez este livro, há um par de anos. Agora, na outra extremidade do trabalho, tenho que dizer que ela estava certa — do mesmo modo que casar-se é mais difícil do que ter encontros amorosos, ou que criar uma criança é mais difícil do que cuidar de um animal de estimação.

Agora que estou quase terminando meu trabalho, meus amigos e parentes têm me perguntado como me sinto, e continuo dizendo a mesma coisa. Nestes últimos dois anos fiquei noivo, ajudei minha noiva a recuperar a saúde depois de uma séria lesão nos ossos do pescoço, casei-me, assisti ao nascimento de nossa filha, Georgia, deixei o emprego, mudei-me da costa leste para a costa oeste, entrei para um novo emprego e reformei uma casa. No decorrer de tudo isso, por trás de tudo, estava este livro, estes 12 capítulos, e aquilo que eu sinto, acima de tudo, é gratidão. Eu não poderia ter feito isto sem a ajuda de numerosas pessoas.

Antes de tudo, obrigado a meu agente Giles Anderson com quem comecei este livro cerca de três anos atrás. Ele foi incansável em seu apoio durante todo o projeto. Obrigado também a Jenny Meyer e sua agência por seus esforços em conjunto com Giles.

Agradecimentos especiais ao meu editor John Oakes e a todo o pessoal da Thunder's Mouth Press e da Avalon Publishing Group, que acompanhou o livro até este ficar completo. Obrigado a Jofie Ferrari-Adler, que foi o primeiro revisor do livro, e a Iris Bass, que revisou meu manuscrito completo. Especiais agradecimentos à agente publicitária Anne Sullivan e muito obrigado também ao assistente editorial de John, Lukas Volger.

Eu gostaria de agradecer a Herbert Breger da Gottfried Willhelm Leibniz Bibliothek na Niedersachsische Landesbibliotek em Hanover, Alemanha, por reunir-se comigo e conversar a respeito de Leibniz por várias horas em uma fria tarde de janeiro. O Dr. Breger ajudou-me também, muito gentilmente, a obter algumas das ilustrações mostradas neste livro ao me pôr em contato com seus colegas Dr. Friedrich Hülsman e Birgit Zimmy na Gottfried Wilhelm Leibniz Bibliothek. Especiais agradecimentos ao Dr. Hülsman e a Birgit.

Pelas outras gravuras, tenho que apresentar meus melhores agradecimentos a Christine Woolet da Royal Society. Obrigado também a Christine Falcombello do Centre Iconographique Genevois e a todos os funcionários da Library of Congress Prints and Photographs Division, em Washington.

Agradecimentos especiais a Kerstin Hellmuth, da Universidade de Hanover, pela visita guiada à Leibnzhaus. Sou grato também a Donald Rutherford pelas conversas que tivemos em uma cafeteria da Universidade da Califórnia, San Diego.

Agradeço a Richard Crawford, o bibliotecário da Sala Wangenheim da Biblioteca Central da Biblioteca Pública de San Diego, e a todos os demais membros da equipe da biblioteca por seu variado auxílio nos empréstimos entre bibliotecas e em outras tarefas. Também utilizei a Biblioteca Pública de Vancouver, à qual também gostaria de agradecer; a Biblioteca Geisel da Universidade da Califórnia, de San Diego; a Biblioteca da Royal Society, em Londres; e a Biblioteca Wren do Trinity

College em Cambridge. Especiais agradecimentos a David MacKitterick e a Joana Ball pelo acesso ao acervo da Biblioteca Wren. E também a Nigel Unwin, que me ajudou a ter acesso a essa biblioteca, e a Ian e Jennifer Glynn, por me receberem para uma excelente xícara de chá e uma demorada conversa depois de um longo dia examinando manuscritos velhos de 300 anos, na Wren.

Agradecimentos especiais também a Mika Benedyk pela primeira leitura de meus capítulos e muitos, muitos, comentários úteis. Obrigado a Kevin Fung por ter projetado meu site e meus folhetos para divulgação. Mais agradecimentos especiais a meus amigos e colaboradores no The Scripps Research Institute por todas as úteis discussões durante meu trabalho — especialmente a Tamas Bartfai, que muitas vezes me indagou sobre o andamento do livro, nestes últimos anos. Obrigado também a Keith McKeown, que me deu apoio durante todo o trabalho (sempre).

Gostaria também de agradecer aos numerosos membros de toda a minha grande família, que sempre estiveram comigo quando foi preciso. Lucy, Al, JB, Amy, Ty, Gina, Bruce, Jayne, Barb, Alf, Brian, Michelle, Andy, Ariel, Abby, Julian e Jeanette. E obrigado aos meus amigos com quem discuti estes assuntos em muitas ocasiões: Johan, Paula, John, Mr. Chart, Ellen, Nick e Teddy.

Acima de tudo, eu gostaria de agradecer à minha esposa Jennifer e à nossa linda filha Georgia, sem as quais nada disso teria sido possível. Mesmo enquanto escrevo este agradecimento, um dos meus últimos atos ao rascunhar este livro, escuto-as brincar no quarto ao lado. Jennifer está cantando e soprando beijos na pequenina barriga da filha. Georgia está rindo e balbuciando "Digoy Digoy Digoy". O amor delas é que me faz acreditar que este bem pode ser o melhor de todos os mundos possíveis.

Sumário

AGRADECIMENTOS	5
PREFÁCIO	11
1 PELO MENOS UMA VEZ, É SEGURO SONHAR COLORIDO * 1704	17
2 OS FILHOS DAS GUÉRRAS * 1642-1664	31
3 O PROBLEMA COM HOOKE * 1664-1672	43
4 O CASO DA SOBRANCELHA * 1666-1673	67
5 ADEUS E PENSEM EM MIM COM BENEVOLÊNCIA * 1673-1677	91
6 O INÍCIO DA SUBLIME GEOMETRIA * 1678-1687	117
7 OS BELOS E OS AMALDIÇOADOS * 1687-1691	143
8 A DESCIDA MAIS CURTA POSSÍVEL * 1690-1696	159
9 OS CAPANGAS DE NEWTON * 1696-1708	185
10 O ÔNUS DA PROVA * 1708-1712	205
11 AS FALHAS DO MOVIMENTO * 1713-1716	221
12 EXPURGADO DE AMBIGÜIDADE * 1716-1728	249
EPÍLOGO	265
ENSAIO BIBLIOGRÁFICO	271
LISTA DE ILUSTRAÇÕES	281
BIBLIOGRAFIA	283
ÍNDICE	291

Prefácio

No início do século XVIII, Gottfried Wilhelm Leibniz (1646-1716) e Sir Isaac Newton (1642-1726) estavam a ponto de entrar em guerra.

Por mais de dez penosos anos, até o final de suas vidas, essas duas brilhantes figuras das matemáticas alemã e britânica estariam empenhadas numa brutal batalha pública, na qual cada uma defenderia seu próprio direito de reivindicar a autoria do cálculo[1] — um ramo da análise matemática que serve para investigar tudo, das formas geométricas às órbitas dos planetas em movimento ao redor do Sol.

Um dos mais importantes legados intelectuais do século XVII, o cálculo foi desenvolvido em primeiro lugar por Newton em seus criativos anos de 1665 e 1666, quando era um jovem estudante da Universidade de Cambridge em retiro na sua propriedade rural. Inesperadamente afastado de seus professores e colegas, Newton passou dois anos em isolamento quase absoluto, realizando experiências e refletindo sobre as leis físicas que governam o Universo. O que resultou desses anos é talvez a maior massa de conhecimentos já produzida por qualquer cientista em tão curto período. Newton fez importantes descobertas relativas à ótica

---

[1] A palavra "cálculo", como usada neste livro, refere-se especificamente ao cálculo diferencial e integral, que é uma parte fundamental da análise matemática. Sinônimo de cálculo infinitesimal. (*N. do T.*)

moderna, à mecânica dos fluidos, à física das marés, às leis do movimento e à teoria da gravitação universal, para citar apenas algumas.

E, mais importante, Newton inventou o cálculo, que ele chamou de seu método de fluxos e fluentes. Mas ele manteve seu trabalho como um segredo cuidadosamente guardado durante a maior parte de sua vida. Preferia fazer circular cópias privadas de seus projetos entre os amigos e nunca publicou coisa alguma de seu trabalho sobre o cálculo senão décadas após terem sido iniciados.

Leibniz debruçou-se sobre o cálculo dez anos depois, durante os prolíficos anos que passou em Paris por volta de 1675. No decorrer dos dez anos seguintes, ele refinou sua descoberta e criou um sistema totalmente original de símbolos e representações gráficas. Embora tenha sido o segundo cronologicamente, ele foi o primeiro a publicar seu sistema de cálculo, o que fez em dois trabalhos que datam de 1684 e 1686. Com estes dois escritos, Leibniz tornou-se apto a reivindicar posse intelectual por seu desenvolvimento original do cálculo. E o cálculo foi uma invenção tão promissora que, em 1700, Leibniz seria considerado por muitos na Europa como um dos maiores matemáticos vivos.

Tanto Leibniz quanto Newton tiveram direito à autoria do cálculo, e hoje em geral são vistos como seus co-inventores independentes, dando-se a ambos o crédito por terem dado à matemática seu maior impulso desde os gregos.

Embora hoje a glória de uma invenção possa ser grande o bastante para ser dividida entre diferentes cientistas, não foi assim para Newton e Leibniz, e, no final do século XVII, acusações de desonestidade eram levantadas por partidários dos dois lados. As duas primeiras décadas do século XVIII presenciariam a deflagração das guerras do cálculo.

Leibniz havia visto alguma coisa do trabalho inicial e inédito de Newton, o que foi o suficiente para dar a entender a este que Leibniz era um ladrão. Uma vez convencido disso, Newton passou decisivamente à ofensiva e utilizou sua reputação com grande efeito. Newton sabia que havia sido o primeiro a inventar o cálculo — e podia prová-lo. Ainda embalado na glória de seus feitos anteriores, foi capaz de contratar pessoas de sua confiança para escrever ataques contra Leibniz, sugerindo que este havia roubado suas idéias, e para defendê-lo contra qualquer crítica que surgisse. Newton não agiu por malícia ou ciúme, mas pela firme convicção de que Leibniz era um ladrão. Para ele, as guerras do cálculo significavam a sua oportunidade de redenção e uma chance para reivindicar a autoria de uma das partes mais importantes do trabalho de toda a sua vida.

Também não houve recuo da parte de Leibniz. Não sendo homem de encarar tal ameaça com leviandade, ele reagiu, com a ajuda de partidários que afirmavam que fora Newton quem se apropriara das idéias de Leibniz. Além disso, Leibniz atuou sobre a comunidade de intelectuais da Europa, escrevendo carta após carta em apoio à sua própria causa. Escreveu numerosos artigos em sua defesa e inúmeros ataques anônimos a Newton e fez a disputa chegar aos mais altos níveis do governo, até mesmo ao rei da Inglaterra.

No auge das guerras do cálculo, Leibniz e Newton atacavam um ao outro, tanto em segredo como abertamente, por meio de matérias publicadas anonimamente e artigos escritos por terceiros. Ambos eram reconhecidos como dois dos maiores intelectos da Europa e ambos utilizavam sua reputação para obter o maior efeito possível. Ambos aliciaram colegas conceituados para sua causa e dividiram grande número de seus contemporâneos em dois campos, como defensores de um ou de outro. Juntaram tomos de provas, escreveram volumes de argumentos e se enraiveciam cada vez que liam as acusações lançadas pelo outro. Não houvesse Leibniz morrido em 1716, a disputa teria continuado ainda por mais tempo, e, em certo sentido, as guerras do cálculo não cessaram nem assim, pois Newton continuou a publicar matérias em sua defesa mesmo depois da morte de Leibniz.

Quem estava certo? Newton tinha razão ao asseverar sua prioridade na invenção, o que, seguramente, fez com sucesso. Quando veio a morrer, era reconhecido, não apenas na Inglaterra, mas em toda a Europa, por ter descoberto o cálculo antes de Leibniz.

Na Inglaterra ainda se encontra exposto um famoso retrato de Newton, pintado por Sir Godfrey Kneller, na National Portrait Gallery, em Londres. Mostra um homem de meia-idade, envolto numa flutuante capa marrom, de estilo acadêmico, com um pequeno colarinho azul-escuro. Newton tem grandes olhos redondos com pequenas bolsas sob eles, e o artista pincela de rosa suas maçãs, o nariz e a testa, enquanto mescla o azul às cores das faces do retratado. O efeito é fazê-lo parecer menos ameaçador do que sua expressão mostraria, embora ainda seja difícil imaginar qualquer traço de humor quebrando a seriedade de sua aparência.

Nada poderia ser mais verdade — Newton descobriu o cálculo primeiro, dez anos antes que Leibniz fizesse qualquer coisa. Mas, novamente, e daí? Leibniz tinha todo o direito de proclamar sua prioridade na invenção do cálculo. Ele inventou o cálculo independentemente e, mais importante, foi o primeiro a publicar suas idéias, desenvolveu o cálculo mais do que Newton, usava um sistema de representação gráfica muito superior (e usado ainda hoje) e trabalhou durante anos para levar o cálculo adiante, transformando-o numa estrutura matemática que outros também pudessem utilizar. Pode-se facilmente argumentar que a metodologia de Leibniz foi uma contribuição mais importante para a história da matemática.

Talvez se Leibniz e Newton tivessem se conhecido em outras circunstâncias, pudessem ter sido amigos, pois liam os mesmos livros e estudaram os principais problemas filosóficos e matemáticos de sua época. Leibniz certamente teria ficado feliz de incluir Newton na enorme relação de intelectuais europeus com os quais se correspondeu regularmente durante toda a vida. Mas eles nunca se encontraram, e os contatos mais próximos que tiveram foi por uma curta troca de cartas quando eram jovens, uma carta durante a meia-idade e outra breve troca de correspondência quando já estavam velhos. Décadas se passaram entre esses breves contatos.

Embora tivessem tido poucas oportunidades de conversar diretamente antes que as guerras do cálculo começassem, Newton e Leibniz eram dados a proclamar a glória um do outro. Talvez porque cumulassem de tanto louvor um ao outro a mudança tenha sido tão rancorosa.

Muitos autores, incluindo historiadores e biógrafos, têm desprezado as guerras do cálculo como uma infeliz, até mesmo ridícula, perda de tempo — talvez porque mostre os dois em seu aspecto mais desfavorável. Leibniz e Newton tornaram-se realmente abomináveis, e é difícil conciliar isso com a fama que, sob outros aspectos, haviam granjeado como gênios ambiciosos, desprendidos, esforçados e prolíficos.

Por mais verdadeiras que possam ser, as guerras do cálculo são fascinantes porque nelas Newton e Leibniz desempenharam o maior debate sobre propriedade intelectual de todos os tempos — um debate que, do princípio ao fim, revelou como esses dois gigantes da matemática, esses dois expoentes das matemáticas alemã e britânica, eram brilhantes, orgulhosos, por vezes loucos — e, afinal, completamente humanos.

1

Pelo Menos Uma Vez, É Seguro Sonhar Colorido

■ 1704 ■

Meticulous, miraculous, ridiculous, fabulous, nebulous, populace, populous, scrupulous, stimulus, tremulous, unscrupulous.

— Palavras inglesas que rimam com a palavra latina "calculus" (pronúncia aproximada em inglês k"alkyulâs) com o máximo de fonemas coincidentes entre elas. Retirado de www.webster-online-dictionary.org/definition/calculus.

Trezentos anos atrás, fazia-se história no momento em que uma esquecida prensa tipográfica inglesa matraqueava algumas centenas de cópias de um trabalho com 348 páginas escrito por um funcionário governamental pouco importante, o professor aposentado da Universidade de Cambridge Isaac Newton. Newton era um tanto idoso, com mais de 60 anos, e já então muito famoso na Inglaterra e em outros países. Mas ele não era ainda o superfamoso cientista que iria se tornar, poucos anos depois, o experiente e venerável líder da ciência britânica. Na Inglaterra, a imagem de Newton se aproximava da de um deus vivo, e, sob muitos aspectos, seu livro *Ótica*[1] ajudou a criar a figura pública que Newton iria se tornar.

O livro relatava as experiências e as conclusões de Newton sobre o comportamento físico básico da luz e outros fenômenos óticos, através de anos de experimentação independente. Descrevia fenômenos como

---

[1] O livro foi publicado tendo como título a palavra grega *"Opticks"*. (*N. do T.*)

18 A GUERRA DO CÁLCULO

as mudanças de direção que a luz sofre ao passar por lentes e prismas e mostrava como essas observações físicas o haviam levado a uma nova teoria da luz e das cores: que a luz era formada por emissões de partículas e que a luz branca era uma mistura de diferentes raios de cores diversas.

Ótica causou um enorme impacto e foi bem recebido em seu país e no exterior. O livro foi escrito naquela linguagem clara que provém somente de quem tem um entendimento abalizado e amplo de um tema — um entendimento que Newton havia cultivado ao longo de um par de décadas. Como estava escrito nesse estilo menos formal, o livro era amplamente acessível ao leitor e tornou-se um texto básico para o ensino de física durante o século seguinte. Em seguida foi ampliado, reimpresso, traduzido para o latim, levado para a França e outras partes do continente e algumas vezes copiado à mão. Albert Einstein uma vez escreveu que o mundo teria que esperar por mais de um século antes que ocorresse o próximo grande avanço teórico no campo coberto por *Ótica*, e o livro é ainda hoje considerado como um clássico da física e continua a ser impresso e lido por estudantes da matéria.

Em 1705, um ano depois de o livro ter sido publicado, Newton recebeu da rainha Ana da Grã-Bretanha o título de Cavaleiro, e isso marcou o início do glorioso capítulo final de sua vida. Ele seria celebrado pelo resto dos seus dias, igualmente admirado por intelectuais, reis e pessoas comuns. No exterior, seria um homem com status de celebridade, reconhecido por muitos como um dos mais importantes filósofos da Natureza, uma lenda viva cuja companhia iria ser procurada por muitos que vinham a Londres de outros pontos da Europa e de lugares distantes, como as colônias da América. Benjamin Franklin, quando era um jovem de 19 anos, tentou sem sucesso encontrar-se com Newton, em 1725. Quarenta anos depois, Franklin teve um retrato seu pintado com Newton ao fundo.

Com sua natureza precursora, *Ótica* assinalou também o fim de uma era. Newton havia há muito passado de sua melhor fase como cientista experimental quando o livro foi publicado. Ele não era mais o jovem gênio solitário da metade anterior de sua vida, o rapaz "sóbrio-pensante", como era descrito por um de seus amigos, capaz de trabalhar noite e dia, esquecendo-se de comer e de lavar-se, e negligenciando tudo o que o cercava, exceto seus livros, suas anotações e suas experiências. Não era mais o homem que contemplava o mundo e imaginava como ele funcionava — da gravidade e das órbitas dos planetas até os fluidos e as marés, a matemática revolucionária, e a natureza da luz e da cor. Uma parte significativa desse trabalho foi descrita em seus *Principia*, publicado em 1687, e agora, quando trazia à luz a segunda divulgação de seus trabalhos, ele estava muito mais velho e ocupado com obrigações profissionais e sociais.

Em 1704 Newton não era mais professor de Cambridge e vivia em Londres, onde iria passar os últimos trinta anos de sua vida como funcionário do governo, responsável pela Casa da Moeda britânica. Agora, seu trabalho do dia-a-dia era supervisionar a produção de moeda na Inglaterra, e ele se dedicou a esta tarefa com o mesmo vigor que anteriormente aplicara às suas pesquisas científicas. Estudou tudo o que a fabricação do dinheiro envolvia — as máquinas, os homens e os métodos — e tornou-se perito em tudo, da análise do ouro e da prata até os processos judiciais contra falsificadores. Foi nesse cargo, como mestre da moeda — mestre, de certo modo, em seu próprio universo —, que Newton publicou o seu *Ótica* em 1704.

O livro havia levado um longo tempo para ser publicado, e publicá-lo havia sido uma catarse de pouca valia para Newton. O livro não trazia quase nada de novo. Grande parte do material existia, de uma forma ou de outra, entre as anotações e artigos de Newton havia quase quarenta anos. Algumas partes vinham de conferências que ele havia feito quando era um jovem professor na Universidade de Cambridge, e outras foram extraídas de cartas escritas a conhecidos através da Royal Society em Londres. Contudo, antes de 1704, poucas pessoas conheciam o trabalho de Newton sobre ótica.

Uma dessas pessoas, o matemático John Wallis, havia, durante anos, tentado fazer com que Newton publicasse seu material, dizendo que ele prestava um desserviço a si próprio e a seu país ao deixar de publicá-lo. Wallis escreveu a Newton em 30 de abril de 1695, agradecendo o envio de uma carta e censurando-o por não divulgar seu trabalho. "Não pos-

20 A GUERRA DO CÁLCULO

so, de forma alguma, admitir sua desculpa por não publicar seu tratado sobre luz e cor", escreveu Wallis. "Você diz que ainda não ousa publicá-lo. E por que ainda não? Ou, se não agora, então quando?"

Por ironia, Wallis já estava morto quando Newton finalmente produziu exemplares encadernados de *Ótica*. Por que Newton esperou tanto tempo para publicá-lo? Houve numerosas razões, embora talvez nenhuma maior do que o gosto amargo que suas primeiras tentativas de publicar alguma coisa haviam deixado em sua boca. Nos primeiros anos da década de 1670, quando ainda era um jovem professor em Cambridge, Newton escrevera uma carta sobre sua teoria das cores, que enviou para ser lida perante os membros da Royal Society em Londres. Sua "Nova teoria sobre a luz e as cores" foi publicada nas *Philosophical Transactions* em 19 de fevereiro de 1672 e é uma carta redigida, como seria de esperar, da pena de um jovem autoconfiante, expondo uma nova e ousada teoria a seus contemporâneos.

Para Newton, a "Nova teoria sobre a luz e as cores" era considerada um terceiro ato — a culminação de um trabalho já completado. Em 1672, ele já vinha trabalhando em suas novas teorias havia vários anos, aperfeiçoando sua perspectiva ótica do Universo em uma ciência bem-fundamentada. Ele há muito superara as suposições iniciais de que partira e estava pronto para encerrar o documento sobre esse trabalho, apresentando suas conclusões. Mas Newton não tinha consciência do impacto que iria causar. Escrever aquela carta foi uma coisa da qual ele quase imediatamente iria se arrepender, porque ficou envolvido num turbilhão de controvérsias depois que a escreveu. Newton não se deu conta de que seus contemporâneos teriam de se confrontar com as novas idéias tanto quanto ele tivera antes durante vários anos. Também não suspeitou o quanto iriam ser resistentes as pessoas cujas teorias viriam a ser superadas pela sua.

A nova maneira de Newton ver a luz ameaçava as idéias de um grande número de seus contemporâneos, inclusive homens mais velhos e famosos do que ele — seu colega cientista britânico Robert Hooke, por exemplo. Em lugar de ser a cortina final de um terceiro ato, a carta de Newton deu início a um debate inteiramente novo, e ele se viu envolvido em violentas disputas com Hooke e outros sobre suas novas teorias, a tal ponto que jurou não publicar mais nada durante décadas. Uma vez chegou a dizer a um de seus colegas que preferiria que seus trabalhos só fossem publicados depois de sua morte.

Passados mais de trinta anos, depois que Hooke morreu em março de 1703, Newton foi eleito presidente da Royal Society em 30 de novembro de 1703, e foi quando ocupava este cargo que publicou *Ótica*.

O livro viria a ser o último trabalho científico que Newton publicaria. Não obstante, foi, de certo modo, também um primeiro, pois foi nele que Newton reivindicou a invenção do cálculo. Naquela época, a maior parte de seus contemporâneos atribuía o cálculo a um conselheiro da corte dos duques de Hanover, o matemático e filósofo alemão Gottfried Wilhelm Leibniz.

O corpo principal do livro não era sobre matemática; trazia apenas uma pequena seção no final sobre o cálculo, um ensaio que Newton havia escrito uma dúzia de anos antes intitulado *Tractatus de Quadratura Curvarum* ("Sobre a quadratura das curvas"). Ele o tinha escrito em 1691, só depois de o matemático escocês James Gregory lhe enviar seu próprio método, que estava prestes a publicar. O ensaio havia começado como uma carta a Gregory, mas rapidamente cresceu para se tornar um texto que, em 1692, era extenso o suficiente para impressionar um dos amigos íntimos e colega matemático de Newton. Este revisou e abreviou o material para publicá-lo em *Ótica*. Estranho como possa parecer para um matemático tão famoso como Newton, esse apêndice foi sua primeira publicação real de um trabalho puramente matemático.

Newton havia descoberto o cálculo durante seus anos mais criativos, 1665 e 1666, quando, estudante na Universidade de Cambridge, retirou-se para a propriedade rural da família para escapar de uma epidemia de peste bubônica especialmente grave. Ele tivera a intenção de publicar ao mesmo tempo seus trabalhos sobre cálculo e ótica, mas, quando divulgou sua teoria das cores, em 1672, apanhou tanto de seus contemporâneos que jurou nada mais publicar. Newton já era um homem velho quando publicou seus trabalhos sobre cálculo, embora enviasse aos amigos cartas e cópias privadas de artigos que havia escrito e escrevesse páginas e páginas em seus diários que nunca enviou a ninguém. Durante a maior parte de sua vida, o cerne de seu trabalho matemático não foi publicado.

Pode parecer estranho, se comparado com o mundo acadêmico atual, apaixonado por publicação, que alguém fosse esconder um feito intelectual tão grandioso como o cálculo durante meses, para não dizer anos ou décadas. Mais estranho ainda para alguém como Newton, que algumas vezes em sua vida exibia uma autoconfiança absurda. E ainda mais estranho por se referir a um trabalho tão importante quanto o cálculo, que é um dos maiores legados intelectuais deixados pelo século XVII.

O que é o cálculo? Como um conjunto de conhecimentos, é um tipo de análise matemática que pode ser usado para estudar grandezas em mudança — corpos em movimento, por exemplo. Basicamente, o cálculo é um conjunto de ferramentas matemáticas para analisar esses corpos em movimento. Para quase todo tipo de movimento físico observável atualmente (p. ex., o movimento das nuvens, a órbita de um satélite GPS em volta da Terra ou a interação de um medicamento para Aids com sua enzima alvo), os cientistas podem aplicar aos corpos as equações do cálculo objetivando prever, acompanhar ou modelar esses fenômenos.

Diferenciais são pequenos acréscimos ou decréscimos instantâneos em grandezas que variam, e *integrais* são somas de intervalos infinitesimais de curvas ou formas geométricas. O que significa tudo isso? Um bom modo contemporâneo para entender esses conceitos é pensar na forma como uma bola de beisebol faz uma curva ao deixar a mão do arremessador (*"pitcher"*) a caminho da luva do apanhador (*"catcher"*). No cálculo você exprime uma variável em termos de outra. Um jogador de beisebol arremessa uma bola rápida perfeita; o radar registraria a velocidade máxima, mas a geometria descreve muito mais — por exemplo, como a posição da bola muda com o tempo. E a física pode dar outra dimensão a esta informação, tal como explicar a resistência que a bola sente no ar, ou o efeito da gravidade na altura em que a bola cruza a base, ou como a rotação da bola afetará a curvatura do lançamento. Mas o cálculo oferece a capacidade de analisar matematicamente objetos em movimento ou em mudança; em outras palavras, utilizando o cálculo, você poderia calcular tudo isso sem ter que arremessar a bola.

A capacidade de analisar esse movimento é o domínio do cálculo. A posição, a velocidade e a trajetória da bola estão mudando a cada instante, à medida que a bola segue a caminho da base. Se você tirasse uma foto da bola a cada centésimo de segundo, você poderia registrar a posição da bola em termos do tempo. No instante zero, o arremesso ainda está nas pontas dos dedos do jogador. Um décimo de segundo depois está alguns centímetros à frente da mão dele; após outros poucos décimos de segundo a bola alcança o seu zênite e começa a descer em direção à luva do *catcher*, na qual se detém. Newton teria visto um arremesso de beisebol em termos dessas grandezas que se alteram conforme a bola se move.

No século XVII, é claro que ninguém sabia nem se preocupava com coisa alguma sobre beisebol. Mas entender como a posição, a velocidade e a trajetória de uma bola arremessada estão num estado constante de variação é a base para entender a física de todos os corpos em movimento. Nesse sentido, o cálculo foi o maior avanço matemático desde os tempos dos gregos, que tiveram grande dificuldade tentando entender tais problemas. A aceleração variável, por exemplo, teria sido um conceito difícil de apreender para um matemático grego antigo, pois é a medida da variação da velocidade no tempo, enquanto a velocidade é uma medida da variação da posição com o tempo.

O cálculo permitiu que alguns dos grandes problemas da geometria fossem resolvidos. Newton não foi o primeiro a conceituar tais problemas. Nem foi ele o primeiro a dominar com êxito a matemática que lhe permitiria resolvê-los. Os antigos haviam calculado a área das formas geométricas por meio daquilo que hoje chamamos o "método da exaustão" — preenchendo uma área com triângulos, retângulos ou algumas outras formas geométricas com área fácil de calcular, somando-as depois. Utilizando este método, Arquimedes determinou a área de parábolas e de segmentos esféricos.

No século XVII, Johannes Kepler repetiu o trabalho de Arquimedes, considerando o círculo como composto de um número infinito de triângulos infinitamente pequenos e depois aplicou o mesmo raciocínio para determinar as áreas e os volumes de outras formas geométricas que Arquimedes não havia considerado. (É interessante notar que Kepler foi motivado, em parte, pelo fato de 1612 ter sido um excelente ano para a produção de vinho e não existirem na época bons métodos para se estimar o volume dos tonéis.) Um outro matemático, Bonaventura Cavalieri, amigo de Galileu e professor em Bolonha, considerou a linha uma infinidade de pontos; uma área, uma infinidade de linhas; e um sólido, uma infinidade de superfícies.

René Descartes fez talvez a mais importante contribuição para a matemática desde o tempo dos gregos, quando inventou a geometria analítica (seria suficiente acrescentar que o avanço subseqüente viria a ser o cálculo). Basicamente, Descartes mostrou que linhas, superfícies e formas geométricas podem ser representadas em equações algébricas e que tais equações podem ser representadas geometricamente. Esta foi uma enorme descoberta, porque permitiu que se fizesse a análise de formas geométricas por meio de equações matemáticas. Diversos outros matemáticos, contemporâneos de Descartes, ou que se seguiram a ele, também fizeram suas contribuições. Pierre Fermat, conselheiro do Parlamento de Toulouse, hoje lembrado por seu famoso último teorema, criou um método para determinar máximos e mínimos, traçando tangentes a curvas, tão semelhante ao cálculo diferencial que no século XVIII alguns iriam proclamá-lo o inventor do cálculo.

Blaise Pascal foi um menino prodígio em Paris que também se ocupou com essas cogitações, tendo publicado seu importante artigo sobre secções cônicas quando tinha 16 anos. Giles Personne de Roberval estudou as formas e os volumes geométricos e criou um método geral para traçar tangentes a curvas. Evangelista Torricelli, um aluno de Galileu, sem conhecer o trabalho de Roberval, publicou resultados similares, usando o método infinitesimal. O matemático escocês James Gregory determinou em 1668 a integração das funções trigonométricas. O livro de John Wallis *Arithmetica Infinitorum* ampliou e estendeu o trabalho de Cavalieri e apresentou alguns resultados. Johann Hudde, na Holanda, descreveu um método para encontrar máximos e mínimos. Christian Huygens também descobriu meios para determinação de máximos e mínimos e pontos de inflexão de curvas. Isaac Barrow publicou um método para traçar tangentes em 1670, e René François de Sluse publicou um outro em 1673.

Todos esses trabalhos têm sido chamados de "casos isolados de diferenciação e integração", e os matemáticos que os executaram — juntamente com alguns outros que não mencionei — foram pioneiros. Mas Newton foi o primeiro a imaginar um sistema geral que o capacitou a analisar problemas desse tipo em sua generalidade — o cálculo ou, como Newton o chamou, o método de fluxões e fluentes. Infelizmente para ele, não foi o único a descobri-lo.

Leibniz descobriu o cálculo no decorrer do prolífico espaço de tempo que passou em Paris, entre 1672 e 1676. Embora fosse um advogado e não tivesse nenhum treinamento formal em matemática, mostrava uma incrível tendência para ela. Em alguns poucos anos conseguiu harmonizar todas as descobertas matemáticas de seus contemporâneos para conceber o cálculo. E uma vez que Leibniz preferia explicações simples ao jargão, inventou, para complementá-lo, um sistema de registro original e engenhoso.

Ao longo dos dez anos seguintes, ele refinou sua descoberta e desenvolveu seu sistema de símbolos e notação, e depois publicou os resultados de seus trabalhos em dois artigos de alto nível, publicados em 1684 e 1686. Com estes dois artigos, Leibniz podia reclamar a propriedade intelectual do cálculo. Então, passou as duas décadas que decorreram entre essas publicações e o aparecimento do *Ótica* de Newton aperfeiçoando suas idéias, mantendo correspondência com seus contemporâneos, orientando outros matemáticos, revisando trabalhos publicados por outros e, também, ampliando a técnica do cálculo. Leibniz até mesmo criou a palavra "cálculo" — *calculus* era um tipo de pedra que os romanos usavam para fazer contas.

O cálculo foi uma invenção tão promissora que, na época em que Newton publicou "Sobre a quadratura das curvas" na parte final de *Ótica* em 1704, Leibniz estava quase duas décadas à sua frente. Newton estava empenhado em um penoso combate para arrebatar de Leibniz o crédito pelo cálculo. Seu rival por mais de dez anos estivera se aquecendo à luz de sua própria invenção e era amplamente reconhecido por toda a Europa como seu único criador. Algumas pessoas chegavam a pensar que Newton estaria plagiando Leibniz.

O único lugar onde a matemática de Leibniz não havia ainda se firmado era a Inglaterra. Parte do problema, aparentemente, era que os ingleses não tinham interesse em notícias do exterior. Mas esta falta de atenção na Inglaterra em nada diminuía a reputação de Leibniz no continente. Do outro lado do Canal da Mancha e no coração da Alemanha, ele se encontrava no auge da fama — não somente por seu gênio matemático, mas também por suas obras filosóficas.

Aquele pequeno tratado incluído por Newton na parte final de *Ótica* marcou o início silencioso das guerras do cálculo, porque foi a luz que revelou os sentimentos de ciúme e ressentimento entre Leibniz e Newton, ocultos há longo tempo. Newton durante anos havia sofrido em silenciosa humilhação com a consciência de que tinha sido o primeiro a inventar o cálculo, e se sentia como um monte de brasas prontas a explodir em chamas.

Por outro lado, o texto de "Sobre a quadratura das curvas" não era a primeira vez na qual afirmava que Newton era o verdadeiro inventor do cálculo, mas era a primeira que o próprio Newton publicava alguma coisa a esse respeito. Assim, Leibniz simplesmente não podia ignorá-lo.

EM 1705, UMA revisão anônima do ensaio de Newton apareceu num jornal europeu a que Leibniz era intimamente ligado, e foi essa matéria que realmente avivou as chamas. Fazia um comentário que Newton e seus seguidores interpretaram como uma insinuação de que o inglês havia usurpado idéias de Leibniz. O matemático alemão negou constantemente a autoria desse material durante toda sua vida, mas, no século XIX, um de seus biógrafos provou que ele de fato o escrevera. Contudo isso não chegou a ser uma revelação, porque poucas pessoas algum dia haviam duvidado realmente de que Leibniz escrevera a insinuação — Newton ainda menos do que todas.

A partir do momento em que Newton leu aquela matéria, e mesmo após a morte de Leibniz em 1716, o inglês seguiria batalhando para defender seu direito à glória da descoberta do cálculo. Ele tomaria dois caminhos. Um era simplesmente insinuar que talvez a invenção de Leibniz estivesse maculada pelo plágio. O outro era afirmar que, em qualquer caso, ele, Newton, havia inventado o cálculo primeiro. "Se o Sr. Leibniz o inventou depois de mim, ou se o tirou de mim, é uma questão sem nenhuma importância", escreveria Newton, "pois segundos inventores não têm quaisquer direitos".

Leibniz não era homem de receber tal ameaça sem reagir. Ele trabalhou a comunidade intelectual da Europa escrevendo carta após carta em apoio à sua causa. Também escreveu numerosos ataques anônimos a Newton e os publicou lado a lado com artigos que escreveu comentando esses seus próprios ataques anônimos.

Pouco mais de uma década depois do aparecimento do *Ótica*, as guerras do cálculo chegaram ao auge, e quando Leibniz faleceu, em 1716, ele e Newton eram dois homens velhos em luta aberta sobre qual dos dois merecia crédito e se um havia plagiado o outro. As cartas de ambos e seus escritos privados são referências amarguradas ao próprio brilho e à desonestidade do rival.

Embora somente depois de 1704 eles tenham passado a debater publicamente, os fundamentos da batalha haviam se revelado gradualmente durante o quarto de século anterior, quando Newton e Leibniz eram muito mais jovens. Essa foi uma época interessante da história, e o tempo em que ambos viveram teve um importante papel na disputa que acabou por irromper entre eles. Foi um tempo não somente de pessoas em conflito, mas também de *idéias* em conflito. A Europa da segunda metade do século XVII era uma sociedade no qual as visões de mundo não eram mais matéria apenas de dogma, mas também de debate. Crenças que permaneciam aceitas há séculos foram subitamente derrubadas pelas possibilidades de medição e pelas experiências controladas da revolução científica — o berço da modernidade nas cinzas da Idade Média.

No decorrer do século iniciado em 1600, a Europa medieval estava desaparecendo rapidamente, mas o continente ainda era mais sobrenatural do que natural em suas crenças. A ciência e o uso do raciocínio matemático para descrever o mundo estavam surgindo sobre um pano de fundo que ainda era visto pela maioria das pessoas daquele tempo como um campo de batalha povoado por espíritos sobrenaturais — anjos e demônios que sujeitavam os seres humanos aos seus caprichos. A magia negra era real. As pessoas daquele século respeitavam os horóscopos, buscavam sinais para prever seu destino, interpretavam os sonhos e acreditavam em milagres. Os criminosos eram identificados por adivinhação, em vez de investigação. Os alquimistas tentavam transmutar chumbo em ouro. Astrólogos ficavam ao lado dos astrônomos nos palácios reais. Pessoas eram acusadas de feitiçaria e penduradas pelos polegares, chicoteadas, torturadas e submetidas a mortes horríveis. No total, em toda a Europa, talvez cerca de 100 mil pessoas tenham sido acusadas de praticar feitiçaria no século XVII.

Esse século também assistiu a mudanças políticas importantes, à medida que identidades nacionais e nacionalismo surgiam com o Estado poderoso. Em muitos lugares, o Estado tornou-se a corporificação da propriedade pessoal do governante. Como disse Luís XIV em sua famosa frase, *"L'état c'est moi"* — O Estado sou *eu*. Naturalmente, sobraram despojos desse ponto de vista; em 1690, o regente da França vendeu títulos de nobreza para qualquer um com uma mala de dinheiro. Essa era, na verdade, uma prática comum na Europa no século XVII. Títulos e posições eram mercadorias para serem compradas, vendidas e trocadas tanto quanto eram recompensas a serem conquistadas. De fato, o rei Jaime I da Inglaterra vendeu tantos títulos de cavaleiro no início daquele século que seu valor diminuiu — como seria de esperar com qualquer mercadoria que se tornasse, de repente, facilmente disponível.

Contra esse pano de fundo de crenças ocultistas, favorecimento nas honrarias e turbulência política, o século XVII assistiu também a alguns dos maiores avanços científicos e matemáticos feitos por alguns dos maiores cérebros que já viveram. Esses cem anos testemunharam uma explosão de conhecimentos talvez sem rival na história da civilização. As naturezas da luz e do som foram descobertas. O diâmetro da Terra foi estimado com erro de poucos metros e a velocidade da luz foi medida com precisão. As órbitas de planetas e de cometas foram rastreadas por telescópios, e luas foram descobertas em torno de Saturno e Júpiter. Desenvolveu-se uma sofisticada visão moderna do sistema solar, graças, em grande parte, a Newton, a qual foi fielmente descrita pela matemática. A circulação do sangue através do corpo foi cuidadosamente mapeada e os microscópios levaram à descoberta das células e de um mundo de minúsculos organismos, muito pequenos para serem vistos a olho nu.

Devido ao assombro perante tais conquistas, existe uma tentação de focalizar exclusivamente as conquistas intelectuais do século XVII. Como disse um historiador: "Durante poucos períodos de sua história o homem ocidental possuiu realmente confiança para acreditar que apenas com seu raciocínio poderia entender em profundidade todas as questões acerca dele mesmo e de sua existência."

Não obstante, não devemos esquecer que o cálculo e todos os outros desenvolvimentos intelectuais importantes ocorreram sob um pano de fundo de horror. Se o século XVII provou alguma coisa sobre a história foi que nem sempre ela se desdobra gradualmente.

Foi um século de arrancos e paradas; de avanços incríveis e terríveis retrocessos; da genialidade mais sublime e do mais cruel despotismo; e da possibilidade de criar e da cruel perseguição. Para mim, o século XVII representa um cruzamento entre uma caixa de chocolates e um desastre de trem — uma época que liberou para o mundo uma quantidade de sinais suaves, doces e estimulantes da ciência verdadeira, e, ao mesmo tempo, submeteu os que então viviam aos horrores da peste, das perseguições religiosa e política, da fome e da guerra.

2

Os Filhos das Guerras

■ 1642-1664 ■

Que seja sabido por todos... que há muitos anos passados, discórdias e divisões civis eram incitadas no Império Romano, as quais aumentaram a um tal grau, que não somente toda a Alemanha, mas também os reinos vizinhos, e particularmente a França, estiveram envolvidas nas desordens de uma guerra longa e cruel.

— de O Tratado de Vestefália, 1648.

Leibniz conheceu o mau cheiro e a dor da guerra por ter crescido numa terra que estava envenenada por ela. Ele nasceu durante um dos mais horríveis capítulos da história da Europa — os tempos de desespero e desolação durante as três décadas de horror que foi a Guerra dos Trinta Anos. Este foi um conflito complicado, prolongado, que envolveu muitos Estados europeus — Dinamarca, Espanha, França, Suécia — que competiam por vantagens políticas e por territórios alemães. A guerra foi tão longa que quando, afinal, terminou, não importava muito quais haviam sido suas causas (uma complicada mistura de desejo por território e rebelião protestante). O que importava era que a Alemanha havia sido completamente despedaçada.

Constituiu-se um problema o fato de o ônus da guerra ter sido parcialmente desviado dos países que comandavam os exércitos para as terras em que foram travadas as batalhas. Não era um preço pequeno. Durante a Guerra dos Trinta Anos, tornou-se difícil atacar cidades e fortalezas, tornando necessário o emprego de exércitos grandes e bem-

32 A GUERRA DO CÁLCULO

organizados. Como resultado, as tropas européias incharam a tamanhos que não eram vistos desde os tempos de Júlio César — tendo muitas de suas fileiras preenchidas por mercenários. Mas esses grandes exércitos significavam que subitamente havia dezenas de milhares de homens que tinham que ser equipados, alimentados e, talvez o mais importante, pagos.

Durante a Guerra dos Trinta Anos, o saque era a regra e não a exceção, pois soldados mal pagos buscavam recompensa saqueando as cidades ocupadas. Além disso, saquear tornou-se uma prática normal para alguns exércitos em batalha, implementada com tanto sucesso pelo exército sueco que em 1633 seus custos foram apenas uma fração do que tinham sido em 1630. E os suecos não estavam sozinhos. Um monge bávaro chamado Mauros Friesenegger disse, sarcasticamente: "No dia 30 de setembro [de 1633] outra tropa de 1.000 soldados da Cavalaria Imperial Espanhola passou por aqui. Embora sendo recrutas novos, que não conhecem nenhuma disciplina militar, eles conheciam bem a chantagem e o roubo."

Tampouco esse comportamento era restrito aos subalternos. Durante anos, nas regiões ocupadas, algumas das mais altas posições militares e sociais dos exércitos eram preenchidas por indivíduos em busca de ganhos pessoais. O contrato assinado por Wallenstein, em 1632, para tornar-se general do exército liderado pelos espanhóis dava-lhe o direito de confiscar terras e conceder perdões.

Quando Leibniz nasceu, em 1646, a guerra estava quase no fim. Sua cidade natal, Leipzig, estivera no coração do conflito. De fato, logo ao sul de Leipzig ficava Lutzen, que, na manhã de 16 de novembro de 1632, cerca de 12 anos antes do nascimento de Leibniz, havia sido local de uma das mais sangrentas batalhas da guerra. Cinco mil homens haviam morrido, incluindo Gustavo Adolfo, o rei da Suécia, abatido quando liderava uma carga cega, através do nevoeiro, sobre as forças inimigas.

Dois anos depois que Leibniz nasceu, a guerra iria finalmente terminar, com a assinatura do Tratado de Vestefália. O tratado apelava por uma "paz cristã e universal" e pelo perdão de todos os crimes de guerra. Se a paz era cristã, a guerra tinha sido tudo menos isso. Dezenas de milhares de vilas e cidades haviam sido arruinadas e, segundo algumas estimativas, um terço de todas as casas na Alemanha estavam destruídas. A humanidade havia sido atingida de maneira ainda pior. Talvez um quarto da população havia morrido, e muitas pessoas tinham sido submetidas a algumas das piores formas de tortura e crueldade.

Durante o sítio de Breisach em 1638, por exemplo, seus habitantes trocavam peles caras e diamantes por um quilo de trigo. Segundo um relato impresso, "Notícias a respeito da Grande Fome e da situação de emergência que ocorreram durante o sítio de Breisach", todas as espécies de animais foram consumidas. Carnes palatáveis eram vendidas por preços incrivelmente elevados, e as demais também eram comidas e algumas vezes comercializadas. "Muitos camundongos e ratos eram vendidos por alto preço", diz o relato. "[E] quase todos os cães e gatos foram comidos." Com o prolongamento do sítio, os habitantes voltaram-se para o canibalismo.

Canibalismo é a metáfora perfeita para a Guerra dos Trinta Anos — a Europa devorando a si mesma. Um homem chamado William Crowne, que viajava pela Alemanha em 1636, escreveu: "De Colônia a Frankfurt todas as cidades, vilas e castelos estão danificados, pilhados e incendiados." A indústria e o comércio não se recuperaram até o século XVIII, e diz-se que o desenvolvimento econômico alemão foi retardado em cem anos.

Leibniz nasceu às 6h45 do dia 1º de julho de 1646, em uma casa próxima da Universidade de Leipzig. Era filho de Friedrich Leibniz e Catarina Schmuck, ambos pessoas de boa moral e bem educadas. Catarina era filha de um "celebrado" advogado em Leipzig, e Friedrich era professor de ética e vice-presidente da faculdade de filosofia da universidade. O pai se casara três vezes e Catarina era sua terceira esposa, muito mais moça. Era muito dedicada a seus dois filhos, Gottfried e a irmã.

A lenda diz que Leibniz abriu os olhos diante da pia batismal, o que seu pai tomou como um sinal da bondade de seu filho. "Eu profeticamente considerei esse fato como um sinal de fé, um indício muito seguro", escreveu Friedrich, "de que meu filho seguirá pela vida com os olhos voltados para o céu (...) prodigalizando atos maravilhosos." Anos depois, Leibniz afirmava que tinha mostrado tal aptidão para aprender que, mesmo aos 5 anos de idade, seu pai acalentava "as mais brilhantes previsões do meu futuro progresso". Infelizmente, tais previsões foram tudo que o pai de Leibniz viria a ter. Ele faleceu em 1652, quando o filho tinha apenas 6 anos.

Uma das coisas que Friedrich deixou foi uma biblioteca — embora Leibniz não tivesse acesso a ela até que ocorresse um incidente com o diretor da escola primária que cursava. Um dia Leibniz encontrou dois livros que haviam sido colocados em lugar errado por um estudante mais velho e começou a lê-los. O diretor ficou chocado. Embora os livros fossem adequados para um aluno mais velho, no entendimento do diretor nenhum menino da idade de Leibniz deveria ter permissão para ler livros para adultos como aqueles. Ele se dirigiu à mãe de Leibniz, exigindo que os livros fossem imediatamente tomados do menino.

O garoto poderia ter sido até rebaixado para uma série inferior, não fosse por um casual benfeitor, "um certo cavaleiro erudito e muito viajado", como Leibniz o descreveu. "Por antipatizar com a inveja ou a estupidez do [diretor], o qual, como logo percebeu, desejava avaliar a estatura de todos pela sua própria, passou a demonstrar que, contrariamente ao que dizia aquele, era injusto e intolerável que um gênio em germinação fosse reprimido por maldade e ignorância."

Aconteceu que esse nobre discordou do diretor, dizendo que o vivo interesse do menino por livros avançados era um claro sinal do seu agudo intelecto, que desabrochava, e que devia ser encorajado, não sufocado. O nobre convenceu os familiares de Leibniz não só de que ele não devia ser punido por ler um livro não apropriado, mas que devia ser autorizado a ler todos os livros da biblioteca de seu pai nos seus momentos de lazer. "Essa notícia foi uma grande fonte de prazer para mim, como se eu tivesse achado um tesouro", escreveria Leibniz anos depois em suas confissões pessoais. Assim, aos 8 anos, Leibniz teve permissão para entrar no gabinete de seu pai. Lá encontrou livros de Cícero, Plínio, Sêneca, Heródoto, Xenofonte, Platão e muitos outros, e teve liberdade para servir-se de todos os clássicos latinos, discursos metafísicos e manuscritos teológicos existentes naquelas estantes. "Atirei-me a essas obras com o máximo de avidez", disse Leibniz.

Ficar sozinho no gabinete — sozinho com os livros — também acendeu nele o gosto pela aprendizagem contemplativa independente, a espé-

Os Filhos das Guerras   35

cie de aprendizagem que ele adotaria por toda sua vida. Despendeu muitas horas estudando os tesouros daquela biblioteca e começou a ler mais latim do que a lotação completa de um ônibus com alunos de um curso preparatório para a Faculdade de Direito, empenhados em um concurso de debates. Como viria a gabar-se mais tarde, aos 12 anos "entendia toleravelmente bem os escritores latinos, começava a balbuciar o grego e escrevia versos com excepcional sucesso". Seu latim era tão bom, ao que parece, que aos 11 anos ele era capaz de fazer um difícil dever de redação nessa língua antiga em questão de poucas horas. A tarefa consistia em compor um discurso poético em lugar de um colega que havia ficado doente. "Fechando-me em meu quarto", disse Leibniz, foi capaz de compor sem interrupção, em uma única manhã, "trezentos hexâmetros, de tal qualidade que ganhei o louvor de meus instrutores".

Leibniz não teve contato significativo com a matemática em seus primeiros anos de estudo, e, quando jovem, teve de ensiná-la a si mesmo. Ele e Newton foram similares quanto a esse aspecto.

Suas vidas se assemelharam ainda de outro modo. Isaac Newton também era filho de uma terra cindida. No século XVII a Inglaterra era algo estranho na Europa, porque nunca foi arrastada à Guerra dos Trinta Anos — em grande parte devido a seu isolamento geográfico do continente. A Grã-Bretanha era também diferente de muitos outros países da Europa, os quais estavam se tornando Estados altamente centralizados, dirigidos por um governante supremo. Em vez disso, ela já era altamente centralizada. Na verdade, a monarquia britânica corria perigo de perder poder, em lugar de consolidá-lo.

Quando Newton nasceu, o rei Carlos I detinha posse precária do poder. De fato, o país escapava rapidamente de seu domínio. O rei estava literalmente em guerra com o Parlamento e se ressentia do controle sobre seu poder representado por esse órgão. Ele acreditava no poder divino dos reis e pensava que não devia ficar sujeito a críticas ou envolvido em disputas menores com dirigentes do Parlamento. Durante certo período de seu reinado, ele dissolvera o Parlamento, situação que perdurou por mais de uma década, a partir de 1629.

O choque com o Parlamento presenteou o rei com uma grande crise financeira, porque o corpo legislativo detinha um poder que o rei não possuía — o de votar impostos. O monarca sobreviveu por algum tempo, elevando o valor das taxas e multas, mas, em 1657, uma revolta na Escócia fez com que tivesse que montar um exército, e assim ele teve que convocar novamente o Parlamento.

Cinco anos depois, poucos meses antes de Newton nascer, irrompeu uma guerra civil entre forças do rei e do Parlamento. Estas assumiram o controle da Marinha, de todas as cidades importantes, incluindo Londres, e das terras nas redondezas desta. Assim, elas conservaram a capacidade de impor e cobrar tarifas e outras formas de levantar recursos para alimentar a guerra. Carlos, por outro lado, financiava seus exércitos penhorando terras, jóias e outros bens. Ele até obteve empréstimos dos espanhóis para subornar os escoceses.

No início da guerra, Carlos desfrutava a vantagem de que as tropas reais eram formadas por soldados profissionais, enquanto que os soldados do Parlamento eram uma turba. Em 4 de janeiro de 1642, confiante em sua vantagem, Carlos atacou o Parlamento: envergando uma armadura, acompanhado por asseclas armados e decidido a prender os parlamentares que antes o haviam desafiado. Mas esses líderes oposicionistas estavam bem-informados sobre os movimentos do rei, pois já haviam se retirado quando Carlos e seu séquito chegaram. Isso foi mais do que um embaraçoso insucesso para o rei — foi um erro fatal para Carlos e sua monarquia. Ao cair da noite, muitos dos habitantes da cidade haviam se reunido e iniciado um protesto armado, fazendo de Carlos praticamente um prisioneiro em seu próprio castelo. Multidões fanatizadas gritavam do lado de fora do castelo, e era impossível escapar do escarcéu em qualquer lugar no interior das muralhas. A situação agravou-se, e Carlos viu-se forçado a abandonar Londres e escapar para locais mais hospitaleiros no país — para nunca mais voltar, exceto para sua própria execução.

As tropas reais retiraram-se pela Great Northern Road, que passava perto da fazenda onde a mãe de Newton se encontrava grávida de Isaac. Mais tarde, as tropas do Parlamento vieram pela mesma estrada, em perseguição ao rei. Embora as tropas de Carlos fossem as mais bem-treinadas, o exército do Parlamento, liderado por Oliver Cromwell, era disciplinado e altamente motivado. Ao final, o rei da Inglaterra foi executado em 30 de janeiro de 1649, em Londres, e seu filho Carlos II fugiu do país poucos anos depois.

Embora Newton tenha nascido no mesmo ano em que a guerra civil começou, outra coincidência é lembrada com mais freqüência por seus biógrafos — que Newton nasceu no mesmo ano em que morreu Galileu. Esse fato tem sido proclamado como significativo, porque, em certo sentido, Galileu foi o padrinho científico de Newton. Newton iria seguir os passos de Galileu e acabar por descrever, utilizando matemática de sua própria invenção, o universo físico que o italiano havia observado com seu telescópio. Há, entretanto, um fato inconveniente para qualquer um que acate essa noção romântica, pois Newton nasceu em 4 de janeiro de 1643, segundo o calendário gregoriano — o ano seguinte ao da morte de Galileu. A Inglaterra não adotou esse calendário no século XVII, porque os protestantes resistiam ao que consideravam uma contaminação católica.

Mais importante do que o ano de seu nascimento talvez seja o fato de que Newton veio ao mundo no meio da noite tão pequeno e prematuro que as mulheres que ajudaram o parto de sua mãe tinham certeza de que ele iria morrer — afinal, naqueles dias, mais de um terço de todas as crianças morriam antes de chegar ao sexto aniversário. Duas dessas mulheres, enviadas para buscar algum remédio para o recém-nascido, não esperavam que Newton estivesse vivo quando elas voltassem. Mal podiam saber que ele iria viver bem mais do que todas elas, só vindo a morrer depois dos 80 anos de idade.

A família de Newton era comum e de pouca educação. Seus antepassados eram pequenos proprietários rurais — um tipo de vida não destituído de conforto, mas certamente humilde. Seu pai, ao que parece, não sabia ler nem escrever, e Isaac foi o primeiro da família que pôde assinar o próprio nome. O pai tem sido apresentado como descontrolado, extravagante e fraco, um homem talvez interessante de se conhecer, mas quando Newton nasceu ele já estava morto havia dois meses. Também chamado Isaac, ele morreu com 37 anos, poucos meses depois de seu casamento com a mãe de Newton, Hannah Ayscough Newton. Hannah, filha de uma família um pouco melhor, foi deixada como viúva grávida, com um pequeno patrimônio de 46 vacas, 234

38 A GUERRA DO CÁLCULO

carneiros e um par de celeiros cheios de milho, feno, malte e aveia próximo à cidade inglesa de Westby, no Lincolnshire.

Quando seu filho tinha 3 anos, em 3 de janeiro de 1645, a Sra. Newton casou-se novamente. O novo marido, Barnabas Smith, um clérigo educado em Oxford, era o pároco de uma pequena cidade próxima. Nascido em 1582, Smith tinha 63 anos quando os votos matrimoniais foram proferidos. O reverendo Sr. Smith tinha suas necessidades, e o novo casal logo teria mais três filhos — um meio-irmão de Newton, Benjamin, e duas meias-irmãs, Mary e Hannah. A mãe de Newton mudou-se para a paróquia do bom reverendo em North Witham. Por uma razão qualquer, Newton não se encaixou bem nesse quadro, e, assim, foi mandado para ser criado por seus avós, em Woolsthorpe, um pequeno povoado na paróquia de Colsterworth, condado de Lincoln, cerca de 10 km ao sul de Grantham. Aparentemente, Newton não era ligado a nenhum de seus avós, e sua atitude com relação ao padrasto, o reverendo Smith, era ainda mais inconstante. Quando ainda era criança, ele ameaçou uma vez queimar vivos sua mãe, seu padrasto "e a casa sobre eles". Mais tarde Newton arrependeu-se de ter dito isso, especialmente depois da morte do reverendo Smith, que ocorreu quando o enteado tinha 10 anos, deixando a Newton uma coleção com algumas centenas de livros de teologia.

Aos 12 anos, Newton foi para a escola primária, na vizinha Grantham. Lá estudou latim e algumas outras matérias, ficando hospedado numa casa que era a loja de um boticário de nome Clark. Foi lá, sem dúvida, que Newton pela primeira vez assistiu à mistura de produtos químicos — a centelha que acendeu o amor de toda a vida pela alquimia.

Anos mais tarde, Newton confessou que era extremamente desatento aos estudos e mau aluno. Não obstante, sua enorme inteligência, que provavelmente o fazia parecer estranho aos outros estudantes, já deveria estar evidente na escola primária.

Nessa época ele não era conhecido por brincar muito com os outros meninos; preferia passar a maior parte do seu tempo livre sozinho em seu quarto, consertando, desenhando e construindo coisas. Assim, por exemplo, tendo ficado profundamente impressionado com um moinho de vento que estava sendo construído nas proximidades, decidiu construir um para si, o que de fato fez, e do qual se dizia que era tão bom quanto o original. Não satisfeito com o instável soprar do vento, construiu um dispositivo adicional que permitia que um camundongo fizesse a roda girar. Conta-se que encheu seu quarto de desenhos feitos à mão. Construiu uma lanterna de papel que podia dobrar e carregar no bolso, quando não a usava. Depois prendeu a lanterna a uma pipa e a fazia voar à noite. Construiu tantos relógios de sol, e tornou-se tão bom nisso, que seus vizinhos começaram a ir à sua casa para saber as horas.

Newton também construiu uma mobília para bonecas para uma amiga de infância — uma Srta. Storer, que era dois ou três anos mais jovem que ele e era filha do Sr. Clark, em cuja casa morava. A Srta. Storer, cujo primeiro nome se perdeu no tempo, iria mais tarde tornar-se a Sra. Vincent, que talvez agora seja mais famosa por haver descrito o jovem Newton como um "rapaz sóbrio, calado e pensativo". Mais tarde ela contou a um dos primeiros biógrafos de Newton que ele fora apaixonado por ela, embora Newton não tenha deixado nenhum indício de que tenha tido tais sentimentos.

Fazer a mobília de bonecas para a Srta. Storer pode ter sido mais interessante para Newton do que a própria moça. Esse pequeno trabalho artesanal se traduziu anos depois em atividade científica, e ele passou toda a vida construindo aparelhos estranhos e fazendo experiências, ao mesmo tempo que realizava o trabalho teórico pelo qual é hoje tão famoso.

Mas Newton tinha ainda muita coisa de ciência e matemática a aprender — aprendizado que ele não podia ter na escola primária, onde não tinha acesso a qualquer coisa importante da matemática. Em lugar disso, seu treinamento na escola primária incluía latim e um pouco de grego. Newton aprendeu bem o latim, língua que seria importante em sua futura carreira, uma vez que muitos dos livros de sua época eram escritos nesse idioma.

A formação escolar de Leibniz foi igualmente sem maior interesse. Mais tarde ele observou que, devido a sua educação em matemática ter sido tão pobre, seu progresso foi retardado. A tradição escolar da Alemanha na época significava aprender Aristóteles e lógica, matéria na qual Leibniz distinguiu-se na escola. Ele asseverava que não somente dominou as regras da lógica de Aristóteles antes de qualquer outro estudante, mas que também conseguiu ver algumas das limitações do sistema.

Jovem ainda, Leibniz iria contar com o método autodidata que cultivou nos anos que passou fechado com todos os livros de seu pai na biblioteca deixada por ele. Leibniz era a espécie de intelectual que se atira inteiramente ao seu trabalho, colhendo seus conhecimentos dos livros. "Eu não enchia minha cabeça com ensinamentos vazios e complicados, que são aceitos devido à autoridade do professor, em lugar de argumentos sólidos", disse ele uma vez. Em outra ocasião, ele observou que sua maior dívida para com seus primeiros mestres era "que eles interferiram o mínimo possível em meus estudos".

Leibniz seguiu os passos de seu pai, estudando filosofia acadêmica e leis na Universidade de Leipzig, e defendeu sua tese de mestrado, *De Principio Individui* ("Sobre o princípio do indivíduo"), em fevereiro de 1664, aos 17 anos de idade. O mentor de Leibniz, Jacob Thomasius, elogiou a tese do adolescente, declarando publicamente que, embora fosse apenas um garoto, o aluno era capaz de investigar qualquer coisa, por mais complicada que parecesse.

Newton era menos dotado em assuntos práticos. Aos 15 anos, tinha que fazer viagens semanais de regresso a Grantham para dirigir seus negócios. Presumia-se que seu criado pessoal, que se fazia necessário devido à pouca idade de Newton, orientaria o jovem quando este desse seus primeiros passos no mundo do comércio e na idade adulta. Na realidade, Newton não estava interessado em nada dessa educação, e deixava seu criado conduzir todos os negócios, enquanto se ocupava apenas em ler.

Em 1659, quando Newton tinha 17 anos, ele foi afastado de seus estudos para assumir a administração da fazenda da família. Como o homem mais velho da família, era esperado que se tornasse um fazendeiro e criador de carneiros, e por isso teve que passar alguns meses irritado em casa, em miserável exílio, antes de ir para um curso superior. Sua completa inadequação para esse tipo de trabalho logo se tornou aparente. Sua disposição para os estudos o fazia inteiramente inviável para ser um criador de qualquer coisa que não fossem idéias. Existe uma pintura, descrita em uma famosa biografia de Newton publicada no século XIX, que captura essa época com perfeição. Mostra carneiros vagando ao léu, vacas comendo as plantações e Newton distraído embaixo de uma árvore.

Finalmente sua mãe compreendeu que ele devia se dedicar a uma vida de atividade intelectual e o mandou de volta a Grantham, para que se preparasse durante nove meses para a universidade. Seu tio, o reverendo W. Ayscough, tinha cursado o Trinity College e estava decidido a enviar Newton também para lá. E, assim, em junho de 1661, com 18 anos de idade, Newton matriculou-se no Trinity College da Universidade de Cambridge, o qual foi chamado pelo historiador John Strype "o mais famoso colégio da universidade". Naqueles primeiros dias, Isaac Newton e Gottfried Leibniz pouco sabiam da matemática que um dia os faria famosos, nada sabiam um do outro e estavam ambos caminhando inexoravelmente para um destino intelectual semelhante.

3

O Problema com Hooke

■ 1664-1672 ■

Vejam o grande Newton. Ele que primeiro analisou
O plano pelo qual foi feito o Universo,
Viu as leis simples, mas estupendas, da Natureza
E comprovou os efeitos, embora não explicasse a causa.

— Texto de uma gravura de 1787 intitulada
O Muitíssimo Estimado Sir Isaac Newton.

Uma das mais sucintas, embora talvez exageradamente idólatra, descrições dos dias de trabalho duro de Newton em Cambridge apareceu trezentos anos depois de ele ter nascido. Em fevereiro de 1943, uma conferência de intelectuais reuniu-se para comemorar o tricentenário do nascimento de Newton, e um discurso proferido por mestres e outros membros do Trinity College diz, em parte, "aqui [Newton] trabalhou em seus cálculos e executou suas experiências (...) nestes arredores ele passeou imerso em meditação, enquanto a genialidade de sua mente concebia aquelas irrupções de atividade experimental, como quando num período de seis semanas o fogo em seu laboratório raramente se apagou, fosse noite ou dia".

A imagem que temos do jovem Newton como a de um enlouquecido cientista superdiligente é correta porque era verdade. Ele tinha de trabalhar tão duramente quando jovem pois ninguém descobre com facilidade os segredos do Universo, e foi exatamente o que ele fez. Como disseram aqueles mestres e outros intelectuais de 1943, "lei e ordem no Universo físico foram reveladas como nunca antes".

44 A GUERRA DO CÁLCULO

Ironicamente, o trabalho que Newton fez em Cambridge, pelo qual é mais lembrado, é aquele que ele fez longe de Cambridge, durante o tempo que passou enfiado na casa de sua família em Grantham. Lá ele trabalhou duramente por muitos meses, imaginando como o Universo funcionava, e fazendo uma descoberta espetacular atrás de outra, enquanto esperava a reabertura da universidade. Este foi o seu *annus mirabilis*, ou "ano milagroso", como é chamado.

"Naqueles dias eu estava no melhor período da minha vida para invenção, e me dedicava à matemática e à filosofia como nunca mais o fiz desde então", escreveria ele depois. Um de seus biógrafos argumenta com razão que o ano miraculoso deveria ser mais propriamente chamado seus *anni mirabiles*, ou "anos milagrosos", uma vez que, na realidade, esse período durou de 1665 a 1667.

Trabalhando muitas vezes dia e noite, Newton raramente colocou qualquer outra coisa — inclusive alimentação, repouso, família ou mesmo sua própria segurança — acima de sua atividade científica. Ele se esqueceria de comer, de lavar-se e tornou-se indiferente a tudo à sua volta, com exceção de seus livros, suas anotações e experiências. Uma história de que gosto é que seu gato ficou imensamente gordo por mastigar ruidosamente toda a comida que ele deixava intocada. Outra é que, por estar interessado em luz e visão, olhava fixamente para o sol por longo tempo, para que pudesse observar as "fantasias" de cor que viriam queimando ao seu campo de visão. Ele fez isso tantas vezes que, segundo essa história, tinha que se fechar durante dias num quarto escuro para restaurar a visão.

Pior foi a tentativa de Newton de cutucar o fundo de seu globo ocular com uma agulheta para modificar sua retina (a camada de células com receptores de luz) e ver como isso afetava sua visão. "Peguei uma agulheta e a enfiei entre meu olho e o osso, tão perto da parte traseira do olho quanto pude: e pressionando meu olho (...) apareceram vários círculos brancos, escuros e coloridos", registrou ele em seu bloco de notas, juntamente com um diagrama que mostrava sua mão empurrando a agulheta por trás de uma ilustração anatomicamente correta de seu globo ocular.

Eu vi uma cópia desse seu bloco exposta no Huntington Gardens Museum, em Pasadena, em 2005. Enquanto eu lá estava, uma mulher e

O Problema com Hooke

seu filho adolescente olhavam para o bloco tentando entender... para o que exatamente olhavam eles.

— O que é uma agulheta?, perguntou o rapaz a sua mãe.

— É uma espécie de agulha, disse ela.

Eu podia ver a dúvida estampada no rosto dela, embora o filho não pudesse vê-la, de modo que dei uma entrada. "É uma agulha comprida que os alfaiates costumavam usar", disse eu. "É longa mas tem a ponta rombuda. Eles a usavam para fazer furos no couro." Depois disso, ninguém disse mais nada.

Quando inventava o cálculo, o que também fez durante os *anni mirabiles*, Newton nunca tentou algo tão severo quanto quase cegar-se, mas anos depois ele iria ficar cego à possibilidade das realizações de Leibniz. Newton era uma potente mistura de brilho intelectual e vaidade, e iria mais tarde rejeitar a idéia de que alguém como Leibniz pudesse fazer as mesmas coisas que ele fizera nesses seus primeiros anos.

Hoje existe um sentimento de que as guerras do cálculo foram ridículas, porque tanto do trabalho que conduziu ao desenvolvimento do cálculo, e tanto do trabalho subseqüente que ajudou a levar o cálculo a se tornar o abrangente e avançado campo da matemática que é atualmente, foi feito por matemáticos que não Newton e Leibniz. Muito terreno já havia sido explorado no século XVII e o mundo estava à beira de descobrir o cálculo. Ainda que a noção da inevitabilidade das descobertas não fosse tão comum naquele século como é hoje, quando é tão comum que cientistas trabalhando separadamente nos mesmos problemas cheguem a soluções similares ou idênticas, não há dúvida de que a descoberta do cálculo era inevitável. Todo o trabalho básico estava feito — alguém apenas tinha que dar o próximo passo e juntar tudo. Se Newton e Leibniz não o houvessem descoberto, alguém o teria feito.

Isto não é dito para tirar qualquer mérito de Newton ou Leibniz — especialmente porque ambos inventaram o cálculo em grande parte ensinando a si mesmos aquilo de que precisavam saber. Naqueles dias, Cambridge não era um centro de estudos de matemática, e Newton, de um modo geral, trabalhava sozinho. Ele comprou e leu um exemplar da *Géométrie* de Descartes. Em seus últimos dias, Newton contou a John Conduitt, sobrinho de sua esposa, como lia umas poucas páginas de

Descartes, parava, voltava atrás e as relia, parava novamente, lia mais, e assim por diante até que conseguisse dominar o livro.

Newton familiarizou-se com as séries infinitas. Elas forneciam maneiras de encontrar soluções numéricas para problemas como a área de uma forma geométrica através da soma de uma série de números. Na Inglaterra, o matemático John Wallis já havia feito progressos com este tipo de análise na época em que Newton entrou em cena. Wallis é uma figura algo obscura na história da matemática, mas era um titã nesta matéria em seu tempo, e seu trabalho influenciou Newton acentuadamente. Seu livro, *Arithmetica infinitorum*, mostra alguns dos primeiros passos dados em direção ao cálculo. Nele, ele antevê o cálculo por prognosticar as perguntas a que o método viria a responder e discute as idéias geométricas de matemáticos que o haviam precedido e realizado algum trabalho nesse sentido. Lendo o livro de Wallis sobre as séries infinitas, Newton teve a inspiração para prolongar seu trabalho e inventar um método geral para analisar as curvas geométricas utilizando a álgebra — o cálculo, em essência.

A grande inovação de Newton foi ver a geometria em movimento. Ele viu as grandezas como se estivessem fluindo e geradas pelo movimento. Em vez de pensar uma curva como uma forma geométrica simples ou uma construção sobre o papel, Newton começou a pensar as curvas em vida real — não como estruturas estáticas, como prédios ou moinhos de vento, mas como movimentos dinâmicos com grandezas variáveis.

Quando Newton foi eleito membro do Trinity College, em 28 de abril de 1664, ele estava consciente dos difíceis problemas que a invenção do cálculo iria resolver: aqueles problemas da geometria interessantes, mas difíceis de resolver, tais como achar a área sob uma curva ou achar a tangente (a capacidade de traçar uma perpendicular sobre qualquer ponto da curva). Ser um membro daquela instituição significava que ele tinha agora um estipêndio e uma conta para despesas pessoais, e que não era mais aquele que tinha que buscar o pão. Neste momento ele estava muito perto de inventar o cálculo. Mas antes um apocalipse iria ocorrer.

Um cometa apareceu nos céus na semana antes do Natal de 1664, e o rei da Inglaterra queria saber o que isso podia significar. Carlos II, que havia sido coroado poucos anos antes, após o fracasso do governo que se seguiu à morte de Oliver Cromwell, era um homem supersticioso. Ele se guiava pela astrologia, era extremamente atento a sinais como esse, e era mais ou menos representativo de seu povo nestes aspectos. Muitos na cidade indagavam que má sorte o cometa poderia trazer. William Lilly, um astrólogo famoso que publicava um almanaque anual, profetizara em sua edição de 1665 que um outro sinal celeste, um eclipse lunar sobre a Inglaterra em janeiro, iria trazer "a espada, a fome, pestilência e mortalidade ou uma praga".

Como se isso não bastasse, outro cometa apareceu em março de 1665. (Na realidade, era o mesmo cometa de dezembro anterior, retornando de sua viagem em torno do Sol.) Não é difícil imaginar a súbita aparição dos adivinhos a caminhar pelas ruas de Londres, em suas jaquetas de veludo e capas negras, lamentando as desgraças que previam para o povo que os seguia. E desta vez eles estavam certos. Uma terrível peste assolou a Inglaterra no verão seguinte, e, somente na capital, 60 mil pessoas morreram.

Os adivinhos seguiam sendo mágicos embusteiros e artistas enganadores. Na realidade, não era necessário um terrível esforço mental para prever que a peste iria atingir a Inglaterra em 1665, porque ela já vinha circulando pela Europa havia alguns anos. A Holanda foi especialmente atingida em 1663, ano em que morriam 1.000 pessoas por semana em Amsterdam, e a Inglaterra não estava apenas geograficamente perto da Holanda, ela estava batendo cabeça com seu vizinho do outro lado do canal. A Grã-Bretanha havia recentemente guerreado contra os holandeses e estava a ponto de novamente enfrentá-los. Em 1662, a Inglaterra havia tomado a colônia holandesa de Nova Amsterdam e trocado seu nome para Nova York. Podia-se ter como certo que o conflito nas colônias exportasse o conflito de volta para a Europa e a peste para a Inglaterra.

Além disso, naqueles tempos doença era uma coisa inevitável. Fazia tanto parte da vida da Inglaterra de Newton quanto o mau tempo. As pessoas viviam amontoadas em bairros miseráveis com saneamento deficiente. As ruas eram super-habitadas e o esgoto escorria a céu aberto pelo meio delas, que zumbiam com moscas no verão. Metade da população inglesa sobrevivia em regime de mera subsistência, e muitas pessoas sofriam de doenças como raquitismo, causadas por deficiência de vitamina D. O povo contraía sarampo, malária e disenteria no verão, e

48   A Guerra do Cálculo

nos meses de setembro a dezembro havia tifo, gripe e tuberculose, o "capitão de todos esses soldados da morte", como a chamava John Bunyan. E as infecções atingiam todos os níveis sociais. Oliver Cromwell provavelmente morreu de malária. A varíola matou a rainha Mary II em 1694. Jaime II pode ter sido vítima da sífilis.

A peste não era, necessariamente, a pior dessas doenças, porque não estava sempre presente, como muitas das outras. Mas, talvez porque fosse episódica, era mais aterradora. E pegar a peste é uma coisa horrível. A infecção se manifesta por gânglios linfáticos dolorosamente inchados — chamados "bubões", termo do qual se deriva o nome da doença, "peste bubônica". Febres, calafrios, exaustão, dores de cabeça e, algumas vezes, sérias doenças respiratórias acompanham essa moléstia. Surtos que ocorreram na década de 1630 vitimaram mais de metade da população de algumas cidades. Anteriormente à irrupção que ocorreu na Holanda na década de 1660, uma epidemia de peste se estabelecera na França de 1647 a 1649.

Caracteristicamente, os surtos de peste bubônica ocorrem por intermédio da população de ratos. Grande número desses animais morre devido a uma epidemia infecciosa, e, se essa população viver em um centro urbano, suas pulgas transmitirão a bactéria que os matou para os seres humanos. Isso foi o que ocorreu na Inglaterra no verão de 1665, quando um terrível surto de peste bubônica assolou Londres. "O contágio crescendo agora em volta de nós", escreveu em seu diário John Evelyn, em 28 de agosto de 1665.

Naquele setembro, vigoravam por toda parte proibições de reuniões públicas, e, em outubro, um em cada dez londrinos havia morrido. "Senhor! Como estão vazias as ruas e como estão melancólicas", escreveu Samuel Pepys em 16 de outubro de 1665, "tantos infelizes doentes nas ruas (...) e tantas histórias tristes ouvidas ao acaso enquanto caminho, todos falando deste que morreu, e daquele homem que está doente, e tantos neste lugar, e tantos naquele".

Mas a peste não ficou restrita a Londres. A Universidade de Cambridge, onde Newton residia, fechou suas portas no outono de 1665, devido à epidemia. "Aprouve ao Todo-Poderoso, em sua justa severidade, visitar esta cidade de Cambridge com a praga da pestilência", como

O PROBLEMA COM HOOKE

diz um relato da época. Newton foi forçado a retirar-se para a segurança de sua casa em Grantham, e lá ficou por mais de um ano, até que os estudos em Cambridge foram retomados em abril de 1667.

O que resultou desse período pode ser considerado o maior conjunto de conhecimentos que qualquer cientista jamais produziu em tão curto espaço de tempo. Newton chegou a uma compreensão da mecânica do movimento e começou a trabalhar numa descrição matemática das suas leis. Fez também descobertas importantes relativas à ótica, à mecânica dos fluidos, à física das marés, às leis do movimento e à teoria da gravitação universal.

Suas experiências no campo da ótica durante esse tempo foram tanto belas como plenas de discernimento. Ele se fechou em uma sala que não recebia qualquer luz exterior, exceto de uma única fonte pontual produzida pela luz do sol passando por um pequeno orifício na parede. O sol lançava um raio de luz através desse orifício e Newton fez experiências com a luz através de um prisma. Sua grande descoberta foi entender que a luz branca comum é composta pelo espectro com as cores vermelha, laranja, amarela, verde, azul, índigo e violeta. Também descobriu, em cuidadosos experimentos, que assim como o prisma pode dividir a luz branca nesse espectro de cores, do mesmo modo um segundo prisma pode recompor a luz branca com as cores antes separadas.

Essas e outras experiências deram a Newton o material para seu famoso livro, *Ótica*. Mas isso não era tudo. Também durante esse tempo ele conceituou o material para o seu livro mais famoso, os *Principia*, escrito na década de 1680, no qual iria delinear as bases matemáticas do movimento físico e revolucionar a ciência física. Sua lei da gravitação universal, descrita em detalhe matemático nos *Principia*, tem sido considerada a maior descoberta científica de todos os tempos, e essa obra continua ainda hoje a ser traduzida do seu latim original.

Foi também nessa época que nasceu a lenda de Isaac Newton e a maçã. Esta lenda é ainda uma das mais duradouras da história da ciência — ainda que provavelmente seja totalmente inventada. Talvez a única coisa verdadeira sobre ela é que Newton adorava maçãs. Essa história não é mais verdadeira do que aquela sobre os jacarés nos esgotos de Nova York, mas tem perdurado através dos séculos.

50 A GUERRA DO CÁLCULO

Voltaire popularizou a lenda quando escreveu sobre Newton e a maçã quase 75 anos depois. A famosa história de Voltaire diz que Newton passeava num jardim quando viu uma maçã cair do galho de uma macieira ao chão. Isso, escreveu Voltaire, fez Newton meditar profundamente sobre a causa da queda da maçã. Segundo a lenda, Newton observou que a maçã caiu como se fosse seguir em direção ao centro da Terra (o centro da gravidade). Por que, então, perguntou a si mesmo o estudante-cientista, também a Lua não cai sobre a Terra? Talvez ela caia. Talvez ela esteja caindo permanentemente! Isso, afirmou Voltaire, foi a inspiração para a teoria da gravitação universal de Newton, "cuja causa fora buscada por tanto tempo, mas em vão, por todos os filósofos", acrescentou o francês.

O problema com a história da maçã é que ela supersimplifica o processo de descoberta em que Newton estava empenhado. Provavelmente não houve nenhum momento "eureca" (ou o momento da maçã em queda) que desse a Newton a percepção que produziu sua teoria da gravitação universal, mas, em vez disso, uma seqüência menos glamourosa de longos momentos gastos em estudar, ler, escrever, pensar e procurar a resposta. Todavia, de certo modo, seria mais fácil entender um gênio como Newton se ele simplesmente agisse como um receptor de grandes e súbitas explosões de percepção. Dispensaria ter que pensar sobre como ele atacou o problema real, o que força a compreensão. Além disso, a maçã é um grande símbolo de descobrimento. Sexo, alimento, pecado e a queda do homem — tudo isso é representado por essa humilde fruta.

Diz-se que uma macieira plantada logo à direita do portão do Trinity College é uma descendente da macieira debaixo da qual se supõe que Newton estava sentado quando formulava a teoria da gravitação universal. Quando estive em Cambridge, observei mais de uma pessoa olhando embasbacada para a árvore. Talvez estivessem ansiando, como Newton, por alguma inspiração que viesse caindo daqueles ramos míticos, como uma vermelha e deliciosa descrição da natureza. Talvez estivessem confusos, como eu, com o desapontamento causado por uma macieira num mês de inverno — nenhuma folha, nenhum fruto, e galhos em desalinho, que nada tinham para provocar interesse, a não ser a tradição. Junto aos maciços portões do Trinity, ela parecia pequena e insignificante — como se não fosse capaz de suportar o peso do famoso fruto que

O PROBLEMA COM HOOKE 51

sua progenitora havia produzido. Contudo, com maçã ou sem maçã, a gravitação universal mudou para sempre a ciência e a matemática.

Significativamente, foi também nessa época que Newton inventou o cálculo — a que chamou de método das fluxões e dos fluentes. A história do cálculo de Voltaire é, aliás, muito menos interessante que sua história da maçã. "É a arte de numerar e medir com exatidão uma coisa cuja existência não pode ser concebida", explicou Voltaire, muito simplesmente. Na realidade, o cálculo é uma série de regras para analisar e resolver, com o auxílio da álgebra, problemas relativos às curvas geométricas. Foi a resposta para algumas das grandes questões dos matemáticos da época — por exemplo, como achar a tangente (ou a inclinação) de uma curva em qualquer ponto dado, e como calcular quadraturas, as áreas sob curvas.

No dia de Halloween de 1665, Newton sentou-se e começou a escrever um pequeno tratado a que chamaria "Como traçar tangentes a linhas mecânicas". Poucas semanas depois, ele deu-lhe seguimento com outro ensaio, "Achar as velocidades dos corpos pelas linhas que descrevem", que foi uma nova prévia para o cálculo.

Eu vi uma cópia amarelada do manuscrito "Como traçar tangentes" dentro de uma caixa de vidro na Biblioteca Huntington em Pasadena. A maioria das pessoas passava por ela dando pouco mais do que uma rápida olhadela, e parecia mais impressionada com um cálculo de logaritmos com 55 casas decimais — algo que Newton havia resolvido quando ainda jovem. Ele escrevera certa vez a um conhecido: "Tenho vergonha de lhe contar a quantos lugares levei estes cálculos, não tendo mais o que fazer na ocasião: pois tive então muito prazer nessas invenções." O trabalho tem algumas grandes colunas triangulares de números — que assustam ao serem olhadas, se você está tentando entender o que significam, mas, no contexto de um museu, muito interessantes e surpreendentes — até mesmo artísticas, de um modo, por assim dizer, visionário.

Newton escreveu um manuscrito em 13 de novembro de 1665 explicando seu método de cálculo com exemplos. Por todo aquele inverno ele continuou a trabalhar em diversos outros tópicos e voltou ao cálculo em 16 de maio de 1666, inventando um método geral com várias propostas para resolver problemas resultantes do movimento. Finalmente, em outubro de 1666, ele escreveu um panfleto de 48 páginas, com oito proposições, com o título "Para resolver problemas resultantes do movimento, as proposições seguintes são suficientes". O trabalho tinha 12 problemas que seu método de análise podia resolver diretamente utilizando seus métodos aritméticos, incluindo o traçado de tangentes a curvas ou a taxa de variação instantânea (a derivada) em qualquer ponto ao longo da curva; achar os pontos de maior curvatura; determinar o comprimento de curvas, achar curvas cujas áreas sejam iguais; determinar a área sob uma curva (a integral) ou a área entre duas curvas. Isso era um avanço real.

Quando voltou para Cambridge em 1667, Newton era um homem mudado. O que ele havia feito, e o que Leibniz iria repetir uma década mais tarde, foi inventar um poderoso sistema matemático suficientemente geral para analisar qualquer curva. Entretanto, na época em que Newton fazia essas descobertas, Leibniz não sabia quase nada de matemática. Em 2 de outubro de 1667, Newton recebeu de Cambridge seu diploma de mestrado e tornou-se Fellow do Trinity College. Estranhamente, ele deixou de lado a matemática e não fez nada mais com ela durante os dois anos seguintes.

Em 1669, ele voltou à matemática e à ótica, familiarizando-se com o trabalho de um matemático de Cambridge chamado Isaac Barrow. Barrow ocupava a cátedra de professor Lucasiano de Cambridge, fundada poucos anos antes por Henry Lucas, e Barrow foi seu titular de 1664 até se afastar em 1669, quando passou essa distinção para Newton. A cátedra tinha uma grande dotação, e assim Newton recebeu o equivalente a um enorme aumento de remuneração e uma grande promoção. Barrow foi provavelmente o melhor colega que Newton podia ter tido não apenas por ajudá-lo a subir na carreira acadêmica, mas também porque o auxiliou a publicar seus trabalhos, uma iniciativa para cuja concretização o próprio Newton, até o final da década de 1660, não havia dado nem o equivalente a um passo de bebê.

Tudo isso logo iria mudar, graças a Barrow, e provocado, em parte, por um livro publicado em 1668 por Nicholas Mercator, um matemático alemão que vivia em Londres. O livro de Mercator introduz o termo "logaritmo natural" e de maneira admirável descreve como resolver um problema especial de quadratura — a integração da função $1/(1+x)$.

Esse é hoje um problema simples de cálculo, mas era um trabalho elegante e importante quando foi publicado. Ainda que impressionante, o trabalho de Mercator era um exemplo específico, e um tanto elementar, do que Newton poderia resolver usando cálculo. Como disse Voltaire décadas depois: "Mercator publicou uma demonstração dessa quadratura, muito próximo da época em que Sir Isaac Newton (...) havia inventado um método geral para fazê-la, em todas as curvas geométricas."

Se Voltaire não podia deixar de ficar impressionado três quartos de século depois do fato, pode-se apenas imaginar quão impressionados teriam ficado os contemporâneos de Newton se houvessem lido o trabalho deste. Mas quase nenhum deles pôde vivenciar nada disso porque o trabalho de Newton não estava publicado em nenhum lugar. Ele havia escrito alguns manuscritos no final da década de 1660 e no início da de 1670 que descreviam o cálculo. O primeiro deles foi um texto em latim que escreveu em 1669, baseado em um seu trabalho anterior de 1666, intitulado *De Analysi per Aequationes Numero Terminorum Infinitas* ("Sobre a análise por meio de equações tendo um número infinito de termos"). Esse livro teria um papel crucial nas guerras do cálculo. Newton e seus partidários iriam apontar para a existência do *De Analysi* como prova de que ele havia criado o cálculo anos antes de Leibniz.

De Analysi foi apoiado por um segundo livro, este inacabado, que ele escreveu no inverno de 1670-1671, *Tractatus de Methodis Serierum et Fluxionum* ("Um tratado dos métodos das fluxões e das séries"). Esses dois livros foram os primeiros documentos a incluir o cálculo de Newton — na verdade, os primeiros de todos os textos a descrever o cálculo. O problema foi que ele não os publicou.

Houvesse ele publicado o *De Analysi* quando o escreveu, Newton teria se poupado de um grande número de problemas, nunca teria havido uma guerra do cálculo e ele teria feito avançar o conhecimento muito mais depressa do que fez ao não publicá-lo. Mas isso soa mais fácil em retrospecto do que o era na época. Publicar um tratado matemático tão complicado teria sido extremamente difícil nos dias que se seguiram ao grande incêndio de Londres, que em 1666 destruiu muitas editoras, juntamente com grande parte da cidade — um desastre tão dramático que merece ser brevemente descrito aqui.

O fogo começou pouco depois da meia-noite do dia 2 de setembro de 1666, aparentemente causado por um erro do padeiro Thomas Farryner, da velha Pudding Lane. Mas o erro de Farryner podia ter sido cometido por qualquer um. Londres naqueles dias era uma cidade altamente inflamável. Casas de madeira eram construídas umas sobre as outras, e seus assoalhos eram forrados de palha. A construção de novas casas dentro das muralhas da cidade havia continuado até o ponto em que todas as ruas e espaços abertos estavam cheios de pedaços inflamáveis de madeira resultantes da deterioração das casas, apenas esperando por um fósforo para iniciar um inferno.

Contudo ninguém poderia ter previsto a devastação que o fogo iria causar. Analisando o fogo no domingo, na manhã seguinte ao seu início, Samuel Pepys chamou-o "um incêndio infinitamente grande" que ameaçava queimar toda a cidade. Poucos dias depois ele se lastimava: "Senhor! Que triste visão foi ver quase toda a cidade pegando fogo ao luar."

John Evelyn lastimou em seu diário a horrível visão do incêndio, na noite depois deste ter começado. No dia seguinte ele registrou como o fogo havia piorado: "Oh, o espetáculo miserável e calamitoso tal como talvez nunca o mundo tenha visto um igual desde sua criação: nem será ele superado até a conflagração universal do mundo (...) Deus permita que meus olhos nunca vejam nada igual, quem agora viu mais de 10 mil casas, todas em uma só chama. O barulho, o crepitar e o trovão das labaredas impetuosas, os gritos das mulheres e das crianças, as pessoas correndo, e a queda de torres, casas e igrejas, era como uma tempestade horrível..."

"Londres era, mas não é mais", escreveu Evelyn.

Infelizmente, nas primeiras horas do incêndio, os moradores da cidade estavam mais preocupados em salvar tanto de seus bens quanto fosse possível do que em combater as chamas. O fogo poderia ter sido contido derrubando-se as casas no seu trajeto, mas esta seria uma ação muito dura para ser aplicada. O lorde prefeito[1] de Londres, Thomas Bludworth, recusou-se a demolir casas sem o consentimento de seus proprietários. E, por óbvias razões, poucos dos que possuíam uma casa

---

[1] O lorde prefeito de Londres não *é* o prefeito em termos políticos. Seu papel é mais cerimonial e político. (*N. da E.*)

O Problema com Hooke 55

que já não estivesse queimada iriam consentir em ter sua propriedade antecipadamente destruída. Havia métodos diretos de combate às chamas — brigadas de baldes passados de mão em mão e mangueiras alimentadas por bombas acionadas à mão —, mas tais métodos pouco podiam fazer para dominar uma conflagração que, no domingo, já se estendia por mais de uma milha, deixando um caminho flamejante através da cidade. Na noite do domingo, e por todo o dia e a noite da segunda-feira, o fogo espalhou-se.

Mas então já era muito tarde. Estabeleceu-se o pânico e as pessoas começaram a fugir das chamas. As ruas estavam saturadas de carros e outros meios de transporte. Londrinos de todo tipo — homens, mulheres, crianças, animais — com seus pertences corriam para os portões da cidade e para a segurança do lado de fora. O rio Tâmisa estava congestionado por barcaças e barcos com a mesma intenção. Durante anos Londres tinha sido um centro de atração para novos moradores, vindos da população em grande parte rural da Inglaterra, mas agora a cidade era um enorme jorro humano, despejando pessoas de volta para o campo.

Pepys teve o mérito de conseguir salvar os escritórios da Marinha e a Torre de Londres mobilizando os trabalhadores das docas para demolir os prédios em torno dessas estruturas. Outras partes de Londres foram salvas usando-se pólvora para destruir uma grande parte da cidade que ficava no caminho das chamas. Mas, quando essas medidas dramáticas foram tomadas, já era muito tarde para a maior parte da cidade. Alimentadas por fortes ventos, as chamas espalharam-se rapidamente e a sorte da capital estava selada. Na terça-feira, o fogo devastador atingiu as agulhas das torres da Catedral de São Paulo, que dominavam a silhueta de Londres, e destruiu totalmente a igreja. Rios de chumbo derretido escorriam da catedral pelas ruas.

Quando o fogo amainou, era imensa a devastação. Cerca de 373 dos 448 acres da cidade estavam queimados. Uma riqueza de enorme valor foi destruída, juntamente com 13.200 casas e dezenas de igrejas e prédios municipais. Aproximadamente um sexto da população da cidade ficou desabrigada. E ainda assim, como pôde Voltaire escrever mais tarde, "para espanto de toda a Europa, Londres foi reconstruída em três anos e surgiu mais bela, mais regular e ampla do que jamais havia sido".

56 A GUERRA DO CÁLCULO

A razão pela qual menciono o incêndio aqui não é porque seja uma boa história para precaução no planejamento de cidades, ou porque seja uma história inspiradora sobre a resiliência de uma população em se recuperar depois de ser abatida, mas porque é um acontecimento seminal no desenrolar das guerras do cálculo. Entre as principais vítimas do fogo estavam as editoras, o que prejudicou seriamente a possibilidade de um matemático como Newton publicar um trabalho do porte de um livro. Se ele tivesse escrito um panfleto popular ou um esperto folheto de propaganda, a história poderia ter sido diferente.

A imprensa moderna foi introduzida na Europa por Laurens Coster na Holanda e Johannes Gutenberg na Alemanha, e pelo século XVII a indústria editorial havia decolado. A ampla disponibilidade de livros permitia aos mais ricos montarem bibliotecas, mas também possibilitava às pessoas comuns encontrar panfletos, jornais, revistas e livros sobre todos os assuntos. As editoras haviam se tornado uma indústria na Europa e as vendas de livros estavam explodindo.

Entretanto, quando Newton escrevia sobre o cálculo, as editoras de livros em Londres eram uma indústria em crise. Produzir um livro podia ser um grande risco, pois o custo do papel era muito elevado. No século XVII, o papel era feito da polpa obtida de farrapos velhos e a indústria de livros corria sérios riscos financeiros depois de surtos de peste, como o de 1665, porque grande parte dos farrapos estava contaminada pela doença e era queimada, em vez de ser transformada em polpa, elevando assim o custo do papel.

Ao mesmo tempo, o fogo devastava as lojas dos livreiros e destruía inúmeros estoques de livros — tantos, na realidade, que os editores não podiam correr o risco de publicar livros que não pudessem vender com rapidez. Como resultado, as edições raramente ultrapassavam mil cópias. Os bestsellers típicos daqueles tempos eram os livros sobre religião, para os quais havia grande demanda. Isso não era um bom presságio para Newton e outros autores de livros de uma matemática obscura e própria para iniciados — especialmente levando-se em conta todas aquelas equações e a dificuldade para tipografá-las. Conta-se que um livro publicado nessa época com as conferências sobre ótica e geometria do mentor de Newton, Isaac Barrow, quase levou à falência seus editores.

O PROBLEMA COM HOOKE

Assim, para matemáticos mais jovens e desconhecidos como Newton dificilmente haveria alguma possibilidade de publicar um livro sobre matemática. De fato, o *De Analysi* não foi publicado até que Newton se tornasse um homem velho. Ele apenas deu uma cópia a Isaac Barrow, e o livro poderia ter morrido como um documento sem nenhuma significância histórica, não fosse o fato de Barrow ter ficado tão impressionado com ele que escreveu a seu amigo John Collins em Londres, a 20 de julho de 1669: "Um amigo meu daqui que tem um excelente talento para essas coisas [referindo-se ao livro de Mercator] trouxe-me outro dia alguns artigos, nos quais escreveu métodos para calcular as dimensões de grandezas como aquela do Sr. Mercator sobre a hipérbole, mas muito gerais."

Poucos anos depois, Newton descreveu esses métodos numa carta para Collins, escrita em 10 de dezembro de 1672, detalhando seu procedimento para achar tangentes a curvas: "Isso, senhor, é um detalhe, ou melhor um corolário de um método geral que se oferece sem qualquer cálculo problemático, não apenas para o traçado de tangentes a todas as linhas curvas, sejam geométricas ou mecânicas ou de qualquer forma relacionadas a linhas retas ou a outras linhas curvas, mas também para a resolução de outras espécies mais abstrusas de problemas sobre curvatura, áreas, comprimentos, centros de gravidade de curvas etc."

Collins ficou tão excitado quando leu *De Analysi* que mandou fazer uma cópia sem o conhecimento de Newton. Esta cópia seria um dos principais documentos apresentados como prova do plágio feito por Leibniz durante o auge da disputa, anos depois.

Por mais difícil que possa ter sido para Newton publicar um livro no início da década de 1670, ele ainda tinha outras opções. Uma nova forma de publicação estava em ascensão — a revista científica — e em Londres a revista *Philosophical Transactions of the Royal Society* vinha circulando havia alguns anos. Principiou como um meio de acompanhamento dos trabalhos que eram enviados à Royal Society e nela apresentados, e tornou-se um modo conveniente de se publicar as descobertas mais recentes e de se manter contato com o que se descobria em outras partes do mundo. A revista não estava sozinha. Várias outras foram lançadas na Europa quando Newton e Leibniz estavam vivos. No final da década de 1660, quando Newton estava pronto para presentear o mundo com seu trabalho de matemática, as *Philosophical Transactions* teria sido o lugar perfeito para fazê-lo. Por que Newton não publicou o seu *De Analysi*, ou alguma versão resumida desta obra, nessa revista? Ele podia muito bem tê-lo feito, se tudo houvesse corrido bem para ele.

Newton queria que seus trabalhos sobre ótica fossem apresentados primeiramente. Ele começaria revelando aos membros da Royal Society uma de suas grandes invenções: um telescópio que parecia um brinquedo — um telescópio de reflexão primitivo. Telescópios de reflexão são instrumentos com aparência estranha, mais curtos e grossos do que os tradicionais, com a ocular de um lado, em vez de numa extremidade.

O modelo que Newton projetou e construiu tinha menos de 30 cm de comprimento, o tamanho de um brinquedo, mas o tamanho realmente pouco importava. Barrow fez a demonstração do novo telescópio diante da Royal Society e o aparelho ampliou muito mais um objeto distante do que o faria um telescópio tradicional muitas vezes maior. Enquanto a maioria dos telescópios pequenos da época podia ampliar objetos 12 ou 13 vezes, o telescópio de reflexão muito menor que Newton construíra podia aumentá-los "cerca de 38 vezes", como escreveu ele em uma descrição. Era uma enorme redução de tamanho da tecnologia do telescópio, o que deixou excitados os membros da sociedade.

"O senhor foi generoso a ponto de mostrar aos filósofos desta sociedade sua invenção para reduzir o tamanho dos telescópios", escreveu a Newton o secretário da Royal Society, em 2 de janeiro de 1672. "Tendo sido objeto de consideração e examinado por alguns dos membros mais eminentes em ciência ótica e na sua prática, e por eles aplaudido, acham eles que é necessário assegurar essa invenção contra sua usurpação por estrangeiros. E, portanto, tiveram o cuidado de representar por meio de um esquema aquele primeiro espécimen, enviado para cá pelo senhor, e de descrever todas as partes do Instrumento, juntamente com seu efeito, comparado com um comum, mas muito maior, [telescópio]."

O telescópio de reflexão de Newton causou tal impressão que granjeou-lhe a eleição para a Royal Society. Thomas Birch, um dos primeiros historiadores da sociedade, escreveu em seu livro *History of the Royal Society of London for Improving Natural Knowledge from its*

First Rise ("História da Real Sociedade de Londres para o melhoramento do conhecimento natural desde seu aparecimento"), de 1756, que em 21 de dezembro, o Sr. I. Newton, professor de matemática na Universidade de Cambridge, foi proposto como candidato pelo Lord Bishop of Salisbury. Newton ficou extasiado. Em 11 de janeiro de 1672, um número das *Transactions of the Royal Society* trazia um artigo que descrevia o projeto do telescópio de reflexão de Newton. Naquele verão, esses telescópios estavam sendo construídos em ambos os lados do Canal da Mancha. Se não houvesse feito nada mais na vida, Newton provavelmente ainda seria lembrado por suas primeiras contribuições para a ótica. Mas ele ainda tinha muito mais a contribuir, inclusive seu extenso trabalho em matemática que podia ter feito, sem dificuldade, publicar na revista da sociedade.

Contudo ele decidiu fazer em seguida ao seu telescópio de reflexão um relatório descrevendo uma nova teoria sobre a luz e as cores que havia desenvolvido — algo a que se referiu como "a mais estranha, se não a mais importante detecção que foi feita até agora sobre a operação da Natureza".

Sua teoria podia ser nova, mas a matéria estava longe de o ser. A ótica havia sido vibrante de atividade durante todo o século XVII. Descartes a tinha estudado, assim como alguns outros cientistas que o seguiram, incluindo alguns mais velhos e mais bem-sucedidos do que Newton, como Robert Hooke e Robert Boyle na Inglaterra, e o mentor de Leibniz, Christian Huygens, na França.

A teoria de Newton contrariava muito algumas das principais idéias sobre o assunto em vigor naqueles dias e constituía um desafio direto a algumas daquelas cabeças científicas dominantes. Para Descartes e outros no seu século, a luz era como o som — um impulso propagado através de um meio transparente, assim como o som consiste realmente apenas de ondas de pressão que emanam de uma fonte por meio do movimento das moléculas do ar. O som deixa de existir num vácuo, e se você toma um sino, coloca-o num vaso e deste retira o ar, o sino não mais produzirá som quando for batido. Robert Boyle o havia demonstrado, para espanto dos que assistiam à experiência, poucos anos antes. Se não existe ar, não existe um meio para transmitir o som, e muitos

60 A GUERRA DO CÁLCULO

pensavam que o mesmo acontecia com a luz. Para os contemporâneos de Newton, a cor não era uma característica da luz, mas da vibração existente no meio ambiente.

Newton certamente não ignorava essa visão, e o conjunto de trabalhos anteriores que a apoiava. Ele tinha lido, entendido e havia se inspirado nas teorias sobre luz e cor existentes. O problema foi que depois de ter começado a fazer suas experiências, seu respeito por suas próprias observações superou aquele que tinha pelas teorias anteriores. Quando viu que a teoria ondulatória da luz estava em conflito com o que ele observara em seus experimentos de 1666 e 1667, ele ousadamente propôs que a luz não é uma onda, mas sim uma partícula — uma emissão composta de inúmeras partículas diminutas de luz, viajando pelo espaço. Ele as descreveu como "multidões de corpúsculos inimaginavelmente pequenos e rápidos saltando dos corpos brilhantes". Newton também formulou uma nova teoria das cores, segundo a qual a cor não era uma característica da onda, mas uma característica da luz.

Ele descobriu que a luz normal, como a conhecemos, é heterogênea, no sentido de que é uma mistura de diferentes cores — como diríamos hoje, de diferentes comprimentos de onda. A luz branca, descobriu Newton, está longe de ser a luz pura, destituída de cor, como as pessoas sempre pensaram, mas, ao contrário, é uma combinação de todas as cores do arco-íris. "A composição mais surpreendente e maravilhosa era a da brancura", escreveu ele em 1672. "Não há nenhuma espécie de raios que sozinha possa exibir isto. É sempre composta e para sua composição são necessárias todas as cores primárias previamente citadas, misturadas numa proporção adequada."

Isso era exatamente o contrário do que muitos de seus contemporâneos pensariam. A luz branca, para eles, era a ausência de cor, exatamente como a tinta branca era a ausência de pigmentos. Se você pega tintas e mistura vermelho, verde, azul, amarelo e violeta, obtém alguma coisa escura e feia. Assim de que maneira poderia a luz branca ser uma mistura de todas essas cores em luzes coloridas?

E era, segundo Newton. Repetindo suas experiências de estudante, ele demonstrou esse fato escurecendo totalmente seu quarto, deixando apenas uma única fonte de luz, passando a luz dessa fonte pontual através de um prisma e dividindo-a nas cores do arco-íris, e em seguida passando estas cores por um segundo prisma, através do qual elas se recombinaram em luz branca. Esta foi uma excitante conclusão — muito mais do que seu trabalho em matemática.

Em 6 de fevereiro de 1672, Newton enviou um artigo descrevendo a luz branca e suas outras teorias para Henry Oldenburg, o secretário da Royal Society em Londres, para ser publicado nas *Philosophical Transactions of the Royal Society*. Esse artigo, intitulado "New Theory about Light and Colours" ("Nova teoria sobre a luz e as cores"), foi publicado em 19 de fevereiro de 1672. Uma cópia da carta enviada por Newton pode ainda hoje ser vista pelos visitantes na Royal Society, como descobri quando estava em Londres. O artigo tem uma carta de apresentação com uma frase em florido manuscrito dizendo "Uma exposição do Sr. Isaac Newton, contendo sua nova teoria sobre a luz e as cores, enviada por ele de Cambridge em 6 de fevereiro de 1671/72 para o Secretário da R. Society a fim de ser comunicada [aos membros]".

O artigo de Newton foi lido para a sociedade em 8 de fevereiro de 1672. A variedade de tópicos apresentada à sociedade no mesmo dia é interessante: depois que o artigo de Newton foi lido, Wallis leu um trabalho em que especulava quanto à influência da Lua sobre a pressão atmosférica e o barômetro. Depois de Wallis, foi lida uma carta vinda de Nápoles a respeito de mordidas de tarântulas, escrita por um italiano de nome Cornélio. A seguir, Flamsteed leu uma carta sobre as luas de Júpiter, e, por fim, foi lida uma carta de um médico alemão, Hanneman, indagando a opinião dos membros da sociedade sobre sanguificação e como ela é feita. A pressão lunar sobre a atmosfera, mordidas de aranhas venenosas, gigantescas luas gasosas e os detalhes do sangramento nada significaram, em termos do interesse que geraram, em comparação com a carta de Newton.

O trabalho de Newton era o produto de vários anos de experimentação, análise e refinamentos originais e meticulosamente executados. Ele não estava meramente descrevendo algo da natureza como ele o via, estava se assegurando de que a natureza fosse descrita como ela era. Seu trabalho era um modo novo, surpreendentemente ousado, de pensar sobre luz e cor, e, ao final, iria ser reconhecido como um de seus grandes feitos. Apresentá-lo foi um primeiro passo no sentido de tornar-se o maior intelectual britânico de seu tempo. De fato, quando eu estava em Londres, notei uma homenagem na sepultura de Newton, sob a forma de uma criatura como um querubim brincando com um prisma.

Como um professor de Cambridge de 28 anos, ele estava pronto a aceitar o que poderia ser uma volta triunfal. Mas, por maior conquista que esse trabalho viesse a ser para Newton, seu artigo original de 1672, ao contrário, criou-lhe problemas. Ele foi forçado a suportar críticas públicas mordazes ao seu trabalho no campo da ótica, feitas por seus contemporâneos, especialmente Robert Hooke — e Newton ainda não dispunha, para poder desviá-las, da reputação ou do prestígio que iria mais tarde usar contra Leibniz.

Os membros da Royal Society demonstraram a seriedade com que encararam o trabalho de Newton, instituindo um comitê para examinar com profundidade o artigo e elaborar um relatório com sua avaliação. Hooke foi o indicado para escrever o relatório, e nele incluiu suas críticas às conclusões de Newton. E não por coincidência, o relatório protegia o território próprio de Hooke.

Hooke era na época a maior autoridade em ótica da Grã-Bretanha, e havia sido por dez anos o curador de experiências da Royal Society — posição que ele conquistara, não por razões políticas, mas por seu talento, demonstrado especialmente em seus trabalhos no campo da ótica e da aplicação da ótica à microscopia. A opinião de Hooke era tão altamente considerada na sociedade londrina que após o grande incêndio ele foi um dos poucos membros da comissão constituída pela cidade para administrar o trabalho de reconstrução.

Hooke era também notoriamente conhecido como um dos mais desabridos e intelectualmente agressivos membros da Royal Society e muitas vezes manejava o prestígio de sua posição como um machado. Em 1672 ele assestou sua mira na teoria das cores de Newton, enviando à sociedade uma carta em tom de condescendente superioridade, afirmando já haver realizado todas aquelas experiências antes de Newton. Adicionalmente, concluiu que as experiências provavam que a luz era um impulso que se propagava através de um meio transparente, e que a cor era uma refração da luz — exatamente o que se presumia que o trabalho de Newton estivesse refutando. Em outras palavras, Hooke afirmava que a diferença não estava nos dados, mas na interpretação dos dados.

"Eu li com atenção a excelente dissertação do Sr. Newton sobre cores e refração, e não fiquei pouco satisfeito com a elegância e o curioso de suas observações", escreveu Hooke, "[Mas as experiências] me parecem provar que a luz não é senão um impulso ou movimento que se propaga através de um meio homogêneo, uniforme e transparente e que a cor não é senão a perturbação dessa luz pela comunicação com outros meios transparentes."

Essa carta, que Hooke havia levado três ou quatro horas para escrever, deve ter sido um duro golpe para Newton. Hooke era um de seus heróis e Newton havia sido grandemente influenciado pelo seu famoso livro *Micrographia*, que registrava seus profícuos estudos sobre o mundo do microscópio — um livro ao qual Pepys se referiu como "o livro mais genial que eu já li em toda minha vida". Quando lera esse livro, Newton havia ficado fascinado pelos desenhos detalhados das lentes e pelas extensas exposições sobre ótica, e havia escrito páginas e páginas de notas sobre a obra.

Depois de ler a carta de Hooke de 1672 que o condenava, Newton passou três meses redigindo uma resposta, pesquisando cuidadosamente suas anotações e outros documentos e juntando muitas linhas diferentes de pensamento para contestar as críticas de Hooke em um só documento. O jovem e ousado cientista de vinte e poucos anos confrontou seu opositor mais velho. Ele escreveu páginas e páginas respondendo às críticas de Hooke, ponto por ponto. Após alguns meses de demora, ele enviou uma versão muito alterada. Como em tantas outras vezes em sua vida, Newton mostrou que sua melhor defesa era uma forte ofensa. Ele declarou que a teoria de Hooke era "não apenas insuficiente, mas em alguns aspectos incompreensível".

Newton acreditava essencialmente que objeções sem resultados experimentais não deviam ter validade. E ele havia feito as experiências. Uma vez separadas nas suas cores componentes, as várias cores que compunham a luz não podiam ser novamente separadas, ou alteradas, pela passagem através de um prisma.

"Eu interceptei [um único raio colorido de luz] com a película colorida de ar na interseção de duas placas comprimidas de vidro; o transmiti através de meios coloridos e através de meios irradiados com outros tipos de raios, e o terminei de diversas maneiras, e, contudo, nunca pude a partir dele produzir qualquer cor nova", escreveu Newton em seu documento. "Ele iria por contração ou dilatação tornar-se brilhante ou fraco, e, pela perda de muitos raios, em certos casos muito obscuro e escuro; mas eu nunca pude vê-lo mudar de espécie."

Newton não foi o único que enfrentou grandes dificuldades para ter aceitas suas novas teorias — embora fossem baseadas na experimentação. Na realidade, isto era um assunto comum no século XVII. A teoria de Johannes Kepler de que os planetas seguem órbitas elípticas foi uma pílula difícil de engolir para muitos de seus contemporâneos. Círculos são formas mais perfeitas, diziam os críticos, logo que necessidade teriam os céus de elipses? Este mesmo tipo de pensamento levou muitos a questionar a existência das manchas solares, depois que Galileu as descobriu. Por que iria o Sol ter manchas? Galileu enfrentou protesto semelhante contra sua descoberta de luas que circulavam em volta de Júpiter. Devido a serem essas luas invisíveis a olho nu, Galileu foi ridicularizado por pelo menos um cientista italiano, que realmente disse que se não podíamos vê-las, elas não seriam de nenhuma utilidade para nós, e, portanto, não poderiam existir. O crítico também usou um complicado argumento que envolvia o número sete. Novas luas iriam fazer o número de planetas e luas no sistema solar ficar acima de sete. Mas só poderiam existir sete planetas para manter a harmonia da Natureza — assim como só existiam sete orifícios na cabeça humana.

Nem toda resistência às novas idéias era assim tão banal. Eram tempos perigosos, tanto para as idéias como para seus autores. A Inquisição em Roma condenou Galileu à prisão domiciliar pelo resto da vida e, após a publicação dos seus *Diálogos* em 1623, proibiu-o de publicar qualquer outra coisa. Descartes deixou a França, sua pátria, em 1628, devido ao medo de ser perseguido por defender idéias impopulares, e permaneceu em exílio auto-imposto na Holanda até 1644. John Bunyan, que escreveu *Pilgrim´s Progress* ("A marcha do peregrino"), a assim-chamada bíblia do leigo, um dos mais famosos livros do século XVII,

O Problema com Hooke

ficou preso de 1660 até 1672, sob a acusação aparentemente inócua de ter pregado sem licença. Giordano Bruno morreu na fogueira por ter ousado exprimir posições impopulares.

Newton nunca teve que enfrentar algo tão duro como ser queimado vivo, mas não há dúvida que os ataques de Hooke deixaram sua psique enevoada durante décadas. E Hooke não estava sozinho em sua oposição a ele.

Nos meses que se seguiram à remessa do trabalho de Newton sobre as cores, outras críticas vieram da Europa continental, e ele as respondeu em várias cartas. Ele recebeu comentários de um jesuíta, o padre Igmatius Pardies, que era um respeitado membro da comunidade de cientistas de Paris. Pardies em seu protesto dizia que simplesmente não podia acreditar que raios coloridos combinados podiam compor a luz branca. Seus comentários eram inteligentes, críticas válidas, que Newton pôde responder de igual modo. Da mesma maneira, comentários inteligentes vieram de Huygens, mentor de Leibniz em Paris. Contudo, críticas de outra natureza vieram de um belga chamado Franciscus Linus, cujo maior legado parece o de ser lembrado como homem estúpido, ignorante e de mente estreita.

O efeito das críticas, comentários e cartas sobre Newton foi fazê-lo voltar a meter-se em seu casco de tartaruga em Cambridge. Ele chegou a confidenciar a Oldenburg que preferiria sair da Royal Society e estava pensando em abandonar totalmente a pesquisa experimental.

A desafortunada vítima de toda essa luta foi o trabalho de Newton sobre o cálculo, uma vez que ele sempre teve intenção de publicar ao mesmo tempo seus trabalhos sobre ótica e cálculo. A dor causada pela publicação daqueles o fez abandonar os planos de publicar estes. Devido aos problemas com Hooke, Newton perdeu o gosto de editar qualquer coisa. Se antes existia alguma possibilidade de que publicasse seus trabalhos matemáticos, não havia mais nenhuma dúvida de que isso não podia ser feito. Embora ele houvesse inventado o cálculo das fluxões em meados da década de 1660, o mundo teria que esperar por mais duas décadas antes de provar-lhe o sabor. E, quando o experimentou, não seria Newton o autor. Até então, Newton ficou como uma espécie de Greta Garbo do mundo da ciência.

Eventos estavam acontecendo na Europa. Uma guerra para a França e grande parte do resto do continente assomava ameaçadora no horizonte, a qual iria levar Leibniz primeiro para Paris e depois para Londres — e para uma rota de colisão com Newton. Leibniz não iria mostrar nenhuma das reservas que tivera Newton quanto a publicar ou a partilhar com outros suas idéias.

4

O Caso da Sobrancelha

■ 1666-1673 ■

Muitos de seus sonhos têm se realizado e demonstrado serem mais do que as fantásticas imaginações que pareciam, para todos os seus sucessores até o dia de hoje...

— Bertrand Russell no prefácio à sua exposição crítica de 1937 da filosofia de Leibniz

Durante a maior parte de sua vida, Leibniz raramente preocupou-se por ser ofuscado por Newton ou por qualquer outro. Ele era um dos pensadores mais prolíficos de sua época, e seus amplos interesses o levaram a contribuir com avanços em campos tão diversos como medicina, filosofia, geologia, legislação, física, e, é claro, matemática. Foi exatamente essa espécie de ambição que levou Leibniz a mergulhar na matemática no início da década de 1670 — não apenas para entender tudo o que havia sido feito por seus contemporâneos, mas também para articular tudo o que se sabia na época em um sistema geral que pudesse servir como ferramenta para futuras descobertas.

A matemática não era o principal interesse que tinha em seus primeiros dias. De fato, Leibniz não mergulhou suficientemente no assunto para inventar o cálculo até quando já tinha quase 30 anos. E mesmo então o cálculo parecia apenas uma faceta da visão grandiosa que tinha do conhecimento em geral. Ele via todas as idéias, conceitos, raciocínios e descobertas humanas serem apenas uma combinação de um pequeno número de elementos simples e básicos — como números, letras, sons, cores etc. Leibniz teve a idéia de criar um sistema universal que iria fornecer um modo de representar idéias e as relações entre elas — um alfabeto do pensamento humano com o qual idéias, não importa quão complicadas, poderiam ser representadas e analisadas por decomposição em suas partes componentes, como as letras que compõem p-a-l-a-v-r-a-s-e-s-e-n-t-e-n-ç-a-s.

A *characteristica universalis*, ou alfabeto do pensamento humano, foi tentada pela primeira vez na sua tese de doutorado, *Dissertatio de Arte Combinatori* (Dissertação sobre a arte combinatória). Poucos anos depois, ele descreveu sua idéia nos termos mais otimistas e visionários: "Uma vez que os números característicos para a maioria dos conceitos estejam estabelecidos, a raça humana terá uma nova espécie de instrumento que ampliará o poder da mente muito mais do que fortalecem os olhos as lentes óticas, e que será muito superior a microscópios ou telescópios tal como a razão é superior à visão. A bússola não trouxe mais auxílio aos marinheiros do que trará esta estrela-guia para aqueles que navegam o mar das experiências."

Uma tal redução de idéias complexas pode parecer tolamente simples, mas a tentativa de encontrar um alfabeto do pensamento humano foi o que levou Leibniz ao cálculo. Ele pouco conhecia de matemática quando escreveu sua "Dissertação sobre a arte combinatória", mas de certo modo a dissertação o preparou para descobrir o cálculo, porque lhe permitiu apreciar a necessidade que iria ser satisfeita pelo cálculo. O cálculo, afinal de contas, é um conjunto de conhecimentos que trata da análise de geometria e números, e para Leibniz este era um exemplo de um sistema lógico maior para analisar toda a sua *characteristica universalis*.

Além disso, "Dissertação sobre a arte combinatória" teve um impacto muito direto sobre as guerras do cálculo, porque pôs em marcha uma seqüência de acontecimentos que iriam levar Leibniz a Paris, onde ele inventaria o cálculo, e a Londres.

Por mais brilhante que fosse seu trabalho, o grau de doutor lhe foi negado pela Universidade de Leipzig em 1666. Por que isso aconteceu, não está totalmente claro. Uma das histórias que correm é que a esposa do reitor da universidade convenceu o marido a negar o doutorado ao jovem Leibniz por razões pessoais. Mas talvez ele simplesmente tenha sido vítima da politicagem acadêmica na universidade. Havia um reduzido número de vagas para pós-graduação e, se a tese de Leibniz fosse aceita, teria impedido que um estudante mais antigo fosse graduado.

Sem se deixar afetar por esse contratempo, Leibniz deixou Leipzig, matriculou-se na vizinha Universidade de Altdorf em outubro de 1666, e nela titulou-se poucos meses depois, recebendo seu grau de doutor em fevereiro de 1667. Sua tese, *De Casibus Perplexis* (Sobre casos difíceis [nas leis]), afirmava que a lei tem que dar resposta a um certo número de casos indefinidos que na sua época eram decididos muitas vezes tirando-se a sorte e por outros métodos arbitrários. Leibniz argumentava que tais casos difíceis deviam ser decididos pela razão e pelos princípios da justiça natural e da lei internacional.

Ele assevera que sua tese deslumbrou a audiência. "Eu recebi o grau de doutor da Universidade de Altdorf sob grandes aplausos", gabou-se Leibniz uma vez. "Na minha defesa em público, expressei meus pensamentos com tanta clareza e felicidade que não somente ficaram os ouvintes surpreendidos por aquele extraordinário e inesperado grau de acuidade, especialmente partindo de um jurista, mas mesmo meus oponentes declararam publicamente que haviam ficado extremamente satisfeitos."

Em seguida à concessão do doutorado, disse-lhe o ministro da educação da universidade, um homem chamado Johann Michael Dilherr, que podia garantir-lhe um lugar de professor se ele estivesse inclinado a aceitá-lo. Leibniz não estava. "Meus pensamentos estavam voltados para uma direção totalmente diferente", disse ele anos mais tarde. "Eu abri mão de todas as outras atividades e concentrei minha atenção exclusivamente na ocupação da qual eu iria depender para ganhar a vida."

Qual era esse meio de vida que fez com que Leibniz rejeitasse a oferta? Era uma ocupação através da qual ele procurava fazer algo mais prático — um trabalho que trouxesse o maior benefício para a humanidade. Ele decidiu seguir a carreira das leis. A idéia de que um advogado

70 A GUERRA DO CÁLCULO

iria ter mais oportunidades de fazer o bem do que um professor universitário iria, sem dúvida, fazer com que muitos professores das universidades modernas rissem ou recuassem surpresos. No entanto, depois que Leibniz terminou seu doutorado em 1667, ele deixou a vida universitária para sempre. Ele iria enfrentar o mundo, um jovem advogado brilhante e ambicioso com um vivo interesse por política e por aprender, mas sem muito conhecimento de matemática.

Ele se estabeleceu na vizinha Nuremberg e não teve dificuldade em se integrar aos grupos de pessoas cultas dessa cidade. Um dos grupos com que se relacionou foi uma sociedade de alquimistas. A história é que ele queria ter acesso a essa sociedade e aos seus segredos, mas sendo um forasteiro não conseguia entrar. Então ele imaginou um plano. Consultou os mais difíceis compêndios de alquimia que pôde encontrar, anotou as palavras mais obscuras que estes continham, e escreveu um artigo que era ao mesmo tempo impressionante e sem sentido. Mais tarde admitiu que o texto era completamente sem sentido, mesmo para ele. Mas impressionou de tal maneira os alquimistas por sua capacidade de escrever com profundidade que eles com prazer o receberam em sua sociedade e o fizeram seu secretário. Durante meses Leibniz participou dos debates e discussões. Contudo, mais tarde, ele iria denunciar o grupo dos alquimistas como a "fraternidade dos fazedores de ouro".

Em 1667, a vida de Leibniz sofreu uma reviravolta dramática. Ele conheceu um estadista alemão rico e bem-relacionado, o barão Johann Christian von Boineburg, homem de prestígio e grande cultura, conhecido em muitas das capitais da Alemanha. Nos cinco anos seguintes, Leibniz tornou-se amigo íntimo de Boineburg, servindo como seu secretário, assistente, consultor, bibliotecário e advogado por vários anos. Este relacionamento iria mostrar-se crucial na vida de Leibniz, porque seria Boineburg que o convenceria a ir para Paris poucos anos depois.

O barão via em Leibniz um pupilo de grande valor e, desde o início, a inteligência de seu assistente o impressionara. Boineburg escreveu uma vez a um conhecido apresentando Leibniz nos termos mais elogiosos. "Ele é um jovem de Leipzig de 24 anos", escreveu Boineburg. "Doutor em leis e mais culto do que seria de esperar."

O Caso da Sobrancelha

Boineburg ajudou Leibniz a cair nas graças do arcebispo-eleitor[1] de Mogúncia[2] Johann Phillipp von Schönborn, que era um líder político regional de certa proeminência. Nessa época, a Alemanha era algo como um amálgama de Estados, dezenas dos quais eram governados por bispos e arcebispos, como Schönborn. Mogúncia era um Estado alemão, mas também existia como um pequeno país, visto que fazia parte do Sacro Império Romano. (Voltaire disse uma vez, com zombaria, que o Sacro Império Romano não era nem sacro, nem romano, nem mesmo um império.) Boineburg era ligado ao arcebispo e fora anteriormente um ministro da corte em Mogúncia — ele foi demitido em 1664, mas pouco depois reconciliou-se com o eleitor, após sua filha ter se casado com o sobrinho de Schönborn.

Isto significava que Boineburg estava em boa posição para apresentar Leibniz a Schönborn. Leibniz escreveu um ensaio que causou grande impressão, "Um novo método para ensinar e aprender leis", considerado rico em idéias. Boineburg o convenceu a dedicá-lo a Schönborn, e conseguiu uma audiência com o arcebispo para que Leibniz o presenteasse pessoalmente com o ensaio. A resposta de Schönborn foi fazer de Leibniz juiz da Corte Superior de Apelações aos 24 anos de idade.

Leibniz foi designado para trabalhar com um homem chamado Herman Andrew Lasser num projeto de revisão do Código Penal. Juntos eles escreveram um extenso trabalho, tendo Leibniz escrito duas partes e Lasser as outras duas. A contribuição de Leibniz abria de maneira poderosa: "É óbvio que a felicidade da espécie humana consiste de duas coisas — ter o poder de fazer o que desejar, até onde lhe é permitido, e saber o que, de acordo com a natureza das coisas, deve ser desejado." Algo moderno, algo antiquado, Leibniz procurou achar uma base sistemática para esse conjunto diversificado de leis.

---

[1] "Eleitor" era o título que recebiam os príncipes alemães que, a partir de 1356, participavam da eleição do imperador do Sacro Império Romano. Havia eleitores eclesiásticos (como Schönborn) e eleitores laicos. O conjunto dos eleitores era chamado "eleitorado". (*N. do T.*)
[2] Mogúncia é o nome que em português se dá, tradicionalmente, à cidade que em alemão se denomina Mainz. (*N. do T.*)

A reforma legal era um momentoso assunto naqueles dias, pois o Sacro Império Romano era complicado por um intrincado sistema de leis que variavam de Estado para Estado. Uma conseqüência disso foi fracionar a Alemanha, e, porque os vários Estados agiam autonomamente, vários governantes pensavam apenas neles próprios quando decidiam com quem formar alianças. Uma vez que a Alemanha estava localizada no meio da Europa, com nações fronteiriças a leste, oeste, norte e sul, essas alianças eram vitais.

Além do mais, uma quantidade de incômodas divisões havia surgido, a partir da reforma religiosa que se seguiu à introdução do protestantismo por Martinho Lutero, mais de um século antes. Os Estados se dividiram entre os protestantes e os católicos. A Paz de Augsburgo em 1555 permitia aos príncipes locais determinar a religião de seu território, mas isto apenas aumentou a divisão dos alemães e sujeitou os Estados à vontade dos seus governantes. Talvez o exemplo mais dramático deste fato na Alemanha foi o Estado da Renânia-Palatinado, que passou de católica a luterana em 1544, de luterana a calvinista em 1559, de calvinista novamente a luterana em 1576, e de luterana de novo a calvinista em 1583.

Durante os cinco anos em que Leibniz foi um assessor próximo de Boineburg, ele teve seu primeiro contato com a política diplomática. Quando João Casimiro, rei da Polônia, afastou-se do trono em 1668, diversos pretendentes aspiravam a ocupar seu lugar. Um desses, o príncipe de Neuberg, era apoiado por Boineburg, e este pediu a Leibniz que o ajudasse nesse objetivo. O que Leibniz fez em resposta foi escrever um panfleto no qual não apenas expôs os méritos da causa de Neuberg, mas também investigou a natureza da Polônia em geral — seu governo, suas condições, e assim por diante. Embora Neuberg não tenha se tornado rei, Boineburg recompensou Leibniz recomendando-o para integrar o conselho do eleitor de Mogúncia.

Foi através de seu relacionamento com Boineburg que Leibniz foi enviado para Paris, Londres e para o posterior conflito com Newton. No princípio de 1672 os tambores de guerra eram ensurdecedores quando a França, a principal superpotência da Europa, estava mais uma vez assestando um olhar agressivo sobre outros países do continente.

Luís XIV estava furioso com os holandeses, que antes haviam sido seus aliados, porque em 1668 a Holanda juntou-se à Inglaterra para frustrar a tentativa francesa de anexar os Países Baixos espanhóis. Isso deu início a uma disputa comercial, com a França taxando pesadamente as mercadorias holandesas importadas. Em 1671, a situação havia-se tornado bastante séria, e a Europa estava à beira do que poderia ser outra grande guerra.

Criou-se um cenário confuso, no qual muitos dos Estados da Alemanha tinham alianças diversas, com a França ou contra ela. Johann Friedrich, duque de Hanover, era um bom exemplo disto. Sua política externa era de apoio à França, em troca de dinheiro. Mas todas as alianças iriam ser realmente testadas quando a França começou a concentrar tropas ao longo de suas fronteiras orientais, preparando-se para invadir a Holanda.

Schönborn foi forçado a abandonar sua aliança com o duque de Lorena, depois que o duque pressionou o eleitor para formar uma aliança com Inglaterra, Holanda e Suécia contra a França, em uma reunião que se realizou em julho de 1670. Boineburg e Leibniz estiveram presentes a essa reunião e ambos se opuseram à perspectiva de tal aliança.

Leibniz chegou a escrever um panfleto com o complicado título "Reflexões sobre a maneira pela qual, sob as atuais circunstâncias, a segurança pública, tanto interna como externa, pode ser preservada, e o presente estado do império ser firmemente mantido". O panfleto alertava sobre os perigos de se tomar partido contra a França, e Schönborn atendeu à advertência, permanecendo inerte quando dezenas de milhares de tropas francesas invadiram a Lorena, e o duque, até havia pouco seu aliado, viu-se forçado a fugir.

Boineburg percebeu a estupidez de se opor ao superpoder militar da França. Além disso, ele tinha muito a ganhar mantendo Mogúncia ao lado da França — ele tinha propriedades e uma pensão nesse país que lhe eram devidas, e acreditava que poderia recuperar sua pequena fortuna se jogasse suas cartas corretamente. Esperava ser mandado à França para receber seu dinheiro e, pelo final de 1671, exatamente quando Newton se preparava para apresentar sua nova teoria sobre a luz e as cores, Boineburg estava se posicionando para ir para lá.

Mas as coisas se complicaram quando o ministro do Exterior da França faleceu. Passaram-se vários meses antes que um novo ministro fosse nomeado, em janeiro de 1672. Nessa altura, um embaixador francês havia chegado a Mogúncia com a missão de pedir livre passagem para seus navios de guerra no rio Reno, para permitir que as tropas de Luís XIV pudessem atacar a Holanda com mais facilidade. A presença do embaixador francês em Mogúncia tornou irrelevante a viagem de Boineburg a Paris. Assim, este decidiu enviar Leibniz à capital francesa em seu lugar.

Leibniz redigiu um documento um tanto vago e o enviou a Luís XIV em 20 de janeiro de 1672, mencionando como o rei e a França poderiam se beneficiar de um "certo empreendimento" que traria vantagens para o país. Não deu detalhes do que seria esse empreendimento, e o documento deve ter provocado grande curiosidade na França e no novo ministro do Exterior, Simon Arnauld, marquês de Pomponne, porque foi recebida uma resposta em 12 de fevereiro de 1672, pedindo a Boineburg que viesse a Paris e apresentasse sua proposta. Boineburg respondeu em 4 de março seguinte, dizendo que enviaria Leibniz em seu lugar.

O plano de Leibniz era ousado, quase a ponto de ser difícil de merecer crédito. Ele queria convencer Luís XIV de que a França não deveria entrar em guerra com a Holanda, argumentando sobre quão lucrativo seria, em vez disso, transferir a agressão e as ambições de seu país para o Egito — controlado pelo Império Otomano. O Egito, com seu domínio sobre importantes rotas comerciais, era um alvo muito mais lucrativo, argumentava Leibniz, e atacar os otomanos no Egito iria também dar apoio à parte oriental da Europa, onde cidades como Viena estavam sob ameaça de ataques vindos do leste.

Pode parecer estranho propor uma invasão do Egito como um plano para a paz, mas a idéia de redirecionar uma guerra interna da Europa para o mundo exterior nada tinha de nova. No século XIV, um italiano, Marino Sanuto, escreveu um livro, *Secreta Fidelium Crucis*, que propunha ao papa essencialmente a mesma coisa. Na realidade, Leibniz valeu-se desse livro, velho de séculos, quando veio com sua versão modernizada do plano. Mas, na carta inicial, nada de específico foi apre-

O Caso da Sobrancelha

sentado. De fato, a carta era tão desprovida de detalhes que nem mencionava a palavra "Egito".

Leibniz e um seu empregado partiram para Paris em 19 de março de 1672, a fim de apresentar seu apelo de última hora. Ele levava consigo uma procuração de Boineburg, uma carta de apresentação, recursos para a viagem e um sincero desejo de convencer o monarca francês da importância de esquecer a guerra na Europa e voltar sua atenção para partes do Oriente Médio não-cristão. Sua missão foi mantida semi-secreta, e ele viajou sob o disfarce de representar os interesses pessoais de Boineburg, chegando a Paris no final do mês.

Leibniz deve ter ficado excitado com a viagem, como qualquer jovem pela primeira vez a caminho de uma grande cidade. Paris era uma das maiores e mais importantes cidades da Europa, e era o playground dos ricos e da elite do continente. Ainda que grande parte da Alemanha estivesse em guerra com a França nesta ou naquela época ao longo de sua vida, este país era, não obstante, o modelo da vida nas cortes do século XVII. Seus atributos eram para serem admirados e a prodigalidade de suas maneiras cortesãs deveria ser imitada em todos os detalhes que fossem possíveis.

Além de tudo, Leibniz ia para lá a fim de apresentar uma proposta aos mais altos níveis do governo francês. Isso era muito importante para ele, pois uma das coisas de que mais gostava era agir como se fosse um embaixador. Ele pode ter abrigado ambições de vir a ser realmente um embaixador, mas lhe faltava uma das condições cruciais para que pudesse chegar a sê-lo — uma genealogia de alta linhagem. Ele podia estar representando Boineburg, mas não era um Boineburg. No entanto havia uma real possibilidade de que ele viesse a apresentar pessoalmente seu trabalho a Luís XIV, que era um monarca fabulosamente poderoso.

Luís XIV havia sido um rei-menino, herdando o trono de seu pai quando tinha apenas quatro anos de idade. Por ser então uma criança, estava completamente despreparado para governar, sendo então instalada uma regência, a qual, tendo sua mãe como regente e o cardeal Mazarino como principal figura, permaneceu no poder pelos 12 anos seguintes. Quando o cardeal Mazarino morreu, Luís XIV assumiu o governo, dando início ao mais longo reinado da história da França. Ele foi o modelo do monarca absoluto. Embora governasse a França auxiliado por uma miríade de conselheiros e confidentes, conservou o poder absoluto, e, se alguma pessoa teve por si só o poder de mudar o curso da história à sua vontade e suspender uma guerra, atendendo a um pedido, esta pessoa foi Luís XIV.

Como estrategista militar, Leibniz estava mais de um século à frente do seu tempo. A França iria realmente invadir o Egito mais tarde, sob Napoleão, que entendeu a importância da península exatamente como Leibniz havia sugerido. De fato, quando Napoleão invadiu a Alemanha e ocupou Hanover em 1803, ficou irritado ao saber que Leibniz o havia antecedido por mais de um século.

Por mais envaidecedor que isto pudesse ter sido para Leibniz, se ele o tivesse sabido, a proposta foi um fiasco inoportuno em sua vida — acabou acontecendo que ele nunca teve oportunidade de apresentar sua idéia.

Em 6 de abril de 1672, Luís XIV e seus subordinados publicaram um curto documento "Declaração de guerra contra os holandeses". Emitida de Versalhes, essa declaração foi por ordem do rei disseminada por toda a França e seus domínios onde, como todos os seus súditos iriam ter oportunidade de ler, ele lhes ordenava que "caíssem sobre os holandeses". Com os franceses já em posição para invadi-los, os holandeses foram forçados a abrir os diques e inundar os campos a fim de retardar o avanço francês. A Guerra Franco-Holandesa, como é chamada, havia começado, e iria arrastar-se pelos seis anos seguintes.

Quando Leibniz finalmente chegou a Paris, sua proposta original tornara-se uma questão sem fundamento. Não obstante, Leibniz e Boineburg mantiveram-se em comunicação, não abandonaram seu plano, mas o modificaram, transformando a invasão do Egito em um engodo para terminar a guerra, em vez de uma proposta para preveni-la. Eles propuseram que assim que as batalhas no interior da Europa estivessem concluídas, uma invasão ao Egito poderia começar. Leibniz escreveu um documento com esta finalidade, "Consilium Aegyptiacum", sobre o qual se diz que defendia essa idéia com eloqüência, erudição e maestria.

Para reforçar sua posição, Leibniz e Boineburg trouxeram o eleitor de Mogúncia para juntar-se a eles. Schönborn achou que era uma grande idéia e imediatamente enviou uma mensagem a Luís XIV, que nessa ocasião estava acampado com seu exército. Na mensagem se oferecia para mediar a paz, de modo que os franceses pudessem imediatamente partir para a África do Norte. A resposta praticamente foi um eloqüente "não obrigado, as cruzadas já acabaram". "Quanto ao projeto da guerra santa, não tenho nada a dizer", rezava a resposta à corte alemã. "O senhor sabe que, desde os dias de Luís, o Piedoso, tais expedições saíram de moda."

Mas, para Leibniz, as cruzadas estavam apenas começando. Ele decidiu que, de qualquer forma, aproveitaria ao máximo seu tempo na capital francesa. Que oportunidade isto era para ele! Em Paris ele estava sozinho e sem maiores obrigações para o seu dia-a-dia. Após passar vários meses aprendendo francês e se adaptando ao novo ambiente urbano, ele enterrou-se nas bibliotecas durante dias; por outro lado, como viera a Paris como representante de Boineburg e trazia consigo várias cartas de apresentação, muitas portas se abriram.

Com essas portas abertas vieram numerosas oportunidades, e, nos poucos anos que passou em Paris, teve condições de se manter parcialmente prestando serviços jurídicos. Afinal de contas, ele era um advogado que podia trazer suas qualificações para a elite da sociedade, redigindo documentos, encarregando-se de casos na Justiça ou prestando outros serviços e ações em favor dos ricos. Conseguiu, por exemplo, a libertação de um príncipe estrangeiro da prisão e preparou o divórcio do arquiduque de Mecklenburg — um homem odiado por seus súditos em sua terra, que o forçaram a fugir em 1674 de Mecklenburg para Paris, cidade para a qual seu temperamento parecia mais adequado. Contudo o arquiduque havia se convertido ao catolicismo, o que lhe trouxe um problema. Antes, quando era protestante, não tivera nenhuma dificuldade em se divorciar de sua primeira esposa. Mas, agora que era casado com uma bela senhora católica, o divórcio não era tão fácil. Leibniz o ajudou a sair dessa dificuldade.

Ele estava suficientemente ocupado com esse tipo de trabalho e outras obrigações sociais. No que seria um fato recorrente durante sua vida, foi distraído daquilo que via como seu trabalho intelectual mais interessante. "Minha mente está sobrecarregada por uma grande variedade de trabalhos, em parte solicitados por meus amigos, em parte por pessoas de alta posição", escreveu ele para o secretário da Royal Society, no verão de 1674. "Portanto, tenho muito menos tempo do que desejaria para devotar ao estudo da natureza e para investigações matemáticas. Não obstante, dele procuro roubar tanto quanto posso..."

Felizmente, Paris era a capital intelectual da Europa e tinha algumas das melhores inteligências vivas nos dias de Leibniz. Ele lá encontrara muitas delas, e se inspirou para produzir idéias altamente originais, embora às vezes pouco práticas — tais como um método para determinar a longitude; uma arma pneumática; uma idéia que tornaria um barco capaz de mergulhar, tal como um submarino, para escapar de piratas; e uma idéia para melhorar relógios. Em Paris, Leibniz iniciou realmente o curso de erudição que seguiria por toda a sua vida, adquirindo uma amplitude de aprendizagem e conhecimentos que cobria toda a "república das letras", como o filósofo Bertrand Russell uma vez a descreveu. E fez algumas descobertas em matemática.

Sua jornada no caminho da descoberta do cálculo começou no outono de 1672, quando conheceu Christian Huygens. Físico e matemático holandês, Huygens era filho de uma figura literária e diplomática famosa na Holanda, e também tinha dom para palavras, tendo declarado uma vez, "o mundo é meu município", acrescentando que promover a ciência era sua religião. Seu pai era amigo de Descartes, e Huygens foi um cartesiano estrito por toda sua vida, o que, por vezes, teve uma estranha influência em seu trabalho. Por exemplo, depois que descobriu uma lua de Saturno, ele deixou de procurar outras luas no céu, porque a simetria cartesiana dizia que, como existem seis planetas, deveria haver também somente seis luas.

Apesar de hoje esse raciocínio parecer tão tolo, Huygens é ainda considerado um dos maiores cientistas do século XVII. Quando Leibniz foi visitá-lo pela primeira vez, Huygens era talvez o mais importante filósofo da Natureza vivendo em Paris e um dos mais bem relacionados intelectuais da Europa. Uma indicação de quanto Huygens era um grande matemático e cientista é que mesmo sendo um holandês e vivendo sob o regime altamente xenófobo da França de Luís XIV, era ainda o principal membro da Académie des Sciences, instituição que ele ajudara a fundar.

O status de Huygens era bem merecido. Um artesão habilidoso, que desenvolveu métodos para fabricar lentes em meados do século XVII, ele fez várias contribuições importantes para a ciência no decorrer de sua vida. Em 1665, usando as lentes aperfeiçoadas por ele em seu telescópio, observou os anéis de Saturno. Mestre da matemática mais avançada, Huygens estudou o pêndulo, analisou-o matematicamente e o utilizou como um motor para acionar relógios de sua própria invenção.

Huygens e Leibniz deram-se bem imediatamente, e nos anos seguintes tornaram-se amigos. E, mais importante, Huygens, o mais velho e mais sábio, tornou-se o mentor inspirador de Leibniz, encorajando o amigo alemão a olhar a matemática em profundidade. "Comecei a encontrar grande prazer nas investigações geométricas", escreveu Leibniz anos mais tarde, quando recordava aquele tempo numa carta à condessa Kielmansegge escrita próximo ao final de sua vida.

Huygens deve também ter auferido um grande prazer dessa interação porque seu protegido começava a fazer rápido progresso pelo final de 1672. Naquele outono, Huygens deu a Leibniz um problema desafiador, envolvendo a soma de uma série matemática, especificamente a soma de um número infinito de frações, cada uma menor que a antecedente: $1 + 1/3 + 1/6 + 1/10 + 1/15$, e assim por diante. Huygens pediu a Leibniz que calculasse a soma da série infinita. Leibniz sentou-se e foi capaz de achar a solução (a resposta é 2). Huygens ficou impressionado e insistiu com Leibniz que continuasse a estudar, sugerindo livros que ele deveria ler. Um desses livros era *Arithmetica Infinitorum*, do matemático inglês John Wallis, que tanto havia inspirado Newton poucos anos antes.

Um outro livro que recomendara fora escrito pelo matemático jesuíta belga Gregory St. Vincent, livro que Leibniz tomou por empréstimo da Biblioteca Real de Paris e começou a ler logo que Huygens o sugeriu. St. Vincent imaginava uma área geométrica como sendo a soma de um número infinito de retângulos infinitamente delgados. Este trabalho antecipava o cálculo integral, o segundo lado da moeda do cálculo que pode ser usado para determinar a área ou o volume de uma forma geométrica pela aplicação de um conjunto de truques algébricos que, em essência, somam todos esses minúsculos retângulos.

80 A GUERRA DO CÁLCULO

Leibniz leu também Bonaventura Cavalieri, um amigo de Galileu e professor de matemática em Bolonha. Cavalieri havia desenvolvido a idéia do indivisível — uma pequena secção de uma forma geométrica a qual, quando tomada com todas as outras pequenas secções, iria reconstituir a mesma forma inicial. Ele considerava uma linha como sendo feita de uma infinidade de pontos, uma área de uma infinidade de linhas, e um sólido de uma infinidade de superfícies. Pense nisso como uma pilha de panquecas. A pilha é feita de todas as panquecas planas individuais. O livro de Cavalieri, *Geometria*, publicado em 1635, provava fatos como o de que o volume de um cone é um terço do volume do cilindro que se ajustaria em volta dele.

Enquanto estudava essas obras, Leibniz começou a ir além e a produzir alguns trabalhos originais de matemática, que pensou em publicar numa revista francesa, até que esta inesperadamente fechou. Com exceção deste pequeno contratempo, Leibniz, pelo final de 1672, iniciava os mais extraordinariamente produtivos tempos de sua vida — com certeza o mais longo tempo que passou dedicando-se à matemática. Nos quatro anos e meio que viveu em Paris, ele, de um advogado com pouco preparo formal em matemática, cresceu para tornar-se um profundo conhecedor dessa matéria, que não apenas compreendia os mais avançados estudos de seus contemporâneos, mas ainda os levava adiante — como, por exemplo, inventando o cálculo.

Contudo, durante esse tempo, Leibniz também sentiu o aguilhão doloroso de frustrações pessoais, a primeira das quais veio menos de um ano depois de sua chegada a Paris, quando Boineburg morreu, em 15 de dezembro. Isso não foi apenas a perda de um patrono. Boineburg, a quem mais tarde chamou de um dos maiores homens do século, foi alguém por quem Leibniz tinha grande respeito e afeição. E essa não foi a única morte com que Leibniz teve então que conformar-se. Um mês depois do falecimento de Boineburg, morria sua irmã.

Mas talvez sua maior derrota pessoal viria poucos meses depois, por ocasião de uma viagem a Londres no inverno de 1673, onde ele se defrontou com outra missão diplomática no início de 1673, acompanhando o genro de Boineburg, Melchior Friedrich von Schönborn, sobrinho do eleitor de Mogúncia. O jovem Schönborn apareceu em Paris em

O Caso da Sobrancelha

outra missão de paz, porque seu tio queria que ele tivesse uma audiência com Luís XIV, para apresentar o pleito de que as conversações de paz tivessem lugar em Colônia. Se isto não funcionasse, Melchior devia partir para Londres e apelar para Carlos II.

Uma vez que Leibniz já estava em Paris, e também havia trabalhado para o eleitor, ele foi convocado para ajudar Melchior. Mas quando chegou o dia da audiência com Luís XIV, apenas a Melchior foi permitido ver o rei, e pouco resultou do encontro.

Naquela ocasião, a ofensiva franco-britânica na Holanda havia estacado. Leibniz e Melchior continuaram com seu plano e procuraram aproveitar a oportunidade para prosseguir com os esforços pela paz, solicitando consultas urgentes à corte inglesa e lá apresentando sua proposta. Eles partiram para Londres no meio do inverno e chegaram a Dover em 21 de janeiro de 1673. Fazia quase exatamente um ano que Hooke havia atacado Newton por seu trabalho em ótica.

Em Londres os esforços de Leibniz e Melchior para apresentar o pedido ao rei inglês deram em nada. E por que não dariam? Carlos II havia concordado em juntar-se à França na guerra e atacar a Holanda. Inglaterra e Holanda haviam estado em desacordo durante anos, e, por seus padecimentos, Carlos II foi recompensado com uma pensão anual de 100 mil libras por Luís XIV.

Todavia essa viagem tinha um duplo objetivo para Leibniz. Quando estava em Londres, ele também se encontrou com membros da Royal Society, e teve contatos com proeminentes cientistas ingleses, particularmente Robert Boyle, John Pell e Robert Hooke, que conversaram com ele sobre filosofia natural, matemática e química. Portanto, Londres oferecia-lhe tanta excitação quanto Paris. Uma figura que Leibniz, contudo, não teve ocasião de encontrar foi Newton, que na ocasião estava em Cambridge. Leibniz, certamente, teria conhecimento da sua existência — como um dos jovens brilhantes matemáticos que, como o próprio Leibniz, acabava de ser eleito para a Royal Society.

Leibniz estava a par da existência dessa sociedade havia alguns anos. Em 1670, ele havia escrito um artigo sobre colisão de corpos, intitulado "Uma nova hipótese física" em resposta a ensaios publicados por Christopher Wren, na Inglaterra, e Christian Huygens, na França. A primeira parte versava sobre movimento "concreto" e a segunda sobre movimento "abstrato". Ele dedicou aquela à Royal Society em Londres e esta à Académie des Sciences em Paris.

As sociedades acadêmicas nada tinham de novo. Leibniz pertencia a mais de uma quando estava na universidade — mas estas eram mais informais do que as que surgiram em Paris e Londres no século XVII. A Académie des Sciences, por exemplo, recebeu uma carta régia e uma sala na biblioteca real no Palácio de Versalhes em 1666, e o momento da assinatura da carta régia foi considerado um acontecimento tão importante que mereceu ser pintado pelo artista Henri Testelin. Esse quadro mostra Luís XIV apresentando a carta régia para um grupo de fundadores da academia.

Na Inglaterra um grupo de clérigos, matemáticos, filósofos da natureza e outros intelectuais fundaram o que iria eventualmente tornar-se a Royal Society, quando começaram a reunir-se uma vez por semana em 1645 para "discursar sobre assuntos tais", como filosofia natural e experimental. Várias pessoas, incluindo o matemático John Wallis, o astrônomo Seth Ward, o químico Robert Boyle, o estatístico teórico William Petty e o arquiteto Christopher Wren compareciam a essas reuniões, que se realizavam, às vezes, na casa de um Dr. Jonathan Goddard, e, às vezes, nos aposentos de John Wallis. Quando Wallis mudou-se para Oxford como professor, alguns anos mais tarde, o grupo continuou a reunir-se em Londres e também começou a encontrar-se em Oxford. O "Colégio Invisível", como Boyle o chamava, era local de vivas discussões sobre matemática, física, astronomia, arquitetura, magnetismo, navegação, química e medicina — todos os assuntos importantes da época.

Os encontros continuaram a realizar-se a intervalos através dos anos, na época em que Newton e Leibniz estavam na escola. Quando Oliver Cromwell faleceu em 1658, o Colégio Invisível deixou de se reunir devido ao tumulto que se estabeleceu, mas, depois que a monarquia foi restaurada e Carlos II subiu ao trono, o Colégio Invisível ressuscitou e renasceu em 15 de julho de 1662 como a Royal Society of London for Improving Natural Knowledge, com 98 membros fundadores. Nos 25 anos seguintes, cerca de trezentos novos membros foram admitidos, incluindo Leibniz e Newton.

O Caso da Sobrancelha.

Parte da razão para o sucesso dessas sociedades era que a ciência estava se tornando moda. Havia grandes patrocínios para cientistas da parte dos ricos e dos nobres da Europa. Membros da Académie des Sciences recebiam salário do governo e fundos para custear suas experiências. Figuras da alta sociedade assistiam a conferências sobre química em Paris e Londres e tornavam-se membros da Académie e da Royal Society. O rei Carlos II tinha mandado construir seu próprio laboratório e os aristocratas liam publicações científicas.

E que tempo feliz para descobertas foi o século XVII. O diâmetro da Terra foi estimado com erro de poucos metros e desenvolveu-se uma visão moderna e sofisticada do Sistema Solar, com as órbitas dos corpos celestes levantadas com exatidão pelos telescópios e fielmente descritas pelos matemáticos. A circulação do sangue através do corpo foi cuidadosamente mapeada, e os microscópios levaram à descoberta das células e de organismos minúsculos, demasiado pequenos para serem vistos a olho nu.

Em 1673, quando Leibniz estava visitando a Royal Society, ele pensava em apresentar uma invenção em que estivera trabalhando por algum tempo em Paris — uma máquina de calcular mecânica, que Huygens dissera ser um "projeto promissor" numa carta a Henry Oldenburg, secretário da então nova Royal Society. Como amigo e compatriota de Boineburg, Oldenburg não apenas sabia quem era Leibniz, como também mantivera correspondência com ele por vários anos. Oldenburg estava empenhado em ajudar Leibniz, que esperava causar sensação em Londres com sua máquina de calcular.

A Royal Society fez um convite a Leibniz para uma demonstração de sua máquina. Este aparelho, feito de madeira e metal, usava uma roda mecânica para manipular números. O famoso matemático francês Blaise Pascal havia inventado uma máquina semelhante que podia somar e subtrair, mas a de Leibniz podia somar, subtrair, multiplicar e dividir. Ou, pelo menos, se pensava que pudesse. Em 1673, a máquina de calcular deste era um protótipo incompleto, que não funcionava, quando Leibniz a levou através do Canal da Mancha. A máquina foi até certo ponto um fracasso, porque ele havia resolvido exibi-la antes que estivesse completa. Ele pôde explicar tudo muito bem, mas sua demonstração foi parecida com a de um vendedor de aspiradores de pó, que tenta vender seus aparelhos de porta em porta, durante um blackout. A máquina é ótima e poderia ser muito útil, se a danada apenas funcionasse.

Em particular, Robert Hooke, que andava louco por uma briga, não se deixou impressionar pela demonstração. Além de ser uma das mentes mais prolíficas do século XVII, Hooke era extremamente habilidoso com as mãos e havia feito muitos instrumentos científicos; tinha realizado trabalhos importantes em astronomia, física, biologia; havia proposto uma teoria ondulatória da luz; descoberto uma nova estrela na constelação de Orion; proposto a teoria cinética dos gases; e é famoso ainda hoje pela descoberta da lei que governa a ação das massas sobre molas, que leva seu nome.

Hooke era o favorito da Royal Society quando Leibniz veio demonstrar sua calculadora inacabada em 1673, e, como Newton já havia constatado, era notório por se empenhar em rudes disputas — nem sempre dentro dos limites do debate científico justo e aberto — com seus rivais. Um exemplo disto é a reação de Hooke à balança de molas que Huygens havia descoberto como um subproduto de seus trabalhos na década de 1650, quando tentava fazer um relógio de pêndulo. Hooke não apenas contestou a descoberta de Huygens, ele reclamou-a como sua, construindo um relógio de bolso e dando-o de presente ao rei da Inglaterra, no verão de 1675. Hooke foi longe a ponto de acusar Oldenburg, o secretário da Royal Society, de passar suas idéias para Huygens.

Ele chocou-se de igual maneira com Leibniz acerca da máquina de calcular. Após olhá-la cuidadosamente por todos os lados e examiná-la em detalhe em 1º de fevereiro de 1673, Hooke manifestou o desejo de desmontá-la por completo e examinar seu interior. Isso não constitui surpresa — a máquina é um objeto tentador para o curioso.

Em Hanover está em exibição uma réplica da máquina de Leibniz. É um objeto fascinante. Oito discos sobre a parte superior permitem ao usuário discar um número e depois somar ou subtrair os números, os quais iriam alterar as indicações dos discos. A máquina iria acompanhar a soma ou diferença que vai sendo acumulada. Uma manivela à frente da máquina serve para multiplicar ou dividir. Gire o cabo para um lado e ela divide, gire para o outro e ela multiplica. A máquina tem uma fila de pentágonos para corrigir o problema de somar erradamente colunas de números com diferentes quantidades de algarismos significativos. O curador que pôs a máquina em exposição teve a antevisão de colocá-la sobre um espelho, de modo que, mirando-a de cima e olhando-se em volta dela, pode-se examinar quase cada centímetro do mecanismo. É uma máquina fascinante, e eu posso facilmente imaginar o quanto Hooke queria desmontá-la.

Poucos dias depois da apresentação de Leibniz, Hooke o atacou em público, fazendo comentários desprimorosos sobre a máquina e prometendo construir sua própria calculadora, muito superior e funcionando, que ele iria apresentar à sociedade. Na mesma reunião ele atacou Newton criticando-o numa carta que leu diante de toda a Royal Society, reunida em assembléia. Nem Newton nem Leibniz estavam lá para se defender, e Leibniz só veio a saber do ataque que sofrera por intermédio de Oldenburg, o qual lhe garantiu que Hooke era briguento e rabugento, e insistiu que o melhor que Leibniz tinha a fazer era terminar sua máquina o mais rapidamente possível.

Hooke concluiu sua máquina com base nos desenhos de seu compatriota Samuel Morland e a apresentou em 5 de março de 1673, como prometera. Esse fato deve ter feito a máquina de Leibniz parecer muito mais insatisfatória. Hooke, afinal, fizera a sua em questão de poucos dias, e ela funcionava da forma como ele havia dito. Leibniz estivera trabalhando em sua máquina por meses a fio, e até agora ela não se mostrava capaz de fazer nada.

Apesar do ataque de Hooke, a Royal Society pouco depois elegeu Leibniz como seu membro em 19 de abril de 1673, com o apoio de Oldenburg. Leibniz cometeu uma gafe social por não enviar imediatamente à sociedade uma carta formal de aceitação, como era o costume da época. Em vez disso, ele enviou uma curta nota de agradecimento, poucas semanas depois, o que provocou alguns resmungos entre os membros da Royal Society. Oldenburg teve que advertir Leibniz que era esperado que ele escrevesse a carta formal, o que ele finalmente fez, várias semanas depois.

86 A GUERRA DO CÁLCULO

Mas um embaraço pior ainda estava para vir para Leibniz, depois que ele visitou Robert Boyle em 12 de fevereiro — quando ocorreu um fato que eu gosto de chamar "O caso da sobrancelha".

Leibniz ficara feliz em conhecer Boyle, o magro e comprido veterano cientista, porque estava interessado em suas experiências — e por uma boa razão. Boyle, um dos fundadores da Royal Society, era um experimentador brilhante e dado a impressionar as audiências com suas demonstrações científicas — tal como acontecera quando provou que o som é transportado pelo ar, introduzindo uma campainha numa jarra fechada de onde removeu todo o ar com uma bomba de vácuo. Quando tocou a campainha com o ar já removido da jarra, ela não emitiu qualquer som. Boyle também executou experimentos cuidadosamente controlados, projetados para demonstrar relações entre propriedades como pressão e volume dos gases ou reações entre dois compostos. Ele descobriu que certos extratos vegetais mudam de cor quando em contato com ácidos ou bases — a tecnologia por trás do teste do papel de tornassol. E, finalmente, publicou seu livro, *The Skeptical Chymist* (O químico cético), em 1661. Nesta obra ele abandonou terra, fogo, água e ar como sendo os elementos e argumenta que os verdadeiros elementos são mais primitivos e simples.

O caso da sobrancelha teve início na casa de Robert Boyle, quando Leibniz conheceu John Pell. Pell é atualmente uma figura um tanto obscura, mas naquela época era considerado um dos dois ou três maiores matemáticos da Grã-Bretanha, uma conquista ainda mais notável pelo fato de que sua reputação parece ter superado seu trabalho real. Mas, por outro lado, Pell sobreviveu com base apenas em sua reputação. Ele havia sido um diplomata no governo de Cromwell, sediado na Suíça, e assim não é de surpreender que quando Carlos II voltou e a cabeça de Cromwell foi colocada numa estaca sobre as ruas de Londres, a carreira política de Pell tenha acabado. Leibniz o conheceu depois desses acontecimentos.

Contudo Pell era um especialista na espécie de matemática em que Leibniz havia trabalhado em Paris, exatamente a espécie que ele estava apresentando naquela noite. Leibniz havia providenciado ter por escrito uma parte do trabalho feito em Paris, e a trouxe com ele para Londres, para que pudesse apresentá-la a alguém que estivesse interessado. Na casa de Boyle, Leibniz tentou impressionar os presentes dizendo-lhes que tinha um método matemático original para executar um truque algébrico difícil — empregando subtrações de raízes quadradas.

Depois de olhar para algumas dessas descobertas "originais", Pell informou a Leibniz que poucos anos antes um outro matemático, Gabriel Mouton, havia publicado as mesmas conclusões em um livro sobre os diâmetros do Sol e da Lua: *Observationes diametrorum solis et lunae apparentium*. Mouton relatara em seu livro as conclusões de um matemático francês, François Regnault, nas quais as descobertas supostamente originais de Leibniz já estavam expostas. Na mesma noite em que Pell falou a Leibniz sobre o livro de Mouton, ele pegou um exemplar com Oldenburg, que morava perto. Quando o abriu, descobriu que Pell estava absolutamente certo. Que embaraço. O livro estava disponível na França, e, ainda que Leibniz nunca tivesse ouvido falar dele, havia a possibilidade de que pudesse tê-lo lido.

Isso, sem dúvida, fez arquear algumas sobrancelhas. Teria Leibniz tomado emprestadas suas idéias? Seria ele um plagiário? Oldenburg lhe pediu que escrevesse uma explicação e a incluísse na documentação da Royal Society, o que fez apressadamente. A carta que ele escreveu, explicando todo o acontecido, viria a tornar-se um dos documentos-chave das guerras do cálculo. Ainda que tudo parecesse um simples malentendido, a carta provava que tinha havido uma controvérsia — a possibilidade de que Leibniz já houvesse plagiado antes. E por isso era um documento importante. Newton, ao que parece, tinha uma cópia dela quando morreu.

O caso da sobrancelha foi um episódio doloroso, mas revelou a Leibniz exatamente quanto da matemática — ou melhor, quão pouco — ele entendia, e ele ficou um pouco abalado com esta humilhante percepção. Nos últimos dias de sua vida, Leibniz refletiu na sua falta de conhecimento quando visitava Londres. "Estudei matemática apenas casualmente", admitiu ele. "Eu não tinha o menor conhecimento das séries infinitas de Mercator e tampouco do avanço então ocorrido na ciência da geometria pela adoção dos novos métodos de investigação", escreveu. "Eu nem era completamente versado na análise de Descartes."

88 A GUERRA DO CÁLCULO

Cedo ele teria a oportunidade de conhecer muito bem os trabalhos de Descartes e de muitos outros. Embora o caso das sobrancelhas lhe tenha dado uma certa dose de tristeza, esta tristeza lhe deu resolução para redobrar os esforços para aprender matemática e logo teria oportunidade de fazê-lo. Na mesma noite em que visitou Boyle, 12 de fevereiro de 1673, Johann Phillip von Schönborn, o eleitor de Mogúncia, faleceu. Pouco depois, Leibniz e Melchior receberam a notícia e correram de volta a Paris. Melchior prosseguiu viagem para a Alemanha, com intuito de estar perto do novo príncipe, com quem era aparentado, e que o indicou para a nova corte.

Leibniz antes de partir deixou uma carta para Oldenburg, solicitando a indicação de seu nome para a Royal Society, e de Paris lhe enviou outras cartas em 1673 — uma em março, outra em abril, uma outra em maio, de novo em junho e julho, e ainda outra em outubro. Então parou de escrever por algum tempo. Retornando a Paris, redobrou seus esforços para aprender matemática. O caso da sobrancelha mostrou-lhe quanto trabalho ainda tinha a fazer. Neste sentido, Leibniz foi levado ao cálculo movido, sobretudo, por uma mistura de ambição e embaraço.

Para Newton, já de posse de material publicável sobre o cálculo, não havia retorno a Paris a fazer, nem correspondência não respondida. Ele continuou a se corresponder com Hooke e outros a respeito da sua teoria das cores, e a conseqüência disso foi afastar-se mais e mais da possibilidade de publicar qualquer coisa sobre seu trabalho matemático.

Oldenburg e Collins haviam dado a Leibniz uma carta para ser entregue a Huygens quando voltasse a Paris, e, quando ele a entregou, Huygens deu-lhe muitas sugestões sobre o que podia ler. Leibniz estava nessa época lendo o livro de Barrow, que tinha comprado em Londres, e como resultado do encontro procurou as obras de todos os matemáticos importantes da época — adquirindo exemplares quando podia, pegando outros por empréstimo, e transcrevendo informações à mão. Ele lia, absorvia e buscava as linhas comuns a tudo isso e fez enormes avanços nos meses seguintes.

Leibniz leu as obras de René Descartes, que havia sido um matemático tão profundamente importante uma geração antes, e teve mesmo acesso a alguns de seus textos não-publicados. Leibniz leu o livro de

Bonaventura Cavalieri, *Geometria*, publicado em 1635, no qual este havia desenvolvido novos métodos de analisar formas geométricas — um método para achar áreas e volumes de formas geométricas que podia ser considerado um precursor do cálculo. Leibniz leu também Evangelista Torricelli, que desenvolveu processos para determinar áreas sob curvas parabólicas e forneceu uma clara explicação dos mesmos. Leu ainda Gilles Personne de Roberval e Blaise Pascal, cujo trabalho sobre indivisíveis e infinitesimais antecipou o cálculo integral. Leibniz soube do trabalho de John Hudde, que em 1659 havia produzido sua própria regra para construir tangentes e para achar geometricamente os máximos e mínimos de equações algébricas. E leu René François de Sluse, que havia estabelecido uma regra para se construir tangentes a um ponto de uma curva.

Ele tinha uma incrível tendência para a matemática, e sua falta de treinamento formal nessa matéria provavelmente o ajudou no longo prazo por contribuir para a originalidade do seu trabalho (embora possa tê-lo prejudicado, também no longo prazo, visto que a falta de treinamento também o predispôs a cometer deslizes). Erros à parte, pelo final de 1673 Leibniz havia desenvolvido um método para usar uma série de números racionais para achar a solução de um problema que havia incomodado seus contemporâneos por anos a fio — a quadratura do círculo, isto é, um quadrado com área igual à de um círculo. Huygens comentou a solução de Leibniz como sendo "muito bela e bem-sucedida".

Isso não era tudo. Leibniz percebeu que o trabalho de Pascal podia ser combinado com a regra para a tangente de Sluse e aplicado a qualquer curva geométrica, e não apenas ao círculo. Foi isso o que o levou ao cálculo.

5

Adeus e Pensem em Mim com Benevolência

■ 1673-1677 ■

É uma coisa extremamente útil conhecer as verdadeiras origens das descobertas célebres, especialmente daquelas que foram encontradas, não por acidente, mas por meio da meditação ... a arte de fazer descobertas devia ser propagada levando-se em consideração exemplos dignos de nota.

— Leibniz, *History and Origin of the Differential Calculus*, 1714.

Em Paris, Leibniz ainda tinha que se preocupar com sua carreira, que subitamente havia se tornado incerta, e começou a perguntar sobre outros trabalhos. A morte do eleitor[1] trouxe problemas para Leibniz, porque este tinha a receber dois anos de ordenados atrasados. Ele conseguiu o apoio do jovem Schönborn para pedir ao novo eleitor permissão para permanecer em Paris, tornar-se um emissário político e relatar os acontecimentos políticos, científicos e culturais que estivessem ocorrendo. A resposta que finalmente veio foi que ele poderia ficar "por algum tempo" e conservar sua posição como conselheiro, mas não receberia salário algum e não seria promovido a emissário.

No entanto, as coisas estavam longe de serem desesperadoras, pois antes de morrer Boineburg havia tomado as providências necessárias para enviar seu filho, que era poucos anos mais jovem que Leibniz, para Paris, a fim de estudar sob a tutela deste. Assim, Leibniz conti-

---

[1] Um dos príncipes alemães do Sacro Império Romano encarregado de eleger o imperador. (*N. do T.*)

92 A GUERRA DO CÁLCULO

nuou a ser empregado do Estado por mais de um ano, como tutor do filho de Boineburg, Philip William, que chegou a Paris em 5 de novembro de 1672. Mas o filho de Boineburg entrou em choque com seu tutor — o aristocrata playboy *versus* o gênio solitário. Quando o jovem Philip William tornou-se adulto, veio a ser um governador famoso, foi elevado à nobre posição de conde, e ficou conhecido como o "Grande Boineburg". Mas na década de 1670 Philip William não tinha nenhuma inclinação para estudos sérios, especialmente os da espécie que Leibniz tinha em vista — um programa que iria das seis da manhã às dez da noite. O jovem de 17 anos, um nobre oriundo de uma das áreas rurais da Europa, estava no melhor de sua juventude e solto nas cortes decadentes de Paris. Ele preferia gastar seu tempo com os amigos, e isso causou atritos entre ele e Leibniz. Como diz um relato do século XIX, o jovem barão era esperto e talentoso, mas estava numa idade em que "manifestava naquela época maior predileção por esportes que fortaleciam o corpo, do que pelos duros estudos destinados a desenvolver a mente".

Leibniz escreveu uma carta à família Boineburg queixando-se de sua atual incumbência e solicitando dinheiro para cobrir suas despesas como tutor, e também aquelas em que incorrera em seu trabalho anterior a serviço do finado pai do rapaz. Em resposta, no início de 1673, a mãe de Philip William deu por encerrada a tutela e reduziu a remuneração de Leibniz. Leibniz acabou sendo friamente despedido do seu emprego com a família Boineburg, em 13 de setembro de 1674.

Leibniz então procurou outro emprego. Através de seu amigo Christian Habbeus von Lichtenstern, ofereceram-lhe a posição de secretário do principal ministro do rei da Dinamarca. Essa oferta ele polidamente recusou. Leibniz desejava desesperadamente permanecer em Paris, e de 1673 a 1676 procurou sem cessar uma posição diplomática ou acadêmica que lhe permitisse lá continuar. Infelizmente, o fato de não ser de origem nobre foi um empecilho para suas altas ambições diplomáticas. A despeito de seu brilho, a despeito de seu encanto pessoal, a despeito de seu domínio da legislação do século XVII, ele era de pouca valia para a diplomacia.

ADEUS E PENSEM EM MIM COM BENEVOLÊNCIA

Ele também tentou conseguir um emprego assalariado na Académie de Sciences de Paris — similar à posição desfrutada por seu mentor Huygens. Sendo um estrangeiro, tal posição não era fácil de conseguir. O fato de a academia pagar salário a seus membros significava que existia uma análise adicional para indicar quem poderia ou não ser um de seus membros. E como quase tudo mais na França daquele século, esta questão era coberta pelo orgulho nacionalista. Os membros franceses da academia, ao que parece, achavam que já havia bastante estrangeiros na instituição, e que a posição e o dinheiro do lugar em disputa deviam com mais propriedade ir para outro francês.

Huygens, o estrangeiro mais proeminente da Académie des Sciences, poderia ter ajudado Leibniz, mas estava muito ocupado e perturbado na ocasião. Leibniz tentou conseguir uma entrevista com o ministro francês Colbert para pedir ajuda, mas não teve sucesso.

Assim, ele tentou outros caminhos para conseguir sua admissão. À maneira típica da sociedade francesa do século XVII, para se conseguir alguma daquelas posições cobiçadas era necessário que se bajulasse alguma pessoa muito importante, e isso significava ter que suborná-la. Leibniz estava disposto a tentar qualquer coisa, e tornou-se amigo do abade Gallois, um homem que compensava o que lhe faltava em inteligência com habilidade em subir na escala social. Gallois podia tê-lo ajudado a arranjar uma posição, mas, infelizmente, esses projetos se frustraram depois que Leibniz riu furtivamente durante uma apresentação feita por Gallois sobre a guerra na Holanda. O francês ficou grandemente ofendido e imediatamente retirou seu apoio à causa de Leibniz.

Por fim, Leibniz foi forçado a aceitar o que talvez não fosse a sua primeira escolha dentre as ocupações: trabalhar para o duque Johann Friedrich de Hannover, uma posição que lhe havia sido oferecida em 25 de abril de 1673. Leibniz havia chamado a atenção do duque poucos anos antes, e Johann Friedrich então o havia convidado a vir a Hannover, mas Leibniz na época havia declinado do convite, já que as coisas iam correndo tão bem em Mogúncia. Entretanto ele tinha continuado a corresponder-se com o duque durante os anos seguintes. Em 1671, por exemplo, enviara ao nobre dois ensaios originais, "Sobre a utilidade e a necessidade de demonstrar a imortalidade da alma" e "Sobre a ressurreição dos corpos". Leibniz também lhe enviou uma carta com um relatório de suas pesquisas em diferentes campos, incluindo sua idéia para fazer um alfabeto do pensamento humano — fazendo para si mesmo uma espécie de *curriculum vitae* intelectual.

Depois do caso da sobrancelha e das mortes de Boineburg e do eleitor de Mogúncia, Leibniz — agora no mercado de trabalho — escreveu para Johann Friedrich quase imediatamente após ter retornado a Paris. Para o duque não se tratava de uma insinuação sutil, e Johann Friedrich agarrou a oportunidade de trazê-lo para sua corte. Respondeu, então, oferecendo uma posição e um salário, e, para tornar mais atraente sua proposta, não pediu a Leibniz que viesse imediatamente de Paris.

Para Leibniz era uma proposta muito atraente, porque ele não tinha nenhum desejo de deixar Paris. De fato, mesmo depois de ter aceitado a proposta do duque, ele enganou Johann Friedrich durante anos, definindo as condições do cargo, pedindo mais tempo para terminar sua máquina de calcular, pedindo para terminar sua pesquisa matemática, e negociando outros pontos. Com relação a sua calculadora, Leibniz foi exageradamente jactancioso, dizendo que era considerada, tanto em Paris como em Londres, como uma das grandes invenções daquele tempo. E, em 21 de janeiro de 1675, escreveu a Johann Friedrich perguntando se queria que uma das calculadoras fosse construída para ele.

Leibniz havia começado a supervisionar a finalização de sua máquina de calcular assim que voltou de Londres. Sempre otimista, disse a Henry Oldenburg que esperava estar logo liberado. Mas ele estava basicamente insatisfeito com o projeto e decidiu fazer revisões radicais. Então, quando o projeto estava terminado e a máquina quase pronta, os artífices que trabalhavam para Leibniz perderam o interesse. Leibniz protelou escrever para Oldenburg por meses e meses. Na Inglaterra, Oldenburg provavelmente se perguntava o que acontecera com ele. Mais de um ano já se passara desde sua última carta. Finalmente, no outono de 1674, Leibniz conseguiu que um nobre dinamarquês, Christian Walter, que estava indo para a Inglaterra, entregasse em mãos uma carta a Oldenburg. Nesta ele dizia que sua máquina de calcular finalmente estava pronta e afirmava que ela podia multiplicar um número com dez dígitos por um com quatro dígitos, com apenas quatro voltas da manivela, para obter a resposta.

Assim que a máquina ficou pronta, Leibniz convidou alguns cientistas para virem a seus aposentos em Paris e fez demonstrações para eles — que as assistiram com evidente assombro. Um dos que vieram foi Étienne Périer, um sobrinho de Blaise Pascal que havia inventado a máquina de calcular precursora em Paris, cerca de vinte anos antes. A calculadora de Leibniz representava uma grande melhoria sobre a máquina de Pascal, que só era capaz de somar e subtrair, porquanto acrescentava as duas outras operações algébricas fundamentais, multiplicação e divisão.

Leibniz era uma figura que chamava a atenção: alto, magro e desajeitado, com dedos e membros longos, uma grande peruca e roupas nobres. É fácil imaginá-lo com gestos largos, descrevendo os usos da máquina: um maravilhoso expositor, ele está agora falando sobre como a soma e subtração requerem apenas umas poucas voltas da manivela. Páginas inteiras de números podem ser somadas ou subtraídas mais depressa do que seria necessário para escrevê-las. Agora ele passa a falar sobre multiplicação e divisão. O ministro francês das Finanças, Colbert, quer três máquinas, uma para o rei, uma para o Observatório Real, e uma para o seu próprio departamento financeiro.

A máquina de calcular de Leibniz era apenas uma pequena parte do que seu inventor fazia ao longo desse tempo. Ele também atirou-se aos estudos de matemática, ensinando a si mesmo grande parte da matemática do século XVII no espaço de poucos anos. Realmente, quando Leibniz escreveu a Oldenburg no outono de 1674, após mais de um ano de silêncio, não foi sobre seu modelo de máquina de calcular, mas, antes, sobre o trabalho matemático que vinha fazendo. Em 1674, depois de mais um ano de trabalho exaustivo, Leibniz havia chegado ao mesmo ponto que Newton havia alcançado independentemente apenas poucos anos antes. Leibniz ainda sabia muito pouco sobre o trabalho de Newton, mas isto logo iria mudar, graças a Oldenburg.

Oldenburg foi praticamente o inventor do intercâmbio científico moderno — não porque ele tenha desenvolvido qualquer tecnologia fundamental ou exposto ao ridículo as revistas científicas com seus artigos, mas porque ele estava por trás do sucesso daquela que foi realmente a primeira revista científica bem-sucedida — as *Philosophical Transactions of the Royal Society*. Oldenburg foi o editor fundador das *Philosophical Transactions*, que ele lançou em 3 de julho de 1665 e supervisionou até o número 136, em junho de 1677.

A história de como Oldenburg veio a desempenhar um papel tão importante na Royal Society é muito interessante. Ele nasceu em Bremen, na Alemanha, e veio para a Inglaterra em 1653 como cônsul de Bremin, durante o governo de Cromwell. Poucos anos depois perdeu seu cargo e tornou-se tutor particular dos filhos de um nobre inglês em Londres; quando estes se mudaram para Oxford em 1656, o tutor mudou-se com eles. Isso foi um feliz acaso para Oldenburg, pois em Oxford ele conheceu aqueles filósofos que viriam a se juntar e formar a Royal Society.

Ele foi um dos primeiros membros da instituição e foi seu secretário de 1663 até sua morte. Durante os quase 15 anos em que ocupou o cargo, foi um dos membros mais importantes da sociedade. Um prolífico escritor de cartas, ele manteve correspondência com mais de setenta filósofos e matemáticos. Muitas dessas correspondências foram escritas para divulgar descobertas entre vários filósofos, matemáticos e cientistas, por toda a Europa. Além de servir como secretário e promover a ciência dos matemáticos ingleses através da publicação das *Philosophical Transactions*, ele acolheu na sociedade a nata dos cientistas contemporâneos europeus — homens como o astrônomo francês Giovanni Cassini, o físico e matemático holandês Christian Huygens, o doutor e anatomista italiano Marcello Malpighi, o microbiologista pioneiro Antoni van Leeuwenhoek e, é claro, Leibniz.

Ele manteve realmente tanta correspondência que provocou a suspeita de certas autoridades e foi preso "por desígnios e práticas perigosas"; foi trancafiado na Torre de Londres no verão de 1667, mas libertado depois de dois meses. Oldenburg merece na realidade muito mais crédito do que tais suspeitas preconceituosas lhe davam. Durante os últimos anos de sua vida, se houvesse uma descoberta sendo feita na Inglaterra ou na Europa continental, ele estaria provavelmente ocupado em divulgá-la.

Ele esteve também envolvido em disputas entre diversas pessoas, como aconteceu quando Huygens ficou enredado em sua disputa com Hooke depois que inventou um dispositivo que utiliza oscilações para regular o movimento de um relógio. Isso foi um progresso tecnológico significativo na época, e Huygens solicitou e recebeu uma patente para seu invento de Colbert, o ministro das Finanças da França. Huygens, de certa forma, também registrou sua invenção com os britânicos, enviando para a Royal Society uma carta contendo uma descrição do dispositivo por meio de um anagrama codificado. Mais tarde, enviou uma descrição completa, e quando esta descrição foi lida em um encontro da Royal Society, em 18 de fevereiro de 1675, Hooke atacou severamente Oldenburg, afirmando ser ele o inventor do dispositivo, acusando Oldenburg de estar dando informações a Huygens e insinuando que o venerado secretário era um espião francês. A Royal Society apoiou Oldenburg contra as alegações de Hooke, mas elas iriam, infelizmente, pairar sobre sua cabeça até muito depois de sua morte — complicadas, sem dúvida, pelo papel central que ele desempenhou nas guerras do cálculo, encorajando a comunicação entre Newton e Leibniz.

Vinte anos depois de chegar à Inglaterra pela primeira vez, Oldenburg era, talvez, a única pessoa viva que tinha estado em contato contínuo com Newton e Leibniz, por todo o tempo em que este esteve em Paris. Ele possibilitou a primeira correspondência entre eles — duas cartas de cada um, escritas por um deles, passadas para Oldenburg, e depois enviadas para o outro.

O que levou à troca de cartas foi a correspondência que o próprio Oldenburg manteve com Leibniz, depois que este, deixando Londres, regressou a Paris. Eles haviam se correspondido ocasionalmente por alguns anos antes que finalmente se encontrassem em 1673, quando Leibniz estava visitando Londres, e depois disso os dois se mantiveram em estreito contato. Oldenburg havia se interessado por Leibniz por este ser seu compatriota e um brilhante pensador. Leibniz também tinha admiração por aquele alemão mais velho, uma vez que ele fora amigo de Boineburg, e acreditava que Oldenburg iria ser uma boa fonte de informações sobre o estado da matemática na Grã-Bretanha.

98 A GUERRA DO CÁLCULO

Essa troca de informações iria levar alguns a crer no tipo de acusação feita por Hooke — que, de fato, Oldenburg era uma espécie de espião. Realmente, um relato das guerras do cálculo do século XIX dá grande importância ao fato de Oldenburg e Leibniz terem ambos nascido no norte da Alemanha. "A Royal Society em Londres havia cometido o descuido de empregar como seu secretário não um inglês, mas um alemão, Heinrich Oldenburg", diz o autor, um Dr. H. Sloman. "Essa imprudência não esperaria muito para ter sua conseqüência, e esta conseqüência em especial de que quando uma vez apareceu o candidato certo, o interesse da Inglaterra foi mais ou menos sacrificado por uma amizade alemã."

O livro de Sloman afirma que Oldenburg promovia um Leibniz jovem e extremamente ambicioso, que tirou proveito da inclinação natural de Oldenburg em favor de um compatriota seu, o qual fez dele seu "agente". Sloman sustenta que Oldenburg conspirava com Leibniz, e enfiou o jovem na Royal Society por uma porta lateral, na prestigiosa condição de membro desta sociedade, com base apenas em sua afirmação do gênio de Leibniz e não nos méritos do trabalho do seu protegido.

"Oldenburg aqui novamente consegue maquinar sua defesa", escreveu Sloman a respeito da reação do secretário ao caso da sobrancelha. "E como Leibniz tornou-se agora seu favorito, ele esforçou-se mais pela fama deste do que pela sua (...) e assim vemos com assombro os esforços dos dois amigos rapidamente coroados pelo acesso do jovem à honra de ser membro da Royal Society."

Esta afirmação é ridícula por algumas razões, não sendo a menor delas o fato de que nessa época havia membros da Royal Society que tinham muito menos qualificações do que Leibniz — mesmo estando este ainda em idade precoce. Não obstante, não há dúvida de que as comunicações de Oldenburg para Leibniz fizeram mais para avivar anos depois as chamas das guerras do cálculo, quando esta explodiu após a virada do século XVIII, do que qualquer outra coisa ocorrida na década de 1670.

Uma mudança crítica ocorreu em abril de 1673, quando Leibniz recebeu uma longa carta de Oldenburg. No início da década, Oldenburg estava compilando um apanhado de todas as grandes realizações

ADEUS E PENSEM EM MIM COM BENEVOLÊNCIA

dos matemáticos britânicos, baseado em informações que ele recolhia de outros, particularmente de John Collins, que tem sido considerado um pigmeu colocado entre dois gigantes. Ele era um funcionário público subalterno, um contador — na verdade, alguém que tinha a matemática como hobby — que, por sorte, teve oportunidade de ser figura central em uma das poucas trocas de cartas entre os dois maiores gênios matemáticos que viviam em sua época

Filho de um pregador pobre das redondezas de Oxford, Collins era um vendedor de livros aprendiz que, depois, passou sete anos como marinheiro, servindo na guerra contra o Império Otomano. Mais tarde, tornou-se professor de matemática, contador, e, finalmente (devido a ser um sujeito agradável e simpático), um matemático bem-relacionado. Embora nunca tenha contribuído com grandes descobertas matemáticas, como Newton e Leibniz, nem fosse um consumado facilitador de correspondência, como Oldenburg, ele, contudo, sabia o bastante para comentar o trabalho de outros, e podia reconhecer os que eram realmente importantes quando via um. Porque entendia de álgebra, Collins estava envolvido na troca de mensagens de Oldenburg com Newton e Leibniz. Oldenburg não era um matemático, e, sem ajuda, pouco poderia fazer com as obscuras descobertas matemáticas a ele confiadas.

Collins estava em posição perfeita para dar essa ajuda. Ele era um dos poucos que estavam a par das primeiras realizações de Newton como matemático. Newton havia escrito cartas para Collins no início da década de 1670 descrevendo vários de seus trabalhos, e eles mantiveram animada correspondência durante vários anos. Collins estava feliz por transmitir essas realizações a Oldenburg, porque ele era o que se poderia chamar de um matemático anglófilo — alguém que não perdia oportunidade de proclamar a superioridade britânica em matemática ou ciência.

Em sua posição de intermediário matemático, Collins ajudou Oldenburg a rascunhar uma carta para Leibniz, detalhando a situação da matemática na Grã-Bretanha — incluindo o trabalho de Newton. Para Leibniz, a parte mais valiosa da carta foi provavelmente a que se referia às publicações britânicas da época, que Collins havia compilado meticulosamente. Esse relatório continha referências a livros e artigos que

100 A GUERRA DO CÁLCULO

revelaram a Leibniz a existência de toda uma literatura de matemática de cuja existência ele quase nada sabia.

Contudo os detalhes matemáticos enviados a Leibniz eram propositadamente vagos, porque Collins era cauteloso quanto a revelar muita coisa sobre as descobertas de seus compatriotas. Ele via os franceses com especial suspeita e, embora Leibniz não fosse francês, carregava a nódoa de viver em Paris. E mais, o jovem alemão era um protegido de Huygens, que era visto então como um dos principais competidores dos matemáticos ingleses.

Assim, tanto quanto Collins revelava, ele ocultava. Para Leibniz, ele descreveu, por exemplo, os resultados do trabalho de Newton e do matemático escocês James Gregory sobre infinitésimos, relacionando problemas que Newton e Gregory podiam resolver — mas não os seus métodos. Essa indefinição foi infeliz, porque mais tarde levou Leibniz a acreditar que seu crescimento em descobertas matemáticas era inteiramente original. Havia muitos outros matemáticos que tinham resolvido a espécie de problemas a que o cálculo podia dar solução, usando outros métodos. Leibniz pensaria que estava fazendo avanços completamente novos, quando, na verdade, muito do que ele estava descobrindo já havia sido amplamente elaborado por Newton; apenas não havia sido publicado — em parte devido ao Grande Incêndio de Londres, em parte por causa do problema de Newton com Hooke.

Um exemplo do nível de detalhe, ou melhor, da falta deste, pode ser visto na seguinte passagem:

> Quanto à geometria sólida ou curvilínea, o Sr. Newton inventou (antes que Mercator publicasse sua *Logarithmotechnia*) um método geral da mesma espécie para a quadratura de todas as figuras curvilíneas, a retificação de curvas, a determinação dos centros de gravidade e solidez de todos os sólidos redondos e de seus segundos segmentos (...) cuja doutrina, espero, o Sr. Newton está para publicar...

Após receber esta carta, Leibniz passou mais de um ano sem escrever a Oldenburg na Royal Society. Seguindo as referências fornecidas por Collins, Leibniz ficou pasmado ao descobrir que, além do material que ele apresentara a Pell e que provocara o caso da sobrancelha, muito mais do trabalho matemático que ele estava fazendo já havia sido feito por outros. Pasmado e excitado ao mesmo tempo, ele então soube o que antes não sabia. Leibniz recolheu-se à cela de sua mente e começou a trabalhar e retrabalhar a matemática que tinha que conhecer.

Quando Leibniz escreveu a Oldenburg no verão de 1674, depois de muitos meses de silêncio, este não podia saber que especialista em matemática o jovem alemão havia se tornado, mas foi assim que Leibniz se apresentou em sua carta: "Em geometria fiz algumas descobertas por uma sorte rara (...) teoremas da maior importância [incluindo] certos métodos analíticos, completamente gerais e de ampla aplicação, aos quais eu dou mais valor do que a teoremas específicos, por mais excelentes que sejam." E como se estivesse por demais excitado para esperar por uma resposta, Leibniz escreveu outra carta poucas semanas depois, reiterando que havia feito "uma notável descoberta" no ramo da geometria que envolve a análise de curvas.

Oldenburg respondeu em 8 de dezembro de 1674, dizendo que Newton e Gregory tinham ambos métodos gerais para todas as curvas geométricas, pelos quais podiam determinar áreas de superfícies e volumes e outras funções relacionadas com curvas, tais como tangentes. Leibniz escreveu novamente a Oldenburg em 30 de março de 1675, excitado a respeito de Newton e seu trabalho. "Você escreve que seu ilustre Newton tem um método para expressar todas as quadraturas, e as medidas de todas as curvas, superfícies e sólidos gerados por revolução, bem como determinar os centros de gravidade, por um método de aproximações é claro, pois isto é o que eu deduzo que seja. Tal método, se é universal e conveniente, merece ser avaliado, e não tenho nenhuma dúvida de que provará ser digno de seu brilhantíssimo descobridor."

Assim teve início a troca de cartas envolvendo Leibniz, Oldenburg, Collins, e finalmente Newton, durante os dois últimos anos que Leibniz passou em Paris. Eles se corresponderam mais ou menos continuamente, jogando uma espécie de jogo de gato e rato, com Leibniz partilhando alguma informação, segurando outras, e Collins fazendo o mesmo.

Leibniz começou a fazer várias perguntas sobre o tipo específico de problema geométrico, chamado "quadratura". As quadraturas eram um dos tópicos mais em evidência na década de 1670, e muitos matemáticos trabalhavam em difíceis soluções para elas. O cálculo torna trivial a solução de problemas de quadratura. Leibniz também começou a jactar-se de seus próprios métodos — ainda que nos termos mais vagos possíveis, aproveitando o exemplo anteriormente dado por Collins.

Começou a fazer perguntas específicas sobre os resultados de Newton e Gregory — tinham eles métodos para retificar a hipérbole e a elipse? Ele ofereceu trocar seus métodos próprios de "longo alcance" por alguns dos métodos de Newton e Gregory, que ele sabia que Collins possuía. Leibniz estava agora muito interessado naquilo que Newton tinha a oferecer, pois lhe parecia que este já havia feito um enorme progresso nessa área.

Enquanto isso, Leibniz fazia sozinho excelente progresso. Ele tinha conseguido uma boa iniciação em matemática, graças ao estudo que fizera do trabalho que Pascal e outros já haviam realizado, e logo começou a fazer suas próprias descobertas importantes. Uma delas era uma técnica que ele chamou de regra da transmutação, um modo de calcular a quadratura de uma curva, um passo importante em seu caminho para inventar o cálculo.

Em outubro de 1675, tendo absorvido tudo que podia de seus contemporâneos, consolidando o trabalho destes em seu retiro auto-imposto, ele saiu de sua gestação intelectual e progrediu com rapidez. Em 1675, Leibniz ultrapassou a massa de conhecimentos disponível, entrando no território inexplorado do cálculo diferencial. Em outubro e novembro desse ano ele foi capaz de juntar essas idéias em diversas notas e artigos que escreveu contendo a essência do cálculo.

Além disso, Leibniz inventou os símbolos usados nos cálculos diferencial e integral, como os conhecemos hoje. Em 29 de outubro, por exemplo, ele criou o símbolo da integração, vista por ele como soma. De fato, esta é a razão por que ele lhe deu o símbolo " ", que é um S estilizado, inventado por ele. O novo simbolismo propiciou um modo generalizado para tratar problemas infinitesimais do cálculo e iria demonstrar ser muito útil para sua divulgação.

ADEUS E PENSEM EM MIM COM BENEVOLÊNCIA

Esta era uma idéia que muito interessava a Leibniz, o qual sempre preferiu os fins utilitários. Mesmo quando era mais jovem, ainda um noviço em matemática, ele tinha muito interesse em que as comunicações fossem facilmente compreendidas. Elogiava, por exemplo, o trabalho de um filósofo de nome Nizolius, não pela filosofia deste, a qual, em sua opinião, continha muitos erros, mas pelo seu claro estilo literário. Realmente, Nizolius havia proposto que qualquer coisa que não pudesse ser descrita usando-se palavras simples empregadas na linguagem do dia-a-dia era inútil. Atendendo a Nizolius, Leibniz recomendava que fosse evitado o jargão. De fato, uma de suas primeiras introduções à matemática, quando ainda estava no colégio, foi feita pelo professor Erhard Weigel, que tinha reputação de desarmar outros acadêmicos pedindo-lhes que repetissem seus argumentos latinos em alemão simples. Weigel instilou em Leibniz o amor pela simplicidade na linguagem.

Não causa surpresa, então, que em seguida a suas descobertas no terreno do cálculo, Leibniz sentisse a necessidade de descrevê-las de um modo claro. Ao criar uma linguagem clara e compacta para seu trabalho, ele tornou-se um mestre da matemática. Leibniz comprovou isso pouco depois, quando um matemático francês, Claude Milliet Deschales, pediu-lhe que determinasse o que seria a parte de um cone circular se a ponta fosse cortada fora por um plano paralelo à base, e Leibniz foi capaz de resolver o problema em uma única noite.

Nos anos que se seguiram, Leibniz desenvolveu seus métodos de cálculo, mas ele não iria publicar seu trabalho senão depois de uma década, o que merece um comentário.

De todas as sutis diferenças que existem entre o trabalho de um cientista do século XVII e o de um mais moderno, nenhuma parece mais pronunciada do que a publicação. Hoje, a publicação desempenha um papel central na ciência e é parte integral do progresso na carreira de quase todo cientista. De fato, os resultados de uma pesquisa não estão concluídos, em certo sentido, até que sejam publicados numa revista lida pelos pares de seu autor, e os cientistas constroem sua reputação com base no número e na qualidade de tais publicações. A competição entre os cientistas é acirrada, e muitas vezes há uma corrida para publicar as descobertas quase tão logo possam ser descritas e revisadas.

Nos últimos anos, as revistas científicas passaram até mesmo a publicar artigos pela Internet assim que estejam escritos — e, em alguns casos, até mesmo antes que tenham sofrido revisão. Hoje a idéia de não publicar e guardar com ciúme um trabalho tão profundamente importante quanto o cálculo seria anormal. Atualmente, o cientista bem-sucedido que faça uma descoberta original irá, provavelmente, apressar-se ao máximo para publicar o resultado.

Leibniz podia ter publicado seu trabalho sobre o cálculo antes do que fez, mas o problema era que ela tinha que tratar de assuntos muito mais urgentes. Por mais proeminente conquista na história da matemática que tenha sido a invenção do cálculo por alguém relativamente noviço, isto pouco fez na ocasião para impulsionar sua carreira. Sua indicação formal para a Corte de Hanover ocorreu no início de 1676, e, a partir desse momento, o relógio estava tiquetaqueando — as forças que o puxavam para fora de Paris estavam ficando mais fortes. No final de fevereiro daquele ano, ele foi avisado que o duque seu patrono queria que ele fosse para Hanover, e ele logo teria que partir.

Deixando de lado seu incerto futuro, Leibniz continuou a trabalhar, a corresponder-se e a estudar. Ele escrevia para seus conhecidos sobre assuntos que incluíam leis, gravidade e os fundamentos lógicos da física experimental, e tinha vontade de corresponder-se sobre matemática. Ele escreveu a Oldenburg no final de 1675, prometendo mostrar a solução para um problema de geometria ainda não resolvido e que ele solucionara utilizando um método novo que havia inventado — uma alusão ao cálculo.

Agora o palco estava pronto. As descobertas que Leibniz fizera nos últimos meses de 1675 iriam colocá-lo, dentro de um ano, em contato com Newton. Pouco antes de deixar Paris, Leibniz trocou com Newton algumas cartas nas quais eles rodearam o tema do cálculo. Essa correspondência entre os dois tinha toda a enfadonha polidez exterior da cortesia acadêmica, e pouco havia nela que prenunciasse a polêmica que travariam décadas mais tarde, quando as guerras do cálculo atingiram seu clímax.

Newton conhecia vagamente Leibniz antes dessa troca de cartas, pois tinha familiaridade com um dos amigos alemães deste, Ehrenfried

Walter von Tschirnhaus, que chegou a Paris vindo da Saxônia em agosto de 1675. Tschirnhaus logo se tornou amigo de Leibniz, e os dois realizaram alguns estudos juntos, além de terem muitas conversas sobre matemática (nas quais Leibniz era claramente o líder). Mas Newton não ficara impressionado com Tschirnhaus, e, por extensão, provavelmente não estava impressionado com o compatriota dele, Leibniz.

Na época em que Leibniz estava inventando o cálculo, Newton ainda lidava com as más conseqüências da publicação de sua teoria das cores e estava ainda tendo problemas com suas teorias no campo da ótica. Ele estivera se defendendo contra Hooke e Huygens por mais de três anos, e a afronta não iria passar tão cedo. Newton enviou a Oldenburg uma longa carta acompanhada de um documento, "Uma hipótese explicando as propriedades da luz expostas em vários artigos meus", em 7 de dezembro de 1675. A "Hipótese" era uma extensa defesa de suas teorias no terreno da ótica.

Também em 1675, Newton fez uma visita à Royal Society para assistir a uma reunião — a primeira que fazia, embora dela já fosse membro há três anos. Mas, longe de caminhar pomposamente pelos veneráveis salões, ele prontamente isolou-se de qualquer comunicação, quase no momento em que iria se envolver na correspondência mais importante das guerras do cálculo. De fato, dentro de cinco meses, Hooke renovou seus ataques a Newton no início de maio de 1676, levantando-se e declarando num encontro da sociedade que o trabalho de Newton sobre a luz havia sido roubado de sua obra *Micrographia*. Em 25 de maio, um Newton ferido, agitado e perturbado foi procurado por Collins e Oldenburg, que lhe pediram que escrevesse uma carta a Leibniz. Newton estava tão enredado em suas batalhas sobre seus trabalhos no campo da ótica que tinha pouca vontade de se abrir a um possível ataque, revelando seu trabalho a um matemático rival.

Contudo Collins procurou persuadi-lo a escrever a Leibniz, porque estava receoso que este estivesse alcançando Newton. Collins estava certo. Leibniz rapidamente estava se tornando um matemático tão brilhante quanto Newton havia sido por uma década. Collins não estava na melhor das condições para manter uma correspondência nessa época. Já estava no final da vida e não mais no melhor de sua saúde. E em

1676 ele perdeu seu emprego. Não obstante, naquele mês de maio, Collins soube por Oldenburg que Leibniz estava interessado em mais ampla comunicação, e começou a montar uma grande descrição das descobertas de James Gregory, que havia morrido recentemente. O documento de cinqüenta páginas foi mais tarde chamado *Historiola*, e pretendia ser um resumo das conquistas inglesas no terreno da matemática no decorrer das últimas décadas.

Na França e em outras partes da Europa, Descartes ainda era reverenciado por seu trabalho no terreno da matemática, e sua supremacia nesse campo era muitas vezes reafirmada. Mas Collins sentia que os britânicos haviam feito progressos significativos, ultrapassando Descartes, e a *Historiola* era uma tentativa de documentar esses progressos. Collins escreveu esse documento como um meio de informação e não de instrução. Ele não estava tão interessado em ensinar a matemática dos matemáticos britânicos para Leibniz quanto em assegurar os direitos destes como inventores, e assim simplesmente expôs que matemático havia resolvido tal problema, sem ir aos métodos ou a provas.

Oldenburg achava que o documento estava ficando longo demais com cinqüenta páginas, e pediu a Collins que o encurtasse. Ele então traduziu a versão reduzida para o latim. Isso foi uma decisão infeliz, porque ao transcrever esse complicado documento em latim, alguns erros foram cometidos.

De qualquer modo, Leibniz logo iria receber sua primeira carta de um Newton ferido e paranóico, no verão de 1676. Newton terminou sua *epistola prior*, como mais tarde ele chamaria essa carta, em 13 de junho, e enviou-a para Oldenburg, que a recebeu em 23 de junho e a leu para a Royal Society poucos dias depois. Sentindo que essa carta era de certa importância, Oldenburg tomou medidas extraordinárias para garantir que ela fosse preservada e que Leibniz recebesse sua cópia. Fez copiar a carta e a enviou para Leibniz cerca de seis semanas depois, juntamente com trechos extraídos das cartas de Gregory.

Não confiando no serviço dos correios, Oldenburg entregou o pacote a um homem de nome Samuel König. Este, um matemático alemão, deveria partir de Londres pelo começo de agosto, com destino a Paris. A ocasião da partida era perfeita — é sempre melhor esperar alguns dias a mais e ter a carta entregue em mãos, deve ter pensado Oldenburg. Todavia, quando König chegou a Paris, não conseguiu encontrar Leibniz, e por isso deixou o pacote numa loja, achando que o dono logo iria ver o alemão e concluir a passagem da carta. Acontece que esta permaneceu à espera até que Leibniz casualmente passasse pela loja, semanas depois, em 24 de agosto de 1676, e a encontrasse... o que é isto? Uma carta da Inglaterra?! — uma carta do próprio Newton!

A primeira carta tem 11 páginas e é um catálogo dos resultados matemáticos do inglês, detalhando diversos problemas que Newton podia resolver usando seus métodos. A peça central dessa carta era o teorema binomial de Newton, uma descoberta altamente original pela qual as raízes de uma equação podem ser extraídas e um cálculo, simplificado. A carta insinua a existência de "certos métodos adicionais" que Newton não tinha tido então tempo para explicar. Nada havia nessa carta sobre o problema central — que o cálculo podia ser usado para resolver esses mesmos problemas de séries infinitas.

Newton estava sendo cauteloso; ele pode ter suspeitado que Leibniz estivesse usando um complicado truque para levá-lo a revelar seus segredos — fingindo que tinha seus segredos próprios. Assim, não havia nada na carta que Leibniz já não soubesse, de uma ou outra forma. Nada. A única coisa nova, na realidade, havia sido acrescentada por Oldenburg, mais um lembrete a Leibniz de que a entrega de sua prometida máquina de calcular estava de há muito atrasada. "Eu realmente gostaria que você, um alemão e membro da dita sociedade, cumprisse a promessa que fez, e dessa maneira me aliviasse, tão logo quanto for possível, de uma ansiedade por conta de um compatriota que me envergonha muitíssimo", escreveu Oldenburg concluindo a nota que acompanhava a *epistola prior* de Newton. "Adeus, novamente, e perdoe essa minha franqueza."

O fato de Newton não ter enviado seus métodos viria a ser um ponto importante quando a disputa tornou-se violenta décadas depois, porque Leibniz iria legitimamente afirmar que nada havia recebido dos ingleses nem de Newton com relação aos métodos do cálculo. Até onde Leibniz sabia, Newton tinha um método de resolver um problema e ele tinha um outro. Na verdade, Newton parecia dizer o mesmo na abertu-

108   A GUERRA DO CÁLCULO

ra de sua *epistola prior*, e estava perfeitamente disposto a reconhecer que Leibniz tinha alguma coisa no campo da matemática. "Eu não tenho dúvida de que ele descobriu [métodos rápidos] (...) talvez iguais aos nossos, se não ainda melhores", escreveu ele na primeira carta.

Oldenburg preveniu Leibniz de que, tendo ele recebido uma transcrição da carta, erros poderiam ter sido introduzidos na versão que agora tinha em mãos, mas que não deveriam representar um problema para ele. "Sua sagacidade irá corrigir qualquer erro", escreveu o alemão mais velho em sua nota.

Leibniz ficou extremamente feliz com a *epistola prior*. Imediatamente enviou uma resposta para Oldenburg passar a Newton, comentando que a carta continha "idéias mais numerosas e mais notáveis sobre análise do que muitos grossos volumes impressos sobre esses assuntos". Ele considerou os trabalhos de Newton sobre as séries como dignos do homem que criou a teoria das cores e que inventou o telescópio de reflexão.

Em sua resposta, Leibniz descreveu seu próprio trabalho no terreno da matemática e expôs uma descoberta sua, chamada teorema da transmutação, mas reteve as descrições de seus métodos, exatamente como Newton havia retido as suas. Ele incluiu também sua quadratura aritmética do círculo, como prometera, mas, outra vez, como era característico de toda essa troca de informações, enviou apenas os detalhes básicos, omitindo os segredos críticos que lhe haviam possibilitado resolvê-lo, achando que uma vez que Newton lhe havia passado apenas resultados, ele apenas precisava fazer o mesmo. Por outro lado, ele fez muitas perguntas, tencionando claramente manter a correspondência. Sabendo que em breve estaria partindo para a Alemanha, Leibniz escreveu essa resposta depois de apenas três dias, enviando-a em 27 de agosto de 1676. Ele encerrou a parte da carta que era destinada a Oldenburg com uma saudação cortês: "Adeus e pense com benevolência em alguém que lhe é devotado."

Leibniz estava tão excitado e apressado que sua carta rabiscada tinha vários erros e era tão mal escrita que foi difícil para Collins fazer uma cópia para Newton, e, ao transcrevê-la, Collins aumentou o desmazelo com seus próprios erros. A data no envelope da carta foi copia-

ADEUS E PENSEM EM MIM COM BENEVOLÊNCIA 109

da erradamente, de modo que anos depois, quando Newton estava recriando a cronologia daquele verão, ele supôs que Leibniz recebera sua carta pouco depois que ele a tinha enviado em junho. Quando Newton estava revendo esse material, ele concluiu erradamente que Leibniz havia levado seis semanas para responder — tempo bastante para apreciar em detalhe o material que ela continha. Anos depois, quando os partidários de Newton também se utilizariam desses erros como prova de que Leibniz não sabia o que estava fazendo, em vez de os verem como sintomáticos da pressa deste — como era o tom de excitação da carta.

Quando Newton recebeu a resposta de Leibniz muitas semanas haviam se passado, e porque supôs que Leibniz havia usado todo esse tempo para escrever sua carta, Newton decidiu fazer o mesmo, e não teve pressa em responder — uma tragédia, como afinal se revelou, porque depois de gastar seis semanas aprimorando sua segunda carta, a que depois chamou *epistola posterior*, Newton a remeteu em 3 de novembro de 1676, mas então já era muito tarde para enviá-la a Leibniz em Paris. A carta não alcançou Leibniz por quase um ano, porque quando Newton a despachou o alemão já havia deixado Paris pela última vez. Quando ela finalmente chegou ao destinatário, este já estava em Hanover.

Enquanto Newton meditava sobre como escrever a sua resposta, Leibniz, já tendo retardado sua volta à Alemanha tanto quanto lhe foi possível, não podia retardá-la mais. O duque, aumentando a pressão, escreveu-lhe diversas vezes no verão de 1676, solicitando novamente a Leibniz que viesse para seu novo cargo o mais rápido possível. Leibniz ainda procurou ganhar tempo por mais alguns meses. Recebeu, então, outra carta de Hanover em julho. O tom desta era diferente. Seu redator, um funcionário da corte chamado Kahn, exprimia autêntica surpresa por Leibniz ter se atrasado por tanto tempo, talvez sentindo que este definitivamente não viesse. Mas, em vez de admoestá-lo, a carta procurava tornar mais fácil a negociação, e nela Kahn oferecia a Leibniz, além da posição de conselheiro, a possibilidade de ter também a seu cargo a biblioteca de Johann Friedrich.

Ah, livros! O duque e seus homens sabiam exatamente o que estavam fazendo quando fizeram essa oferta a Leibniz. Era como oferecer a um viciado sua droga favorita. Em julho, ele recebeu do embaixador

110 A GUERRA DO CÁLCULO

de Hanover em Paris o dinheiro para suas despesas de viagem e, finalmente, em 13 de setembro de 1676, o duque perdeu a paciência e escreveu a Leibniz dizendo-lhe que, ou ele vinha de uma vez para Hanover, ou podia esquecer a oferta que recebera.

Leibniz agora não tinha escolha. Pelo fim de setembro, ele havia adiado a partida de Paris tanto quanto podia. Poucos dias depois foi forçado a deixar Paris em definitivo — tendo saído da cidade no coche da mala postal em 4 de outubro de 1676. Ele tinha vindo para essa cidade como um jovem interessado, em primeiro lugar, por leis e assuntos do Estado, sabendo muito pouco de matemática, e a deixava quatro anos depois como um dos dois ou três mais importantes matemáticos da Europa. (Hoje existe uma rua em Paris, a rue Leibniz, assim denominada em sua honra.)

Mas ele ainda não estava a caminho de Hanover. Em sua viagem, Leibniz fez algumas paradas. Primeiro Calais, onde as tempestades de outono fustigaram os barcos ancorados no porto por quase uma semana antes que ele pudesse embarcar e navegar para a Inglaterra, tendo lá chegado em 18 de outubro. Ficou em Londres por pouco mais de uma semana — alguns dias que iriam sacudir o seu mundo 45 anos depois, e tornar-se a pedra angular da acusação de que se beneficiara por ter visto os primeiros trabalhos de Newton.

Em Londres, Leibniz encontrou-se novamente com Oldenburg e mostrou-lhe, depois de tantos adiamentos, a máquina de calcular. Este encontro foi pouco importante historicamente — o encontro muito mais importante desta viagem deu-se quando Leibniz, finalmente, encontrou-se com Collins. Collins ficou aparentemente encantado com seu jovem hóspede, apesar de não falar alemão e apenas pouco latim, e Leibniz, apenas pouco inglês. Mas Collins gostou do jovem e lhe permitiu que lesse com atenção sua correspondência e seus artigos, e lhe deu acesso aos livros em seu poder, inclusive a alguns trabalhos não publicados de Newton. Collins era então o bibliotecário da Royal Society, e a sociedade ainda estava em recesso naquela semana, assim nada havia de mal, pensava ele.

Leibniz examinou o *De Analysi* de Newton e dele tomou algumas notas. Também examinou o longo *Historiola*, o que iria se tornar o tema de acusações contra ele décadas mais tarde. Newton estava convencido de que Leibniz tinha o *Historiola* com ele em Paris, porque havia uma nota na capa pedindo-lhe que o devolvesse quando tivesse terminado. A nota era, é claro, referente a quando ele tivesse terminado o livro enquanto estava em Londres, onde passou algumas horas durante uns poucos dias a examiná-lo. Newton presumiu que Leibniz havia passado meses a estudá-lo, em lugar de ter dado uma rápida olhada e tomado algumas notas, como fez.

Não obstante, esse equivalente do século XVII a uma nota numa etiqueta Post-it tornou-se mais tarde prova para Newton e os que o apoiavam de que Leibniz havia lido o *Historiola* e outros documentos quando esteve em Londres. O *Historiola* apresentava de maneira detalhada grande quantidade de informação sobre Gregory, Pell e Newton, e, em especial, Leibniz viu, com o apoio de Colins, uma carta escrita por Newton que trazia uma explicação detalhada de sua regra para achar tangentes — a inclinação de uma curva em qualquer ponto dado —, uma coisa que Newton viria mais tarde a afirmar que Leibniz havia roubado dele.

Collins tentou conseguir que Newton publicasse seu método de cálculo, mas este estava tão marcado pela experiência da publicação da sua teoria das cores que não queria nem pensar nisso. "Eu desejaria poder retratar-me do que foi feito", escreveu ele a Collins em 8 de novembro de 1676, "mas, graças a isso, eu aprendi o que é conveniente para mim, que é deixar o que escrevo de lado até que eu esteja fora do caminho."

Newton também assegurou a Collins que seus métodos eram superiores aos de Leibniz. "Quanto ao receio de que o método do Sr. Leibniz possa ser mais geral ou mais fácil do que o meu, você não achará nada disso (...). A vantagem do método que eu sigo você poderá avaliar pelas conclusões dele tiradas que coloquei na minha resposta ao Sr. Leibniz: embora eu ali não tenha dito tudo."

Poucos meses depois que Leibniz partiu, Collins escreveu a Newton a respeito da visita do alemão, dizendo que haviam discutido algumas coisas extraídas de cartas escritas por Gregory. Todavia Collins não mencionou que tinha deixado Leibniz ver documentos do próprio Newton — talvez se sentindo culpado por ter mostrado tanta coisa.

112 A GUERRA DO CÁLCULO

Poucos anos depois, Collins morreu sem que Newton se desse conta de tudo o que ele havia mostrado a Leibniz. Somente décadas depois, muito tempo após Leibniz ter publicado seus artigos sobre o cálculo, Newton iria reconstituir o que havia transpirado durante aquela semana de final de outono em Londres, mas, mesmo então, é claro, de maneira imperfeita, porque ele daria excessiva importância ao fato de Leibniz ter lido a cópia do *De Analysi* que Collins possuía. O *De Analysi* era um documento crucial, pois ele e outras evidências provavam que Newton havia inventado o cálculo antes de Leibniz. Mas não eram suficientes para provar que Leibniz havia se apropriado de quaisquer idéias de Newton, assim, a certeza de que Leibniz estivera em Londres e examinara essas obras era essencial para estabelecer a possibilidade de que o trabalho do alemão havia sido furtado de Newton.

Realmente, Leibniz tomou nota de trechos do *De Analysi*, mas essas notas não são realmente sobre a formulação do cálculo, mas sobre algumas das outras coisas que o livro contém. Hoje existe pouca discussão quanto ao fato de que Newton e Leibniz fizeram seus trabalhos independentemente um do outro, porque a documentação existe nas notas de Leibniz de outubro de 1675 — muitos meses antes que ele tivesse visto qualquer coisa de Newton.

Mas o conflito ainda estava por vir; Leibniz estava em sua viagem de volta à Alemanha, onde iria começar uma nova vida, e Newton estava, aparentemente, perdendo seu interesse pela matemática, à qual ele se referia como seca e estéril. Em lugar desta, ele estava tomando interesse pela alquimia e outros assuntos.

Leibniz deixou Londres sentindo-se bem por ter cumprido suas obrigações com Oldenburg e ter aberto uma nova linha de comunicação com Collins. Ele partiu para a Alemanha a bordo do iate do príncipe Ruprecht von der Pfalz, que ele conhecera em Londres. Dirigiu-se em primeiro lugar a Rotterdam, escrevendo, enquanto esperava a partida, um texto sobre o tema da linguagem universal, e queixando-se numa carta para um conhecido de que não tinha ninguém com quem conversar, exceto marinheiros.

De lá ele viajou para Amsterdam, onde encontrou-se com algumas pessoas notáveis, incluindo Johann Hudde, o matemático que havia descoberto de maneira independente muitos dos métodos precursores do cálculo — tais como achar tangentes a curvas e fazer a quadratura da hipérbole. Depois, fez um pequeno tour pela região vizinha, visitando Haarlem, Leiden, Delft, Haia, voltando finalmente a Amsterdam. Ele encontrou Antoni van Leewenhoek, que era também membro da Royal Society e é famoso ainda hoje pela descoberta dos microorganismos. Teve ainda longas conversas com Spinoza sobre filosofia e teologia.

Finalmente, partiu para a Alemanha e chegou a Hanover nos últimos dias de 1676. Assim como os dias de Leibniz em Paris haviam terminado, o mesmo aconteceu com a guerra cujo fim ele tentava impedir quando foi para Paris. Ela finalmente seria encerrada pelo Tratado de Nijmegen, em 1678. Este tratado permitiu que a Holanda permanecesse intacta e, como uma concessão à França, admitiu que Luis XIV ficasse com a Lorena. As preparações para este tratado levaram muito tempo, e ainda um ano antes Leibniz estava ocupado redigindo documentos em apoio ao que afinal seria a conferência de paz, quando recebeu a segunda carta de Newton, já muito velha e viajada, com uma nota de Oldenburg, em junho de 1677.

Como já observado, essa carta não iria alcançá-lo durante quase um ano depois de Newton tê-la enviado. Oldenburg escreveu sua nota de encaminhamento em 22 de fevereiro de 1677, explicando que "havia adiado voltar a escrever-lhe até agora, porque não queria pôr em risco o que eu tinha em mãos para lhe transmitir, inclusive uma carta de Newton tão pesada em argumentos como é abundante em expressão".

Na segunda carta, com 19 páginas, Newton era ainda mais superlativo em seu louvor: "O método de Leibniz para obter séries convergentes é sem dúvida extremamente elegante e demonstraria suficientemente o gênio do escritor mesmo se ele nada mais escrevesse." Newton também expressava agora interesse em ver os resultados de Leibniz. Escreveu ele: "A carta do excelentíssimo Leibniz plenamente merecia, é claro, que eu lhe desse esta resposta mais extensa. E desta vez eu quis escrever com maior detalhe porque não acreditava que suas ocupações mais absorventes devessem ser interrompidas muitas vezes por mim com esta espécie de escrita um tanto austera."

114 A GUERRA DO CÁLCULO

Se a carta de Newton era calorosa na superfície, era gelada no meio. Ele não era especialmente entusiasta por manter correspondência. Deu uma rica, embora velada, descrição de alguns dos seus mais importantes feitos no campo da matemática, escrevendo novamente sobre seus métodos para séries e sobre sua descoberta do teorema do binômio, e tocando em seu método das fluxões (cálculo) mostrando três exemplos, instigando Leibniz com a afirmação de que havia chegado a "certos teoremas gerais". É claro que ele não queria compartilhar nada de real substância, por isso absteve-se de entrar em muito detalhe.

Por cada detalhe que divulgasse, ele muito se lamentava. Depois que enviou a carta para Oldenburg, próximo ao fim de 1676, Newton remeteu uma outra poucos dias depois, pedindo-lhe que fizesse algumas alterações na anterior. "Há dois dias, eu lhe enviei uma resposta à excelente carta do Sr. Leibniz. Depois que ela se foi, passando meus olhos sobre uma transcrição que eu tinha feito dela, encontrei algumas coisas que eu desejaria que fossem alteradas, e desde que não posso eu mesmo fazê-lo, desejo que você faça por mim antes de a remeter."

Tão cuidadoso era Newton que, quando revelava uma informação importante sobre o cálculo, o fazia de uma forma ininteligível. Ele a enviava sob forma de um anagrama — um recurso comum naqueles dias para assegurar prioridade sem nada revelar. "Os fundamentos destas operações são evidentes o bastante", escreveu Newton. "Mas porque não posso prosseguir agora com a explicação, eu preferi escondê-la assim: 6accdoe13eff7i319n4o4qrr4s8t12ux..."

Essas frases secretas eram formadas por caracteres codificados ordenados por transposição. Depois de serem estes apropriadamente transpostos e traduzidos para o latim (e depois para o inglês), essa frase seria lida: "Dados em uma equação os fluentes de qualquer número de quantidades, achar as fluxões e vice-versa."

Quão difícil teria sido para Leibniz ler essas linhas? Seria impossível. Para ter uma amostra da dificuldade, imagine-se lendo uma única palavra assim codificada, "coffeepots", e tentando decifrar seu significado. Uma chave simples para decodificá-la seria substituir cada letra de "coffeepots" por sua sucessora no alfabeto; a palavra se transformaria em "dpggffqput"; depois, ordenando-se essas letras ao acaso iria dar algo como "fpgqpufdtg". Esta palavra tem pouca semelhança com "coffeepots", e da mesma maneira a frase escrita por Newton seria irreconhecível.

Escrever anagramas não era tão raro. Huygens escreveu seu próprio anagrama para esconder a invenção do dispositivo regulador para seu relógio de bolso. Da mesma forma, Newton usava um anagrama para evidenciar o fato de que estava de posse do método das fluxões, contudo claramente não queria compartilhá-lo; ele saberia que Leibniz não tinha, em absoluto, maneiras de decodificar seu anagrama. Além do mais, mesmo se ele tivesse a chave para decifrar o código, Leibniz não seria capaz de decodificar os anagramas, porque um deles nem fora transcrito corretamente na cópia que lhe fora enviada.

Excetuados os trechos indecifráveis da carta, Leibniz ficou excitado por recebê-la. Ele havia estado na estagnação intelectual que reinava em Hanover por vários meses, e devia estar passando por um período de retraimento quando recebeu a *epistola posterior*. Respondeu imediatamente a Newton e Oldenburg apenas dias depois, em 11 de junho de 1677, por uma carta cheia de louvor e de perguntas. Nela revelou a essência do seu cálculo diferencial e implorou a Newton que continuasse a correspondência. "Estou muitíssimo satisfeito por ele haver descrito o caminho que trilhou em alguns dos seus teoremas realmente muito elegantes", escreveu ele, e novamente escreveu poucos meses depois, praticamente pedindo a Newton que abrisse a comunicação. Leibniz pediu ainda a Oldenburg que lhe enviasse exemplares das *Philosophical Transactions*, e notícias de outras descobertas na Grã-Bretanha.

Oldenburg respondeu a Leibniz em 9 de agosto de 1677, dizendo-lhe que Newton andava preocupado, e que, por isso, ele não devia esperar uma resposta para breve. Newton nunca respondeu. Demasiadamente cansado pela disputa sobre sua teoria das cores, o inglês não tinha nem tempo nem vontade de escrever mais. De fato, ele escreveu a Oldenburg na nota de encaminhamento de sua segunda carta a Leibniz: "Espero que esta irá satisfazer tanto ao Sr. Leibniz que não me será mais necessário escrever sobre este assunto. Pois, tendo outros problemas em minha cabeça, ser forçado a tratar dessas coisas neste momento constitui uma interrupção inoportuna para mim."

116 A GUERRA DO CÁLCULO

Na verdade, dois dias depois de enviar a segunda carta a Leibniz, Newton escreveu-lhe novamente, pedindo "por favor não deixe nenhum dos meus escritos matemáticos ser impresso sem minha licença especial". Durante os anos seguintes, Newton dificilmente escreveria alguma coisa para qualquer pessoa.

Em agosto de 1678, Oldenburg foi para Kent para gozar as férias de verão com sua mulher, e lá ambos contraíram uma severa febre e morreram. Quando Oldenburg morreu, a comunicação entre Leibniz e Newton morreu com ele. A correspondência, lenta em começar, e marcada no meio por difíceis interrupções, com Leibniz mudando subitamente de país, encerrou-se agora abruptamente.

Nos dez anos que se seguiram, Newton e Leibniz perderam por completo a pista um do outro. Newton recolheu-se a suas salas na Universidade de Cambridge, e Leibniz deixou-se prender pelos assuntos da corte de Hanover — uma posição que conservaria pelo resto da vida.

6

O Início da Sublime Geometria

■ 1678-1687 ■

Se são necessários dois para fazer uma briga, são necessários dois homens de gênio para fazer uma briga famosa.

— A. R. Hall, *Philosophers at War*

Hanover, na Alemanha, é hoje uma nova cidade — literalmente. Destruída pelos bombardeios aliados durante a Segunda Guerra Mundial, foi reconstruída do nível das ruas para cima. Possui agora uma grande universidade e uma população de cerca de meio milhão de habitantes.

Uma grande placa no aeroporto recebe os viajantes com a saudação BEM-VINDOS A HANOVER, A CIDADE DAS FEIRAS INTERNACIONAIS. Quando lhe foi perguntado que tipo de feiras eram essas, um morador local disse que eram de natureza industrial, tendo como atração principal computadores e máquinas que constroem máquinas. Aparentemente, as feiras vieram de Leipzig, que tradicionalmente as hospedava até depois da Segunda Guerra Mundial, quando essa cidade acabou fazendo parte da Alemanha Oriental.

Como as feiras, Leibniz veio para Hanover como um transplante industrioso de Leipzig. Lá ele ficou por quarenta anos, a melhor parte de sua vida, a serviço dos duques de Hanover, envolvido em tarefas

118 A GUERRA DO CÁLCULO

como organizar a biblioteca da corte, pesquisar a genealogia da família, e escrever sua história. A casa em que Leibniz veio morar em 1678 e em que viveu a intervalos durante as duas últimas décadas de sua vida foi construída em 1499. Como a própria cidade, a casa foi completamente reconstruída após a última guerra, depois de ter sido totalmente arrasada por um ataque aéreo em 1943. Terminada a guerra, houve discussões sobre o que fazer com a cidade em geral e com a casa de Leibniz, a Leibnizhaus, em particular. Quando a decisão de reconstruir a casa foi tomada, um shopping center e um estacionamento já haviam sido construídos no local original. Por isso a construção foi realizada em outro local, a atual Leibnizhaus. A nova casa enfrentou outro problema, porque o local escolhido confinava com outro prédio de tal modo que, se fosse construída uma réplica exata da casa, ela iria passar por cima do edifício vizinho. Finalmente, foi decidido construir um prédio moderno, com uma fachada genuinamente antiga.

A nova Leibnizhaus foi inaugurada na década de 1980, como parte da Universidade de Hanover, e tem um pequeno hotel, um centro de conferências e um pequeno museu no andar térreo. Neste museu estão algumas peças originais, assim como um retrato e um busto de Leibniz, e um molde de seu crânio.

A fachada, em um estilo barroco incrivelmente ornamental, data de 1651, apenas poucos anos antes de Leibniz se mudar para Hanover. O lado direito dela se destaca do restante da frente do prédio, e forma uma espécie de janela saliente de três andares, acentuada em cada nível por quatro colunas fantasiosas, e decorada acima e abaixo por grande quantidade de figuras angelicais. O topo do edifício tem vários níveis escalonados ortogonais e uma série de pequenas janelas. Os cômodos da frente dão para uma espécie de pequena praça. Em frente ao prédio, existe um monumento fantasioso de ferro forjado, que se situa numa rua cheia de lojas de artigos de alto preço de segunda mão, lojas de roupas e restaurantes, e um ou dois cafés. O edifício é ladeado por um restaurante espanhol e uma loja de antiguidades.

Todas as janelas na fachada do edifício são divididas em quadrados menores cortados por linhas cruzadas. Vistos de fora do prédio eles são difíceis de notar, embora o edifício se destaque tanto em outros aspec-

O Início da Sublime Geometria

119

tos. Mas, do interior, os vidros quadrados dominam a vista que é maravilhosamente emoldurada pelas altas janelas. As molduras retangulares aparecem escuras contra os edifícios visíveis do lado de fora, do outro lado da rua, como um eco das formas do prédio que são muito retangulares e típicas da Baviera, com madeiras expostas e muitas janelas.

Embora a fachada mantenha com exatidão as características do seu período de origem, o interior da Leibnizhaus é muito diferente dos interiores do tempo do matemático. E isso não é tudo o que mudou.

Hanover é uma cidade universitária, e no seu exterior existem todos os sinais de que a universidade está próxima. A universidade era, quando eu a visitei, a maior na Baixa Saxônia, com mais de 24 mil estudantes — um bom lugar para se visitar ou viver. Mas a cidade era muito menor quando Leibniz nela vivia.

Sua mudança para a corte de Hanover não foi um procedimento incomum para um homem na sua posição. Em seus dias, muitas pessoas que eram espertas e buscavam ascensão social procuravam patrocínio nas cortes da Europa. O melhor modo de fazer isso, naturalmente, era oferecer maneiras para que príncipes e duques aumentassem suas receitas. Guerras, fomes e os extravagantes estilos de vida das cortes daqueles tempos cobravam seu tributo aos bolsos dos nobres, e um pensador criativo que pudesse trazer novos esquemas para fazer dinheiro era realmente muito valioso. Mas poucos, provavelmente, eram tão criativos em matéria de esquemas como Leibniz.

A ironia da vida de Leibniz é que, embora possa parecer hoje tão acadêmico, ele preferiu não seguir uma carreira acadêmica. Depois de afinal ter chegado, relutantemente, a Hanover, ele lá permaneceu durante a maior parte de sua vida, prestando também serviços em diversas funções nas vizinhas cortes de Celle, Wofenbüttel, Berlim e Viena — uma carreira que Bertrand Russell classificou uma vez como um lamentável desperdício de tempo. Mas, para Leibniz, esse roteiro realmente fazia sentido. Não obstante o fato de ter sido criticado no século XVIII por acreditar que este era o melhor de todos os mundos possíveis, ele gastou um tempo considerável no século XVII tentando melhorá-lo.

Sabendo que a realidade do seu tempo era que o poder estava concentrado nas mãos de uns poucos, Leibniz também acalentava as cren-

120   A GUERRA DO CÁLCULO

ças neo-utópicas de que aqueles que detinham esse poder deviam ser homens sábios e piedosos, líderes benevolentes que seriam os mais adequados para elevar a humanidade ao seu potencial máximo. Embora fosse demasiado esperar que todos os nobres e governantes hereditários pudessem ser homens sábios, ele pensava que qualquer mudança para a humanidade deveria ocorrer no contexto das estruturas existentes de poder político, e desejava trabalhar dentro dessas estruturas. Queria iluminar os príncipes, duques e outros governantes de seu tempo a fim de que pudessem fazer as escolhas certas. Ele fora atraído para o cargo em Hanover porque o duque lhe parecia ser um homem sábio e também poderoso.

O avô de Johann Friedrich tinha sido o grande duque Guilherme de Lüneberg, também conhecido como Guilherme, o Piedoso, que governou com disciplina religiosa e deixou 15 filhos para distribuírem o espólio do reino entre eles. Guilherme, o Piedoso, ficou louco e cego e, sobre seu leito de morte, seus filhos tiraram a sorte para decidir o destino das terras do ducado. O sexto filho de Guilherme, Jorge, ganhou. Mas ele não era adequado para a vida campestre piedosa e calma que seu pai havia instituído, e foi fazer uma grande viagem pela Europa, satisfazendo a todos os seus caprichos. Logo que se cansou e retornou a seu país, estourou a Guerra dos Trinta Anos, e Jorge lutou com o Sacro Império Romano, a Baixa Saxônia e a Itália. Ao final de sua participação, ele tomou uma abadia em Heldesheim como sua presa de guerra. Nela repousou e veio a morrer. Seu filho mais velho, Christian Louis, o sucedeu e tornou-se o novo duque, mas morreu poucos anos depois, sem deixar filhos. O território foi então dividido entre os três irmãos restantes, um dos quais era Johann Friedrich. Assim, este se tornou duque do território em que Hanover estava incluída.

Em Hanover, Leibniz assumiu a direção de uma biblioteca que continha 3.310 livros e dezenas de manuscritos. Contudo ele não ficou satisfeito com ela e propôs ao duque um plano para expandir o seu acervo. Tendo acabado de chegar de um dos mais cultos centros da Europa, Leibniz estava em posição favorável para afirmar ter suficiente amplitude de conhecimento para fazê-lo. Nos anos seguintes, ele iria adicionar milhares e milhares de obras à biblioteca.

Nessa missão ele foi a Hamburgo em 1678 para examinar a biblioteca de Martin Fogel. A disponibilidade da coleção de Fogel era uma tremenda oportunidade para um amante dos livros como Leibniz e um criador de bibliotecas como o duque, pois ela continha 3.600 livros raros sobre ciências naturais e outros assuntos, de modo que Leibniz convenceu o duque a comprá-la. Enquanto ele lá estava, conheceu Heinrich Brand, que havia descoberto por acidente, ao que parece, um modo de fabricar fósforo quando estava seguindo as instruções de um velho livro de alquimia para extrair da urina um produto químico que podia transformar prata em ouro.

Leibniz convenceu o duque a contratar Brand para que viesse para Hanover e montasse um laboratório para fabricar fósforo. A principal matéria-prima desse processo era a urina. Logo, para produzir uma quantidade substancial de fósforo, Brand necessitava de um grande suprimento dessa matéria-prima. Assim, ele fez levar barris aos acampamentos dos soldados da região e esses homens de armas o abasteceram do seu precioso líquido, que depois era transportado para seu laboratório. Eu vejo este quadro quando penso sobre isso: soldados alemães de um tempo quase esquecido, por ali de pé sem nada mais para fazer, dizendo palavrões, gargalhando ruidosamente e enchendo os barris. Ouro líquido.

Mais livros não foi tudo o que Leibniz pediu. Poucos meses depois de ter chegado, ele solicitou e obteve a honra de uma promoção para conselheiro de um nível superior, com um aumento de salário. No início, Leibniz estava suficientemente feliz com sua nova vida para escrever a alguns de seus conhecidos no exterior dizendo que tinha prazer em trabalhar para o duque, o qual, além de ser inteligente e perspicaz, era sábio o bastante para lhe dar liberdade para perseguir seus próprios objetivos durante todas as horas do dia; ele dava a Leibniz bastante tempo para se dedicar a suas buscas intelectuais. Leibniz até escreveu a um homem em Leipzig, um certo Martin Geier, dizendo que preferiria trabalhar para o duque Johann Friedrich a gozar de qualquer espécie de liberdade.

Enquanto isso, o nobre parece se ter impressionado com as palavras do filósofo Antoine Arnaud, um homem de grande saber que o seu novo conselheiro privado conhecera em Paris, que fez a Leibniz o grande elogio de dizer que a única coisa que possivelmente estaria refreando Leibniz era o seu protestantismo.

Contudo Hanover certamente não era o coração palpitante da revolução científica. Muito embora fosse uma grande cidade pelos padrões alemães, sua população era apenas de cerca de 10 mil habitantes — ao contrário de cidades como Madri ou Amsterdam, que tinham bem mais que 100 mil, ou Londres que tinha aproximadamente meio milhão. E, a despeito de ser a corte de Hanover descrita como uma das mais elegantes e cultas em toda a Alemanha do século XVII, Leibniz não estava mais em Paris. Em Hanover, não existia uma sociedade científica comparável àquelas de Londres ou Paris, e nenhuma comunidade de intelectuais — exceto, talvez, o duque.

Seus gostos felizmente coincidiam, e diz-se que Johann Friedrich muitas vezes juntou-se a Leibniz em seus estudos químicos e físicos. Leibniz tinha abundância de idéias, e encontrou no duque um patrono que parecia desejar apoiá-las e tinha suficiente inteligência para entender sua visão. Juntos, os dois poderiam ter sido o time dos sonhos de uma governança inteligente.

A visão grandiosa de Leibniz era produzir melhorias para uma sociedade universal cristã pela aplicação da ciência e da tecnologia. Ele escreveu três memorandos para o duque em 1678, propondo maneiras de melhorar tudo, da agricultura à administração pública. Ele pediu um levantamento econômico para medir o estado do país em termos do número de trabalhadores e da quantidade de recursos naturais, que serviriam como dados preliminares para uma análise visando a melhorar a produção da economia; a criação de uma academia para ensinar comércio aos jovens; e a criação de alguma coisa semelhante a uma moderna loja de departamentos, onde os bens de consumo pudessem ser comprados a preços baixos num lugar central. Recomendou que os arquivos do Estado fossem organizados sob um único diretor — ele mesmo, é claro — de modo que as informações pudessem ser acessadas com maior facilidade. Solicitou a criação de um birô de informações que produziria uma revista e forneceria um valioso auxílio a pessoas desejosas de adquirir bens e serviços raros. E recomendou incentivos para os fazendeiros que utilizassem boas práticas agrícolas.

As propostas acima foram pouco depois seguidas por uma outra, recomendando que fosse escrito um livro intitulado *Demonstrationes Catholicae*, que iria corroborar a reconciliação entre católicos e protestantes. Nessa época, a cristandade estava fragmentada, depois de passados mais de cem penosos anos da Reforma, que havia se iniciado com Martinho Lutero questionando a autoridade papal em 1517, e continuado quando o pregador francês Calvino mudou-se para Genebra em 1536. Em meados do século XVII, a influência de Lutero e Calvino havia se propagado rapidamente através da Europa, abrindo bolsões na Inglaterra, em toda a Escócia, na França, nos Paises Baixos, em muitas partes do Sacro Império Romano, em poucas partes da Polônia e de outras regiões do Oriente, e mesmo grandes colônias no Novo Mundo.

Leibniz não era, de forma alguma, a única figura naqueles dias que via a importância de reunificar as igrejas cristãs, nem estava tomado por expectativas injustificadas quanto a suas perspectivas de sucesso. Não obstante, ele propôs que se encontrasse algum terreno comum e um acordo entre os sistemas teológicos, os elementos básicos de ambas as tradições, e empenhou-se em extensa correspondência com vários católicos e protestantes com esse objetivo.

Leibniz foi um importante negociador no último quartel do século XVII para reunificar luteranos e católicos romanos. O principal obstáculo a esse objetivo era que se fazia necessária a reconciliação de crenças e práticas que não eram mais compatíveis entre si. Elas não eram necessariamente assuntos obscuros de filosofia teológica, mas amargos desacordos tão básicos que parecem absurdos. Os católicos, por exemplo, tinham que aceitar que os protestantes não deviam ser mais considerados oficialmente como pecadores, e os protestantes não deviam mais chamar o papa de "o Anticristo". (Você pode se perguntar se "Sua Santidade, o Anticristo", seria suficiente.) Como seria de esperar, Leibniz encontrou posições inflexíveis por parte de algumas autoridades religiosas, e essas negociações, que começaram em Hanover em 1683, acabaram por fracassar.

Muito antes que seus grandiosos planos de unificação minguassem, Leibniz sofreu uma tragédia pessoal e profissional quando Johann Friedrich morreu em 1679. Leibniz foi atacado por tal tristeza que escreveu três diferentes panegíricos em memória da grandeza de seu amigo e chefe — inclusive um em latim e outro em versos franceses.

Leibniz foi confirmado em sua posição de conselheiro pelo novo duque de Hanover, Ernst August, irmão de Johann Friedrich, e imediatamente começou a fazer pressão sobre seu novo empregador em prol de suas inovações. Teve que adaptar suas propostas cuidadosamente. O novo duque não era o filósofo que seu irmão havia sido. Ernst August era um guerreiro conhecido por sua bravura. A biblioteca definhou sob sua administração. Ele gastava uma fração do que fazia seu irmão em novas aquisições, e a maior parte do dinheiro que gastou foi usada para pagar contas restantes de compras anteriores à sua ascensão. Menos piedoso e mais arruaceiro do que seu finado irmão, Ernst August, amava, ao que se diz, a garrafa, seu estômago e as mulheres, não necessariamente nessa ordem. Era dado a longos períodos de entrega à bebida e de comportamento estranho, e em sua juventude se entregara a todos os vícios na Itália e na França.

A principal preocupação de Ernst August era aumentar o poder de sua posição e enriquecer seu já extravagante modo de vida. Dinheiro era o combustível que podia impulsionar esse desejo e Leibniz, reconhecendo isso, respondia na única maneira apropriada — enviando ao duque propostas que iriam aumentar o fluxo de receitas da corte. Assim, dinheiro era a motivação para um ambicioso projeto para drenar a água das minas de prata nas vizinhas montanhas Harz.

Essas montanhas haviam sido exploradas durante séculos, e os poços eram profundos e tendiam a se encher com a água que minava. Drená-los era uma medida necessária para manter a continuidade da mineração porque, durante os meses secos do ano, os rios e correntes secavam e as bombas que operavam por energia hidráulica não podiam ser efetivamente acionadas, reduzindo severamente a produção nesses meses. Um engenheiro de minas holandês, Peter Hartzingk, apresentara a idéia de se drenar as minas utilizando uma combinação de água e vento para manter as bombas em operação continuamente. Em seu en-

O Início da Sublime Geometria   125

genhoso projeto, a energia do vento seria usada para elevar a água até um reservatório subterrâneo que podia ser aberto e esvaziado para dentro de outro reservatório mais abaixo, quando o vento não fosse suficientemente forte para operar as bombas.

Leibniz ridicularizou essa idéia e afirmou que poderia mudar toda a operação das bombas para o acionamento pelo vento e começou a projetar e implementar cata-ventos melhores e mais eficientes. Se ele pudesse utilizar o vento para bombear a água num fluxo estável para fora das minas, estas poderiam ser exploradas até mesmo nos meses de inverno, e a prata continuaria fluindo para os cofres reais, também num fluxo estável.

Ele propôs que o aumento nos ganhos fosse também usado para prover fundos para uma outra idéia que tinha — a mais importante de todas as propostas. Ele queria formar uma academia científica imperial tão impressionante que iria superar até mesmo a Académie des Sciences na França e a Royal Society em Londres. Essa academia, que seria formada por ele e outros 49 homens de ciência, iria então tornar-se a maior do mundo. Juntos, esses estudiosos iriam compor uma enciclopédia abrangendo todo o conhecimento humano, na qual os conceitos seriam coletados, analisados e reduzidos aos seus elementos componentes, e seriam apontadas as maneiras como se haviam combinado, e, finalmente, esses mesmos elementos e combinações iriam ser utilizados para montar novos conceitos. Assim como as palavras são formadas por letras combinadas numa linguagem escrita — ou por sons numa linguagem falada —, assim também as idéias podem ser pensadas como tendo sido formadas por letras da *characteristica universalis*, ou assim pensava Leibniz. As letras que ele visualizava eram algo como os átomos inquebráveis da molécula, os ingredientes puros de um molho, os órgãos indivisíveis do corpo.

Além disso, as letras eram só o princípio. Assim como uma língua tem uma gramática para regular a maneira como as palavras são reunidas em sentenças, do mesmo modo as idéias construídas com esses caracteres universais obedecem a uma gramática. Leibniz e os que o auxiliavam tinham apenas que descobrir essas regras gramaticais ideais, e estariam capacitados a resolver todas as questões, da maior até a me-

126 A GUERRA DO CÁLCULO

nor, decompondo adequadamente a questão nos caracteres simbólicos apropriados e combinando depois os caracteres na forma lógica ditada por sua gramática interna. Era para ser uma análise do pensamento humano digna de ser considerada um tributo à análise humana.

A linguagem universal era uma idéia ousada e bela, mas não seria um feito fácil. Nem se faria sem uma grande despesa, porque Leibniz acreditava que os homens cultos da academia, que, sem dúvida, viriam de todos os cantos da Alemanha, deveriam ser liberados de preocupações financeiras, dando-se a eles remunerações, assim como os instrumentos e as instalações para efetuarem suas pesquisas. Uma tal provisão de recursos seria difícil de conseguir, uma vez que Hanover, como todas as cortes alemãs, não tinha a vantagem dos grandes Estados centralizados com uma ampla base tributária, como a França. A despeito do quanto a corte de Hanover ansiasse pela grandeza do Palácio de Versalhes, poderia ela competir? A solução, de acordo com Leibniz, era aumentar a produção das minas vizinhas e despejar os ganhos adicionais no seu projeto.

Mas primeiro ele precisava drenar as minas. Seus memorandos para o duque eram, a princípio, vagos, dizendo meramente que poderia aumentar a produção sem mencionar como, mas afinal ele revelou que iria projetar novas bombas eliminando a fricção e tornando a conversão de energia mais eficiente utilizando ar comprimido. Prometeu construir novos e aperfeiçoados cata-ventos que operariam melhor com vento fraco do que os então existentes o faziam com ventania forte, adaptando às pás velas dobráveis que iriam se abrir e fechar para se ajustar à força do vento. Ele produziu também um esquema para um cata-vento horizontal — algo que se parece com uma roda-d'água deitada de lado.

Quando Leibniz primeiro propôs essas idéias, pouco tempo antes que o velho duque morresse, Johann Friedrich não tinha se mostrado um defensor entusiástico delas, mas ele era um defensor entusiástico de seu conselheiro e por isso havia concordado com o projeto Harz, em outubro de 1679, e fizera mesmo redigir um contrato. Quando morreu, o projeto já tinha tal impulso que continuou sob o novo duque, o qual estava por demais feliz em apoiar financeiramente o projeto — pelo menos a princípio. Mesmo assim, ele fez Leibniz arcar com alguns dos custos da construção do cata-vento.

O Início da Sublime Geometria

127

Leibniz iria se defrontar continuamente com excesso de custos e despesas não-previstas. Sua estimativa original de 330 táleres havia inchado em meados de 1683 para um custo de 2.270 táleres. E desde o início o projeto vinha sendo tumultuado por brigas internas. O órgão que administrava as minas se opunha a Leibniz a cada passo do projeto. Provavelmente devido a essa oposição, ele começou a suspeitar de que seus esforços estavam sendo sabotados. Queixou-se a Ernst August que os funcionários daquele órgão estavam colocando obstáculos a cada etapa e envenenavam os operários contra ele usando mentiras e ameaças. Esses funcionários, por sua vez, em seus relatórios ao duque despejavam igual quantidade de desdém sobre Leibniz.

Ernst August cansou-se do projeto depois que os custos incharam como um balão e o projeto não conseguira produzir resultados até 1683, e ao final desse ano cortou seu financiamento. Daí em diante, Leibniz teve que prosseguir à sua própria custa. Ele fez uma série de testes em 1683, 1684 e novamente em 1685 com sucesso apenas parcial. As máquinas constantemente quebravam e provocavam longos atrasos, necessitando de custosos consertos. O vento caprichoso soprava e cessava e tornava até mesmo o teste do sistema uma experiência penosa. Em meados de 1684, o relatório mensal do órgão governamental vinha repleto de queixas sobre o projeto, e Leibniz se defrontou com o que entendeu como sendo uma revolta dos trabalhadores. Ele atribuiu a culpa pelos insucessos aos trabalhadores e administradores nas minas, que, segundo suspeitava, temiam pelo seu atual meio de vida, e sabotavam o projeto, e, com este, o progresso.

Finalmente, em 14 de abril de 1685, o duque puxou a tomada por completo e ordenou a Leibniz que desse fim à construção dos seus cataventos, imediatamente e para sempre.

Qualquer que tenha sido a causa do insucesso do projeto — as grandes despesas, a falta de apoio inicial ou eventual por parte de todas as demais pessoas envolvidas, para não citar as condições desfavoráveis do tempo —, ela também trouxe alguns sucessos inesperados. Inspirou Leibniz a visitar muitas minerações em suas extensas viagens pela Europa. Ele havia se atirado ao trabalho, estudando e registrando uma apreciação de todos os aspectos das minas — da sua administração à química dos processos, à geologia dos terrenos. Sempre que ia a uma região, procurava deixar tempo em sua programação para visitar uma mina, e tornou-se um especialista em mineração. Ele até propôs um esquema para alterar a composição das barras de metal. A prata das minas de Hanover era superior, afirmava Leibniz, e assim devia ser misturada com uma quantidade adequada de algum outro minério quando fosse fundida e moldada em lingotes.

Além disso, no decorrer das investigações, Leibniz tornou-se interessado pelas rochas e por como elas chegaram ao lugar onde agora se encontravam. Diz-se que, em suas viagens subseqüentes, ele nunca perdeu uma oportunidade de estudar fósseis e formações geológicas. Leibniz olhava para os minerais em busca de indícios de suas origens, e suas percepções eram às vezes surpreendentes. Quando encontrou, por exemplo, um enorme dente pré-histórico em 1692, ele o interpretou como uma prova não de algum antigo monstro, mas como evidência indicativa de que os oceanos em tempos passados cobriram a Terra. Propôs também a teoria de que a Terra inicialmente encontrava-se fundida. De certa maneira, Leibniz foi o pai da geologia, porque escreveu uma das primeiras descrições físicas da Terra, antecipando-se às modernas ciências.

Apesar de sua capacidade e de seu entusiasmo, seu projeto de um cata-vento foi um enorme fracasso — fracassou no seu principal propósito, que era armazenar a água, gerar uma receita extra e permitir o financiamento de 49 homens de ciência. Não deixou de ser também uma bomba financeira para Leibniz. Ele gastou uma pequena fortuna no Projeto Harz.

ENQUANTO ISSO, NEWTON havia rastejado para uma situação difícil. Ele se afastava firmemente da ciência e da matemática, e se aproximava da teologia e da alquimia, as quais o haviam absorvido durante a maior parte do final da década de 1670 e do princípio da de 1680. Tanto quanto se sentira molestado pelas controvérsias que cercaram suas experiências no campo da ótica, foi ele atraído para esses novos assuntos, que via como extremamente importantes e que iriam, de diferentes maneiras, ocupá-lo e absorvê-lo pelo resto da vida.

O Início da Sublime Geometria

129

Ele aplicou uma grande dose de energia em suas pesquisas alquímicas — horas incontáveis colecionando e copiando textos e trabalhando num extenso índice químico. Organizar manualmente uma base de dados com centenas de tópicos, cada um com referências para mais de uma centena de textos alquímicos, além de outros comentários, foi uma experiência tediosa. Ler esses textos hoje é quase impossível. Alguns deles são bizarros, especialmente para um leigo — cheios de tantos símbolos estranhos e referências à mitologia que se poderia pensar que Newton estava louco. Na realidade, esses símbolos eram anotações para designar diferentes elementos ou substâncias a serem combinadas, tais como chumbo, cobre ou mercúrio.

Newton estava igualmente atraído por assuntos teológicos. Ele escreveu interpretações das revelações bíblicas e trabalhou durante anos em projetos tais como o esclarecimento das profecias de Daniel e João. Estava convencido, por exemplo, de que as Escrituras haviam sido corrompidas durante os séculos IV e V. Escreveu alguns tratados sobre o tema da Trindade, como um que preparou para um amigo em 1690 no qual explicou: "Já que os discursos de alguns escritores falecidos despertaram em você a curiosidade de conhecer a verdade daquele trecho da Escritura referente ao testemunho dos três no Céu (...) eu lhe enviei aqui um relato de qual tem sido a interpretação em todas as idades e por quais passos ela tem sido alterada, até onde eu posso até agora determinar pelos registros. E eu o fiz mais livremente porque você entende os muitos abusos que eles, da Igreja [católica], têm imposto ao mundo."

Ele era de certa forma um historiador, e se dispôs a corrigir a cronologia antiga e a melhorá-la baseando-a em princípios matemáticos. Newton se dedicava a combinar fatos históricos com referências bíblicas e a esclarecer os detalhes da história em geral. Ele concluiu, por exemplo, que a data adotada como sendo a da queda de Tróia (então considerada como sendo 1184 a.C.) estava errada. Ele a corrigiu para 904 a.C. Também se considera ter sido Newton talvez a mais abalizada autoridade de todos os tempos sobre as invasões dos bárbaros nos séculos V e VI. Ele estudou extensamente textos oriundos de várias tradições a fim de reproduzir as plantas do Templo de Jerusalém; preocupado em determinar suas dimensões exatas, examinou antigos textos onde o templo era descrito e converteu as medidas antigas em comprimentos modernos.

Quando Newton morreu, seu trabalho em cronologia foi reconhecido como sendo um dos mais importantes que realizou, tanto assim que uma versão não-autorizada de sua pesquisa histórica foi publicada em 1725 na França por Nicolas Fréret. A edição oficial da cronologia saiu alguns anos mais tarde, em 1728, pouco depois que Newton morreu. Era uma história da humanidade desde o tempo de Alexandre, o Grande, incluindo as cronologias grega, assíria, egípcia, babilônica e persa, o que a faz soar enganosamente interessante.

Juntos, estes estudos alternativos ajudam a desvendar a figura de Newton. Como muitos grandes personagens históricos, Newton é um enigma. Não porque manteve seu trabalho escondido de sua mulher ou porque fez secretamente algumas colaborações para o esforço de guerra do governo. Ele realmente nunca se casou, e seu mundo político girava em torno da intriga científica mais do que de guerras e de problemas de sua época. Newton era um enigma porque contribuiu tanto para a Humanidade através de sua ciência e, contudo, passou tantos anos em infindável contemplação de atividades religiosas e alquímicas. Ainda que esses esforços de fato se encaixem naturalmente na época em que ele vivia, parece estranho que um cientista tão brilhante tenha gasto tanto tempo com alquimia, teologia e a cronologia de acontecimentos históricos e bíblicos.

Durante a década de 1680, enquanto Leibniz estava aparentemente absorvido pelo seu projeto do cata-vento, o trabalho de Newton sobre o cálculo acumulava camadas e camadas de espessa poeira. Mas Leibniz não havia gasto todo o seu tempo nas minas. Ele estava prestes a publicar o primeiro artigo de todos os tempos referente ao cálculo, e assim disparar o primeiro tiro das guerras do cálculo.

A MATEMÁTICA, PARA Leibniz, tinha a força da demonstração. Nos primeiros anos da década de 1690, o príncipe Gasto de Florença, que Leibniz havia conhecido durante suas viagens pela Itália, lhe enviara um problema para construir uma certa forma geométrica que ele precisava

O Início da Sublime Geometria   131

resolver, e o alemão foi capaz de achar uma solução em apenas poucas horas. Mas Leibniz sonhava com uma matemática que tivesse muito maior alcance do que a matéria a que hoje damos esse nome (como uma disciplina pura, ou uma que encontra uso principalmente em aplicações científicas, nas ciências sociais, e em outros campos de atividade). Leibniz via possibilidades para a matemática em utilizações que dificilmente podem ser imaginadas.

Ele pensava que podia ser possível criar um cálculo estético que permitiria aos artistas produzir grandes obras de arte do mesmo modo que uma pessoa pode resolver uma equação, introduzindo números e calculando. Até pensou que a mesma abordagem geral poderia ser usada para criar poesia e música, que ele definia como "uma aritmética da alma, que não sabe que pode calcular". Que ele nunca tenha chegado a lugar algum com qualquer desses outros cálculos não deprecia de modo algum o que ele fez com o cálculo, apresentando-o ao mundo antes de qualquer outro.

A história de sua publicação começou durante o projeto das minas das montanhas Harz, quando Leibniz hospedou Otto Menck, um professor que ele conheceu em Leipzig, onde havia crescido. Menck tinha idéia de lançar uma revista científica que iria manter os intelectuais na Alemanha a par das últimas descobertas ocorridas nos Estados alemães e em toda a Europa, e Leibniz dava grande apoio à idéia. Ele tornou-se co-fundador dessa revista com Menck e, em 1682, as *Acta Eruditorum Lipsienium*, ou "Atas dos Intelectuais de Leipzig", ou, às vezes, "Atas dos Eruditos", começaram a ser publicadas como revista mensal.

Foi a primeira revista científica editada na Alemanha, e Leibniz estava intimamente associado a ela, tendo nela publicado seus trabalhos até sua morte em 1716. Isso foi muito importante para Leibniz, que tinha encontrado algumas dificuldades para conseguir publicação e havia tentado repetidas vezes durante três anos, de 1677 a 1680, conseguir que um dos seus trabalhos matemáticos fosse publicado em Paris e Amsterdam sem sucesso. Mas agora podia publicar livremente nesse novo órgão, e muitas vezes ele contribuiu com artigos para ele — incluindo muitos dos documentos-chave nas guerras do cálculo

132 A GUERRA DO CÁLCULO

Mesmo no início da década de 1680 — anos em que Leibniz assistiu ao infeliz desdobramento de sua idéia de um cata-vento para os poços da mina — ele era tão prolífico que podia publicar um artigo importante sobre matemática em um dado mês, e um trabalho seminal sobre sua filosofia no mês seguinte. Em outubro de 1684, exatamente na fase de maior preocupação com seu projeto de mineração, ele publicou um artigo cujo curto nome é "Nova Methodus Pro Maximis et Minimis" (Novo método para máximos e mínimos) nas *Acta Eruditorum*. Essa foi a primeira publicação relativa ao cálculo a sair em qualquer parte do mundo, e nela Leibniz estabeleceu as regras para diferenciação.

Na nota de encaminhamento do artigo para seu amigo Menck, ele escreveu que seu cálculo "seria da maior utilidade em toda a matemática". Um dos admiradores posteriores de Leibniz derramou-se em arroubos sobre essa publicação. "[Em] 1684, ele procedeu à publicação dos resultados de seus labores nas *Acta Eruditorum* e por esse meio suscitou a admiração de todo o mundo científico para a riqueza e o brilhantismo de sua descoberta."

Na realidade, o artigo era mais complicado. Estava modelado segundo um trabalho velho de meio século de Descartes intitulado *Géométrie*, e por seu estilo era difícil de ler. Jacob Bernoulli o classificou como um enigma em vez de uma explanação. Embora tivesse apenas seis páginas, seu título completo era merecedor de uma obra muito maior: "Um novo método para máximos e mínimos assim como Tangentes, o qual não é impedido nem por grandezas fracionárias nem irracionais, e um notável tipo de cálculo para elas", seria esse título se traduzido fielmente para o português.

Mas o trabalho continha uma enorme quantidade de tesouros. Leibniz realizou nele com facilidade façanhas matemáticas, tais como derivar a lei dos senos de Snell. "Outros homens muito instruídos", escreveu ele ousadamente, "têm procurado de muitos modos tortuosos o que alguém versado neste cálculo pode realizar segundo estas linhas como por mágica." Ele resolveu com facilidade um problema que Descartes não conseguiu solucionar durante toda a sua vida. E Leibniz continuava em seu artigo: "E isso é apenas o começo de uma geometria muito mais sublime, pertinente a mesmo os mais difíceis e mais belos problemas da matemática aplicada, os quais sem o nosso cálculo diferencial ou alguma coisa semelhante ninguém poderia atacar com igual facilidade."

Significativamente, Leibniz não incluíra nenhuma introdução histórica em seu artigo. Se o tivesse feito, ele podia ter mencionado o trabalho que desenvolvera seus métodos e a comunicação entre ele e Newton quase uma década antes. No artigo, Leibniz não fez nenhuma referência àquela correspondência, e em nenhum lugar dá crédito a Newton, nessa ou em qualquer publicação subseqüente, e isto pode ter sido um erro. Se ele houvesse agradecido a Newton de alguma maneira, este poderia não ter se voltado contra ele anos depois. Mas ele não usou essas palavras. Em vez disso, apenas mergulha numa sucinta explicação de seus próprios métodos sem mencionar Newton uma vez sequer.

Embora Leibniz não houvesse mencionado Newton no artigo, ele o cita na carta de encaminhamento que enviou a seu amigo Menck em julho de 1684. "No que concerne ao Sr. Newton, eu tenho cartas dele e do falecido Sr. Oldenburg, nas quais eles não disputam comigo a minha quadratura, mas a reconhecem", escreveu Leibniz. "Eu também não acredito que o Sr. Newton irá reivindicá-la para si, mas apenas algumas invenções relativas às séries infinitas que ele em parte também aplicou ao círculo." Essas invenções, diz Leibniz ao seu amigo, foram descobertas em primeiro lugar por Mercator, depois desenvolvidas por Newton e então continuadas pelo próprio Leibniz "por outro caminho".

Nessa carta de encaminhamento, Leibniz prevê as guerras do cálculo e ao mesmo tempo as menospreza, definindo que ele havia criado um método e Newton um outro. "Reconheço", escreveu ele, "que o Sr. Newton já tinha os princípios a partir dos quais ele bem poderia ter derivado a quadratura, mas todas as conseqüências não são achadas de uma só vez: um homem faz uma combinação e outro homem, uma outra."

Leibniz não podia, em certo sentido, ser acusado de ter subestimado Newton, já que para ele a segunda carta enviada por Newton em 1676 continha pouco mais do que uma "simples enunciação" de conceitos, nenhum dos quais nem mesmo era novo para ele. Não obstante, ele parece haver reconhecido que Newton estava de posse de certas técnicas matemáticas paralelas ao seu próprio cálculo, ainda que nunca estivesse completamente satisfeito em seu desejo de descobrir o que era exatamente o método das fluxões de Newton. Quando as guerras do cálculo corriam soltas, naquilo que seria a mais amarga ironia para Leibniz, Newton iria inverter a situação e alegar que fora realmente tão explícito em explicar suas fluxões a Leibniz que foi isto essencialmente o que permitiu a este criar seu cálculo.

É claro que essa situação não iria perdurar por muitos anos. Em 1684, quando Leibniz publicou seu cálculo, Newton havia mais ou menos abandonado a matemática. Mas estava pronto a ser puxado de volta para ela de maneira intensa. Estavam acontecendo encontros e trocas de informações que iriam levar Newton a publicar o livro pelo qual ele é mais famoso, o *Princípios matemáticos da filosofia natural*, ou *Principia*.

A primeira dessas trocas de informações aconteceu no final da década de 1670, e foi iniciada por Hooke, que ofereceu a Newton um ramo de oliveira numa carta escrita em 24 de novembro de 1679. "Eu tenho esperanças, portanto, de que você gentilmente continuará com seus antigos favores à Sociedade, comunicando o que quer que lhe ocorra de filosófico, e em troca eu me certificarei de lhe dar conhecimento do que nós recebamos de pertinente ou descubramos originalmente aqui", escreveu Hooke a Newton.

Na mesma carta, ele tentou dar satisfações pelos problemas passados. "Não sou ignorante de que tanto previamente e não há muito também houve alguns que se esforçaram por me apresentar mal perante você e possivelmente eles ou outros não quiseram fazer o mesmo para mim, mas diferença de opinião, se tal houver (especialmente em assuntos filosóficos onde o interesse tem pouca importância), eu penso que não deve ser ocasião para Inimizade — não comigo, estou seguro", escreveu Hooke. "Da minha parte eu considerarei um grande favor se você quiser comunicar por carta suas objeções contra qualquer uma das minhas hipóteses ou opiniões." E acrescentou: "Particularmente se você me der a conhecer seus pensamentos sobre aquilo relativo à decomposição dos movimentos celestiais dos planetas em um movimento retilíneo na direção da tangente & um movimento atrator em direção ao corpo central."

Este último trecho era a verdadeira razão por que Hooke estava interessado em conversar amigavelmente com Newton. Ele sabia que este era um extraordinário matemático e filósofo da Natureza, e Hooke havia se interessado por um assunto sobre o qual suspeitava que Newton tinha grande conhecimento — a natureza gravitacional do movimento dos planetas. Hooke escreveu novamente em 17 de janeiro de 1680, reiterando seu interesse pelas propriedades da trajetória que um corpo iria tomar sob a influência de uma força atrativa central — essencialmente, que trajetória alguma coisa, como um cometa ou a Terra, seguiria em seu curso em torno do Sol se fosse atraída pela gravidade deste. "Eu não duvido que por seu excelente método você irá facilmente achar o que aquela Curva deve ser, e suas propriedades, e indicar uma razão física dessa proporção", escreveu Hooke. "Se você tiver tido algum tempo para pensar sobre este assunto, uma ou duas palavras sobre seus pensamentos a respeito serão muito bem-vindas para a sociedade (onde tem sido debatido)."

Hooke pode ter achado mais fácil sugerir que a Royal Society como um todo estava interessada nas opiniões de Newton do que admitir que era ele quem mais estava empenhado. Como secretário da sociedade, ele certamente tinha autoridade para falar em nome do conjunto dos seus membros. E as mensagens que os dois trocavam eram, na superfície, muito cordiais, sendo que Newton fechava suas cartas como "Seu muitíssimo obrigado e Humilde Servo Isaac Newton", e Hooke "Seu mais afetuoso humilde Servo Robert Hooke". Mas nunca chegaram a lugar algum — isto é, até alguns anos depois, quando Edmond Halley entrou na história.

Halley conheceu Hooke e Christopher Wren numa loja de café num dia da primavera de 1684. Lojas de café floresciam em Londres no século XVII e pelo final desse século havia milhares. Elas constituíam um foro para encontros e eu as imagino como sendo iguais às melhores lojas de café atuais, com homens que ainda não se conhecem, fedendo a tabaco, encontrando-se e sentando-se inclinados sobre largas mesas manchadas pelo óleo dos grãos de café. Halley estava curioso quanto ao cometa que hoje leva seu nome, e colocou uma questão simples àqueles dois homens: que espécie de trajetória seguiria um corpo celeste como um cometa?

Hooke tinha uma explicação física, e era a correta. Corpos celestiais, disse ele, obedeceriam a uma lei de atração segundo o inverso dos

136   A GUERRA DO CÁLCULO

quadrados. Wren, talvez ainda não convencido, pediu a Hooke que demonstrasse como sabia que era uma lei baseada no inverso dos quadrados da distância, mas Hooke recusou-se. Wren desafiou Hooke a provar o que dissera, prometendo que o recompensaria com um valioso livro no valor de 40 xelins se ele o fizesse. Hooke não tinha uma prova matemática, portanto não podia aceitar essa aposta. Assim, preferiu declinar. Enquanto isso, Halley permanecia sentado e insatisfeito. Ele achava que tinha a resposta, mas como poderia ter certeza?

Wren disse a Halley que um certo professor de matemática que conhecera em Cambridge chamado Isaac Newton podia ser capaz de responder à questão, e, então, alguns meses depois, em agosto, exatamente quando os tipógrafos na Alemanha estavam prestes a imprimir o famoso primeiro artigo de Leibniz sobre o cálculo, Halley viajou para Cambridge.

A viagem de 80km por uma estrada poeirenta, irregular e cheia de curvas deve ter sido um inferno para Halley dentro de uma sacolejante e perigosa carruagem do século XVII. Hoje é uma beleza. Por um punhado de notas de pouco valor, qualquer um pode comprar uma passagem para a viagem de trem de Londres para Cambridge, com duas ou três saídas por hora, e que dura cerca de quarenta minutos, sem paradas. O cenário durante a viagem ainda é, em muitos aspectos, similar ao que era nos dias de Newton. Você passa por colinas ondulantes e fazendas separadas por velhos muros de pedra. Paredes cobertas de alumínio, tratores a diesel e ocasionalmente uma antena parabólica são as únicas coisas que dão ao cenário uma aparência mais moderna.

Quando Halley chegou a Cambridge e atravessou o grande portão no Trinity College, ele procurou por Newton e lhe fez a mesma pergunta que havia feito a Wren e Hooke, meses antes. Que espécie de trajetória segue um corpo celeste? Newton respondeu de imediato: uma elipse. As órbitas dos planetas ao redor do Sol seguem uma lei do inverso do quadrado da distância, e a trajetória é elíptica. Era uma resposta simples que iria mudar para sempre as vidas dos dois homens.

Halley foi tomado de "alegria e grande surpresa" ao escutar as palavras de Newton. Foi a mais doce música para os ouvidos de Halley ouvir Newton dizer o que Hooke já lhe havia dito. Mas poderia Newton pro-

O Início da Sublime Geometria

vá-lo? Halley perguntou a este como podia saber. Newton respondeu-lhe que sabia porque havia usado a matemática. Ele o havia calculado.

Ao escutar isto, Halley imediatamente pediu para ver as anotações. Newton havia calculado muitas dessas coisas anos antes, e não tinha exata certeza sobre onde encontraria os cálculos — certamente não a poderia encontrar enquanto Halley esperava ansioso em seus aposentos. Assim, pediu a Halley que voltasse para Londres e prometeu-lhe enviar os cálculos em seguida. Newton cumpriu esta promessa, enviando duas provas depois que Halley partiu. Escreveu ainda um pequeno livro, *De Motu Corporum* (Sobre o movimento dos corpos) que também enviou para Halley. Halley, reconhecendo sua importância, passou a bajular Newton para que escrevesse mais.

E Newton o fez. Ele começou em 1685 e mandou a primeira parte para a Royal Society a tempo de ser incluída na ata da sociedade de 28 de abril. Embora alguns possam pensar que a maior contribuição de Halley foi predizer a volta do cometa ao qual ele acabou por dar o seu nome, pode-se argumentar que de fato seu maior feito foi convencer Newton a publicar um dos mais importantes livros já escritos — os *Principia*.

Na realidade, Halley não apenas bajulou Newton para que escrevesse os *Principia*, ele também supervisionou a produção do livro e pessoalmente custeou as despesas de sua publicação em 1687, uma vez que a Royal Society não conseguiu arrecadar os fundos para isso. "Eu finalmente terminei seu livro", escreveu Halley a Newton em 5 de julho de 1687, e "espero que ele vá agradá-lo". Halley deu a Newton 27 exemplares, e forneceu quarenta aos livreiros de Cambridge, que poderiam ser vendidos, naquela época, por alguns xelins.

E Halley escreveu orgulhoso ao rei Jaime II, em julho de 1687: "E eu posso ser ousado por dizer que, se alguma vez um livro foi tão digno da aceitação favorável de um príncipe, este, no qual tantas e tão importantes descobertas referentes à constituição do mundo visível são escritas e colocadas fora de discussão, deve necessariamente ser agradável a vossa majestade; sendo especialmente o trabalho de um seu digno súdito e membro daquela Royal Society fundada por seu falecido real irmão para o progresso do conhecimento da Natureza, e que agora floresce sob a muito bondosa proteção de Vossa Majestade."

138 A GUERRA DO CÁLCULO

Enquanto Newton estava começando a trabalhar nos *Principia*, o trabalho de Leibniz propagava-se pela Europa e tinha atravessado o Canal da Mancha. Um escocês, John Craig, que vivia em Cambridge e era amigo de Newton, publicou a primeira obra sobre o cálculo na Inglaterra em 1685, um ano após Leibniz ter publicado seu artigo. Craig escreveu um livro, *The Method of Determining the Quadratures of Figures*, que descrevia o trabalho de Leibniz sobre diferenciais e usava a notação deste. Isso efetivamente apresentou a Inglaterra ao cálculo — ou pelo menos a maior parte da Inglaterra, já que Newton vinha escondendo seu próprio método por duas décadas.

Craig era um entusiasta da matemática e até certo ponto um ator esquecido na invenção do cálculo. Ele publicou mais sobre o assunto do que talvez qualquer outra pessoa que vivesse em sua época. Além do livro de 1685, escreveu outro em 1693, e também contribuiu com artigos sobre o cálculo para as *Philosophical Transactions of the Royal Society* em 1701, 1703, 1704 e 1708. Talvez porque tivesse devido tanto a Newton e Leibniz, seu nome não é hoje prontamente associado ao cálculo.

Nem é ele um guerreiro importante das guerras do cálculo — provavelmente porque procurava os que o inspiravam e a eles agradecia. Craig havia falado com Newton antes de publicar seu livro de 1685 e dele havia obtido o teorema do binômio. Em seu livro de 1693, escreveu aquilo que pode ser considerado como o modelo de agradecimento elegante a Leibniz. "A fim de não parecer que estou atribuindo demasiado a mim mesmo, ou diminuindo de outros", escreveu Craig, "eu livremente admito que o cálculo diferencial de Leibniz me deu tanta assistência para descobrir essas coisas que sem ele eu dificilmente poderia ter pesquisado o assunto com a facilidade que desejava."

Leibniz, ciente do livro de Craig de 1685 e dos trabalhos de matemáticos e cientistas em outras partes da Europa, teve a inspiração de enviar seu segundo artigo sobre o cálculo em 1686 para as *Acta*, com o título "Sobre a geometria recôndita e a análise dos indivisíveis e das infinidades". Era aquilo em que ele pensava como sendo o inverso da diferenciação—integração. Ele começou o artigo apregoando que os métodos que apresentara em seu artigo anterior "receberam não pequena aprovação de certos homens instruídos e na verdade estão sendo gradualmente introduzidos no uso geral". E nesse segundo e mais longo artigo Leibniz prometia tornar o cálculo ainda mais claro.

"Como as potências e as raízes nos cálculos comuns, assim aqui soma e diferenças (...) são o inverso uma da outra", escreveu Leibniz. Ambos os artigos, o de 1684 e o de 1686, são notáveis como as primeiras descrições do cálculo que foram publicadas, e pela introdução das notações para integração e diferenciação (as ferramentas gêmeas da análise com base no cálculo) que ainda hoje estão em uso — muito embora as expressões "integral" e "cálculo integral", agora comumente usadas, não fossem realmente mencionadas no artigo de 1686. Na realidade, Leibniz nunca pretendeu chamar sua "geometria recôndita" de cálculo integral. O termo "integral" foi usado pela primeira vez num artigo de um dos irmãos Bernoulli em 1690, e "cálculo integral" apareceu como um termo num artigo escrito por Johann Bernoulli juntamente com Leibniz em 1698.

Em 1686 as coisas realmente se cristalizaram para Leibniz. Nesse ano ele publicou seu famoso "Discurso sobre a metafísica", a primeira descrição sistemática de sua filosofia, e que lhe permitiu iniciar sua correspondência com Antoine Arnaud — uma coisa que havia tentado fazer quase vinte anos antes. Leibniz enviou a Arnaud os títulos dos capítulos do seu livro como um meio de abrir a conversação, e o que se seguiu é um dos diálogos mais famosos da história da filosofia, a correspondência Arnaud-Leibniz, que até hoje é publicada.

De certo modo, é estranho se pensar como sua obra filosófica inspirou um longo e interessante diálogo, porque a mesma coisa podia ter acontecido com seus artigos no campo da matemática. Estes podiam ter tido o mesmo efeito daquela obra e ter ocasionado um diálogo entre ele e Newton. Mas não tiveram esse efeito.

Newton estava ocupado escrevendo os *Principia*, um projeto gigantesco e absorvente. De fato, é justo dizer que nesses anos Newton passava, já na meia-idade, por novos anni mirabiles, durante os quais ele escreveu essa obra em apenas 18 meses.

Em 22 de maio de 1686, Halley escreveu com orgulho a Newton: "Seu incomparável tratado (...) foi apresentado pelo Dr. Vincent à R.

Society no último dia 28, e eles foram tão sensíveis à grande honra que você lhes faz por sua dedicatória, que imediatamente mandaram a você seus mais cordiais agradecimentos, e ordenaram que um conselho seja convocado para decidir sobre a impressão do seu trabalho."

Aproxim. .amente pela mesma época, Halley foi o portador de más notícias. Quando Hooke soube dos *Principia* ficou furioso. Ele havia enviado a Newton uma carta cerca de seis anos antes e não pretendia ficar inerte com sua suspeita de que Newton estava ainda outra vez roubando seu sucesso.

"Há mais uma coisa da qual eu devo informá-lo", escreveu Halley a Newton, "que Hooke tem pretensões sobre a invenção da regra da diminuição da gravidade se dar reciprocamente com os quadrados das distâncias do centro. Ele diz que você teve a noção dele, embora ele reconheça que a demonstração das curvas geradas por isso seja inteiramente sua."

Hooke queria que Newton lhe desse o devido crédito; e Halley escreveu a Newton e polidamente lhe sugeriu que o fizesse. "O Sr. Hooke parece esperar que você tivesse feito alguma menção a ele no prefácio", escreveu Halley.

Newton arrepiou-se com a idéia. Depois que Halley lhe escreveu enviando a primeira prova dos *Principia*, Newton respondeu-lhe em 20 de junho de 1686 pedindo que sua inteligência não fosse insultada. "Espero que não me seja recomendado que eu declare em letra de forma que eu não entendi as óbvias condições matemáticas de minha própria hipótese. Mas concedo que eu a recebi posteriormente do Sr. Hooke", escreveu Newton. Depois de páginas de defesa quanto à disputa com Hooke, Newton finalmente aborda a carta de Halley dizendo "gostei muito da prova que você me enviou".

Acrescenta, então, uma nota que se estende por várias páginas mais. "Desde que escrevi esta carta fui informado por uma pessoa que o ouviu de outra recentemente presente a um de seus encontros, de como aquele Sr. Hooke fez lá uma grande agitação fingindo que eu tinha [tirado] tudo dele & desejando que eles viessem a ver que lhe seria feita justiça. Esta carga sobre mim é muito estranha & imerecida." Newton estava tão furioso que ameaçou destruir por completo um terço dos

Principia. Mais tarde se acalmou e rendeu-se às sugestões de Halley de que mencionasse Hooke, mas desde que fosse no mesmo contexto de Christopher Wren e Halley.

Nos *Principia*, Newton também menciona sua troca de cartas anterior com Leibniz. "Quando, em cartas trocadas entre mim e esse capacitado geômetra G.W. Leibniz dez anos atrás, indiquei que possuía um método para determinar máximos e mínimos, para traçar tangentes e executar operações similares (...) aquela pessoa famosa respondeu que também havia encontrado um método da mesma espécie, e comunicou seu método para mim, o qual pouco diferia do meu, exceto quanto às palavras e à notação."

Essas palavras iriam se tornar muito repetidas pelos dois lados anos depois nas guerras do cálculo, mas em 1687 passaram quase sem serem notadas. Esse ano, do mesmo modo que uma década antes, foi um momento perdido. Exatamente quando Newton, em outras condições, podia ter analisado com cuidado o que Leibniz vinha fazendo imprimir e o que as pessoas vinham dizendo sobre o cálculo, ele estava com a atenção voltada para mais problemas com Hooke. Em vez de iniciarem uma conversa que podia resultar em reconhecerem sua co-invenção do cálculo, eles tomaram ciência dos trabalhos do outro e começaram a formar, nos lados opostos do Canal da Mancha, uma silenciosa competição — calma pelo menos por enquanto.

7

Os Belos e os Amaldiçoados

■ 1687-1691 ■

*Os benefícios que, no curso de quase meio século, teriam se acumulado
para a ciência da conexão harmoniosa, que foi tão brutalmente
dissolvida, entre estes dois grandes filósofos, dificilmente poderiam ser
superestimados.*

— John Milton Mackie, em *Godfrey William von Leibniz*, 1845.

Samuel Pepys viveu uma vida encantada. Ele não foi um dos maiores homens de seu tempo e, contudo, seu nome ainda hoje soa alto e claro porque foi uma testemunha, através de seus diários, de uma das épocas mais interessantes da história da Inglaterra. E o curto período de sua vida em que dirigiu a Royal Society não foi exceção. Foi durante sua breve presidência, pouco mais de um ano — um dos mais curtos períodos em que alguém ocupou essa posição nos 350 anos de história da Royal Society —, que Newton terminou os seus *Principia*. E porque Pepys supervisionou a distribuição do livro, o imprimátur na página do título datado como "Julii 5, 1686", traz as palavras S. Pepys Reg. Soc. Praeses. Juntamente com alguma informação sobre os impressores, e, finalmente, a data de publicação MDCLXXXVII (1687).

Muitos fizeram imediatamente comentários sobre a importância do livro. David Gregory escreveu a Newton em 2 de setembro de 1687 que, "tendo visto e lido seu livro, sinto-me obrigado a meus mais calorosos agradecimentos por ter se esforçado a fim de ensinar ao mundo

144 A Guerra do Cálculo

aquilo que eu nunca esperei que homem algum devesse saber. Pois tal é a poderosa melhoria feita por você na geometria, e tão inesperadamente bem-sucedida a aplicação dela à física que você merece com justiça a admiração dos melhores geômetras e naturalistas, nesta e em todas as idades que a sucederão".

E que livro! Suas mais de quinhentas páginas em latim erudito do século XVII estavam cheias de complicados diagramas, ilustrações, tábuas de observações astronômicas, desenhos geométricos e uma série de proposições, problemas, corolários, definições e notas. Os *Philosophiae Naturalis Principia Mathematica* ("Princípios matemáticos da filosofia natural"), ou simplesmente *Principia*, eram um livro destinado a causar um importante impacto na ciência. Ele iria se tornar um dos maiores livros científicos já escritos, contendo uma das maiores massas de conhecimento já concebidas: a mecânica newtoniana ou "clássica", uma interpretação, com descrições matemáticas, da mecânica do movimento, que é ainda hoje a porta de entrada para a graduação em física.

Qualquer um que já tenha escrito um artigo técnico ou um trabalho original sobre assunto científico, não importa quão amplo seja seu objeto, poderá apreciar a enorme importância dos *Principia*. Nele, Newton apresentou as leis da mecânica como aplicáveis na Terra e no espaço exterior. Ele apresentou provas das leis de Kepler com base em seu trabalho original sobre centros de massa e gravidade. Também usou a gravidade para analisar a atração entre dois corpos maciços. Isto lhe permitiu explicar como Júpiter e suas luas interagem. Newton explicou o achatamento da Terra nos pólos e sua dilatação no Equador. Descreveu fenômenos que se tornaram a base da mecânica de fluidos, e analisou temas como a resistência ao movimento, os movimentos do pêndulo com e sem resistência, e o movimento das ondas no mar. Também elaborou a teoria das marés, explicando-as em termos de gravidade e atração da Lua sobre a Terra.

Finalmente, olhando para o restante do sistema solar, descreveu os movimentos dos planetas e explicou a precessão dos equinócios. Lutou para entender os cometas e mostrou que eles são parte do sistema solar. Estimou a densidade da Terra e calculou as massas dos demais planetas, do Sol e da Terra, e chegou realmente perto de determinar a massa da

OS BELOS E OS AMALDIÇOADOS

Terra. Abandonou a teoria do vórtice dos orbitais planetários, favorecida por Descartes e muitos outros no século XVII, e foi adiante para reconciliar as órbitas das luas de Júpiter e de Saturno com sua teoria da gravitação universal.

E o mais importante: ele desenvolveu sua teoria da gravitação universal — segundo a qual os corpos são atraídos uns para os outros em virtude da força de gravidade. Esta era de longe a idéia mais radical apresentada nos *Principia* — a noção de que existia alguma força pela qual toda massa no Universo atrai todas as outras massas. Esta tem sido chamada a mais importante descoberta científica de todos os tempos, e porque Newton usou essa teoria para conceber o Universo como uma vastidão com objetos interagindo uns com os outros pela ação dessa força gravitacional, ele tem sido chamado o pai da astronomia moderna — embora se distinguisse de outros astrônomos de sua época pelo fato de estes olharem através de um telescópio e observarem os movimentos dos corpos celestes.

A gravitação universal foi verdadeiramente uma revolução na ciência por se opor ao conhecimento e à lógica do senso comum. Para o estudante de ciências, essa descoberta é um exemplo inspirador dado por um jovem cientista ousado em seu momento de maior sucesso, o qual, através de uma combinação de trabalho duro e genialidade, produz algo que pode ser considerado verdadeiramente um novo paradigma. Para o filósofo, a gravitação universal é fértil de profundas conseqüências — cada partícula do Universo atraindo todas as outras. E para o historiador, a maneira gradual como a resistência deu lugar à aceitação e depois finalmente à defesa da teoria de Newton por outros durante sua vida e após sua morte é uma notável história.

Finalmente, para o historiador da ciência, os *Principia* representam um momento crítico. O século XVII não foi apenas aquele em que as pessoas começaram a mudar seu modo de ver o mundo. Estavam começando a compreender que elas também poderiam mudar, em primeiro lugar, o modo como haviam chegado a essas visões — através do empirismo, isto é, de observação e dados. Mas, enquanto a capacidade de compreender o mundo através da razão, e de quantificá-lo por meio da medição observável, não era algo exclusivo de Newton, seu pleno desa-

146 A GUERRA DO CÁLCULO

brochar veio com os *Principia* porque se manteve fiel às observações como um caminho para expressar a natureza de alguma coisa e descrevê-la matematicamente.

Para evitar enredar-se em disputas do mesmo modo em que se dera por motivo dos seus trabalhos no campo da ótica, Newton não sentiu necessidade de justificar a gravidade nos *Principia*. Mais tarde, ele escreveu a um homem chamado Bently dizendo que não pretendia saber a causa da gravidade. De fato, Newton escreveu nos *Principia* a famosa frase *Non fingo hypotheses*, ou seja, "Não invento hipóteses". Com esta frase em mente, ele recusou-se a fazer suposições sobre a natureza da gravidade e, pelo contrário, restringiu-se a descrever o comportamento da gravidade. Ele acreditava no experimental acima do hipotético, mesmo quando o hipotético fazia mais sentido.

Nem sempre foi assim tão fácil para seus contemporâneos aceitarem uma teoria que logicamente não fazia sentido. Isso ficou óbvio numa resenha extremamente favorável ao livro que apareceu numa revista da Europa continental, a qual apontava as boas coisas dos *Principia*. "O trabalho do Sr. Newton é o mais perfeito tratado de matemática que se possa imaginar, não sendo possível dar-se uma demonstração mais precisa ou mais exata do que as que ele apresenta", dizia o autor. Não obstante, este também expunha suas críticas: "Ele não considerou os princípios em questão como um físico, mas puramente como um geômetra."

Outros, muito especialmente Leibniz, estavam ainda menos entusiasmados com a idéia da gravidade, e passaram a rejeitar esse conceito. Leibniz jamais poderia aceitar a premissa básica da visão do mundo de Newton — que o espaço exterior é essencialmente um vácuo e que a Terra e os planetas giram em torno do Sol por força da atração gravitacional. Para Leibniz, teoria baseada em observação não era o suficiente. Ele não podia aceitar que a gravidade pudesse agir sobre um corpo a milhões de quilômetros de distância, através de um espaço aparentemente vazio.

Entre amor e ódio, o trabalho de Newton difundiu-se pelo mundo intelectual do século XVII de maneira completamente moderna. Resenhas apareceram na literatura, sumariando, louvando e, às vezes, criticando, e foi, de fato, por esse meio que Leibniz primeiro soube do livro. Ele leu uma longa resenha no número de junho de 1688 das *Acta Eruditorum* que louvava Newton como "um eminente matemático do nosso tempo". Essa matéria tinha 12 páginas de um seco resumo.

Numa carta que escreveu a um amigo, Otto Mencke, em 1688, Leibniz disse que havia estado em viagem e não tinha recebido suas publicações mais recentes. Mas, continuou, recebera uma carta de um amigo com um comentário sobre os *Principia* de Newton. "Eu encontrei um relato do célebre *Mathematical Principles of Nature*, de Isaac Newton", disse ele. "Esse homem notável é um dos poucos que levaram adiante as fronteiras da ciência."

Não obstante esse alto elogio, Leibniz relutou em reconhecer os méritos da teoria da gravitação universal, como apresentada nos *Principia*. Sua própria visão geral era que, enquanto fenômenos tais como o movimento dos planetas podiam ser explicados mecânica e matematicamente, as leis que os governavam deviam decorrer de razões mais elevadas. Essas razões, acreditava ele, eram inteligíveis e lógicas, e para ele a teoria do vórtice que Newton estava derrubando fazia mais sentido.

Leibniz havia feito alguns trabalhos interessantes em dinâmica. Havia postulado o que é essencialmente a conservação das energias cinética e potencial — que, por exemplo, uma bola mantida alguns metros acima do solo e deixada cair irá atingir o solo com uma energia cinética igual à energia potencial que tinha em sua posição inicial alguns metros acima do solo. Como já havia pensado bastante sobre alguns dos mesmos tipos de problemas que Newton havia atacado, Leibniz sentiu-se inspirado a escrever três artigos sobre temas da física, poucos anos após o aparecimento dos *Principia*.

Um deles era a sua defesa da teoria do vórtice, no "Ensaio sobre as causas dos movimentos dos corpos celestes", publicado nos *Acta Eruditorum*. Neste trabalho, Leibniz descreve os movimentos planetários em termos de vórtices harmônicos nos quais o Sol está no centro do sistema mundial, e os planetas são carregados ao seu redor pelo vórtice.

Outro dos artigos que ele escreveu depois de ouvir falar do livro de Newton tratava de um problema físico envolvendo a resistência de um meio ao movimento. Ele utilizou essa publicação sobre o problema da resistência do meio para promover a facilidade com a qual tais problemas podem ser resolvidos utilizando seu cálculo. Leibniz havia começado a sentir-se entusiasmado quanto às possíveis aplicações do cálculo, especialmente depois que foi publicado um artigo de Jacob Bernoulli em 1690. Este artigo era um documento importante porque foi escrito em linguagem mais acessível do que os de Leibniz, e foi o primeiro de uma longa série em que o cálculo era aplicado à solução de problemas de matemática.

Uma coisa era certa para Leibniz. Ele iria prestar mais atenção ao que estava se passando na Inglaterra pelo resto de sua vida. No outono de 1690, ele enviou uma carta ao embaixador alemão em Londres pedindo que lhe desse notícia das descobertas e das publicações que lá ocorressem. Ele não recebia as *Philosophical Transactions* desde 1678.

COMO A MAIOR parte do resto da Europa, Leibniz também estava preocupado com os dramáticos acontecimentos que ocorriam junto à fronteira oriental da França. O continente estava em tumulto no final da década de 1680, exatamente quando ele publicava seus artigos sobre o cálculo e Newton se preparava para editar os *Principia*. Ao final da guerra franco-holandesa em 1678, que Leibniz havia tentado abortar com seu plano de ataque ao Egito, a Holanda ficou livre do domínio francês, mas Luís XIV conservou a posse da região da Lorena. Ele a manteve militarmente ocupada, e assim ficou em posição de invadir novamente a Holanda ou a Alemanha quando quisesse. E Luís não era do tipo de deixar suas tropas inertes para sempre — o que levou Leibniz a escrever uma sátira política, *Mars Christianissimus* ("O Cristianíssimo Deus da Guerra"), na qual ele dizia ser o rei francês a pessoa mais poderosa do mundo, à parte o Diabo.

Mas, para muitos na França, as ações do "mais cristão deus da guerra" não eram nada além de motivos para rir. Nos anos que antecederam 1685, uma série de leis foi promulgada na França. Elas vedavam aos protestantes certas carreiras e encorajavam as crianças destes a declararem sua fidelidade ao catolicismo e serem criados como tutelados do

Os Belos e os Amaldiçoados   149

rei. Além disso, durante as duas décadas anteriores, certos protestantes — os huguenotes — haviam aceitado uma oferta oficial do governo para se converterem ao catolicismo e ficarem isentos de impostos. Muitos mais se converteram publicamente ao catolicismo porque Luís XIV havia empregado força militar para influenciar sua decisão.

Pouco mais tarde, a situação dos protestantes na França passou de mal a pior. Em 18 de outubro de 1685, Luís assinou um édito que basicamente suspendia todos os direitos civis dos huguenotes, e as conseqüências desse terrível decreto foram profundas. O édito ordenava a demolição das capelas protestantes, determinava o fim de todas as práticas protestantes, fechava todas as escolas protestantes, tornava obrigatório o batismo de todas as crianças protestantes e as autorizava a se tornarem tuteladas dos juízes locais, e permitia o exílio dos pastores, mas não de seus rebanhos. Essas medidas levaram a um êxodo de cerca de 200 mil refugiados, que deixaram a França para buscar asilo em países protestantes. Huguenotes franceses emigraram para a Inglaterra às dezenas de milhares.

Enquanto isso, uma situação política paralela na Inglaterra provocava tumulto neste país. Depois de vários anos de exílio na França, Carlos II havia regressado e se tornara rei da Inglaterra em 8 de maio de 1660. Ele entrou a cavalo em Londres, trajando as mais finas roupas e jóias, em 29 de maio de 1660 — dia do seu trigésimo aniversário. A população local encheu as ruas e o aplaudiu com entusiasmo. Ele havia deixado a Inglaterra derrotado e agora voltava triunfante, provando que se você não pode contar com suas aptidões, pode muito bem contar com a inépcia de outros — neste caso, daqueles que haviam seguido Oliver Cromwell.

Voltaire descreveu Carlos II como alguém que tinha "uma amante francesa, maneiras francesas e, sobretudo, dinheiro francês". Ele foi apelidado o "Monarca Alegre", devido a seu espírito, charme e amor pela boa alegria. Mas ele tinha às vezes um modo engraçado de mostrá-la. Uma de suas primeiras medidas foi ordenar a execução de dez pessoas que haviam participado do julgamento de seu pai, Carlos I, mais de dez anos antes. Do mesmo modo, Oliver Cromwell recebeu o insulto irônico de uma execução póstuma. Seu cadáver foi exumado e enfor-

150 A GUERRA DO CÁLCULO

cado, desmembrado e esquartejado por cavalos, e arrastado pelas ruas de Londres. Sua cabeça foi colocada na ponta de um poste em frente à Abadia de Westminster, onde ficou pelos 15 anos seguintes, até a morte de Carlos II.

Apesar de tais demonstrações de ressentimento, Carlos II mostrou-se a longo prazo um político surpreendente. Ele aceitou dinheiro de Luís XIV, porque este rei odiava tanto os whigs (puritanos ingleses) que tinha prazer em pagar um salário a Carlos II enquanto este governava a Inglaterra. E Carlos muito eficazmente manteve os whigs em xeque durante todo o seu reinado. Ele foi mesmo capaz de dissolver o Parlamento e manter presos muitos dos seus opositores whigs, sem que estourasse uma guerra civil.

Mas quando o filho de Carlos II, Jaime — um católico —, chegou ao poder em 1685, a estabilidade desapareceu. Durante anos, muitos puritanos na Inglaterra haviam tentado conseguir que Carlos II desertasse seu filho — para impedir sua ascensão — por causa de sua religião, mas o rei nunca o fez. E, quando assumiu o poder, Jaime II estava confiante em viver a vida para a qual acreditava haver nascido — governar seu país. Ao se tornar rei, ele reuniu seus conselheiros e declarou: "Muitas vezes até agora arrisquei minha vida em defesa deste país; e irei tão longe quanto qualquer homem para preservá-lo com todos os seus justos direitos e liberdades."

Dentro de três anos, Jaime iria retirar-se da Inglaterra sem lutar para defender seu trono, e nos seus últimos anos ele pode ter se tornado débil mental, devido à sífilis. Tenha ele sofrido ou não desta doença contagiosa, uma coisa é certa a seu respeito: ele foi um desastre como rei. Obrigou os juízes a lhe concederem o direito de suspender leis à sua vontade, o que ele fez — especialmente aquelas leis anteriores que reduziam o poder dos católicos. Também convocou um grande número de soldados católicos da Irlanda e aquartelou muitos deles nas vizinhanças de Londres, o que foi um ato enfurecedor, se não assustador, para a capital predominantemente não-católica.

Em meio a tudo isso, apareceram os *Principia*, e na página inicial do livro havia uma dedicatória a Jaime II como rei. Um ano depois, Jaime II era forçado a deixar a Inglaterra para sempre. Isso não se deu exata-

Os Belos e os Amaldiçoados   151

mente por culpa dele. Todas as lideranças civis e militares ligadas a ele o abandonaram. Mesmo sua fuga foi infeliz. Ele foi capturado a caminho da França — não pela marinha britânica, não pelo exército britânico, não por forças holandesas, mas por fedorentos pescadores cobertos de sal. Ele escapou novamente, sendo essa segunda fuga aparentemente facilitada por lhe terem permitido escapar.

Contudo, em última análise, Jaime não podia culpar a ninguém, exceto a si mesmo, já que havia alienado seus aliados tão efetivamente quanto o fizera com seus inimigos; ele conseguiu unir os tories e os whigs contra si. Isso fez com que alguns whigs enviassem uma carta ao príncipe Guilherme de Orange, dos Países Baixos, em 1688, convidando-o a assumir o trono inglês.

Por volta de 1688, Luís XIV estava se insinuando furtivamente para a guerra por vários anos. Ironicamente, sua justificativa para a declaração de guerra era que o Império Otomano planejava atacar a França e que as fronteiras orientais da Europa não eram seguras. Assim, em vez de atacar o Império Otomano para impedir a guerra na Europa, como Leibniz e Oldenburg haviam proposto 16 anos antes, Luís XIV atacou a Europa para impedir a guerra com os otomanos. O rei francês se opunha vigorosamente à ascensão de Guilherme ao trono da Inglaterra, pois os dois eram adversários em mais de uma disputa.

Guilherme era um líder ativo na resistência européia contra Luís XIV, e em 1686 defendeu com insistência a reorganização da Grande Aliança que ele havia criado em 1672, reunindo os holandeses, o Sacro Império Romano, a Espanha e o Brandenburgo. Criou então a Liga de Augsburgo, cujos membros eram o Sacro Império Romano, a Espanha, a Holanda, a Suécia, a Saxônia, a Baviera, a Savóia e, posteriormente, a Inglaterra. A Liga de Augsburgo foi formada como uma aliança contra a França depois que tropas francesas invadiram um Estado alemão e seu país declarou guerra ao Sacro Império Romano.

Luís ameaçou declarar guerra à Inglaterra se Guilherme fosse para lá. Mas este, calculando que Luís estaria por demais ocupado invadindo o Palatinado na Alemanha para cumprir sua ameaça, embarcou para a Inglaterra com 15 mil homens, lá desembarcou em novembro de 1688, e assumiu o trono poucos meses depois. Sendo o terceiro Guilherme a reinar sobre a Inglaterra, tornou-se Guilherme III. O primeiro deles é talvez o mais famoso, Guilherme o Conquistador, o primeiro rei normando, que reinou séculos antes.

Ao contrário de seu renomado homônimo, Guilherme III não chegou como vencedor de uma dura luta de conquista. Ele chefiava um exército que desembarcou na Inglaterra e depôs o rei sem que fosse disparado um único tiro (Jaime II preferiu fugir para a França a ter que enfrentar uma guerra). Não obstante, Guilherme exibia a aparência de um bravo conquistador. Um retrato pintado por Sir Peter Lely, que se encontra hoje na National Portrait Gallery, em Londres, mostra-o numa brilhante armadura negra. Um retrato de sua mulher, Mary, está pendurado próximo. Ela tem cabelos castanhos revoltos, e um maravilhoso vestido laranja e carmim. Devem ter formado um par de chamar a atenção.

Em 13 de fevereiro de 1689, a Inglaterra teve a sua primeira coroação dupla — de Guilherme e Mary. Devido a essa coroação ter sido única por serem os dois coroados ao mesmo tempo, fez-se necessária, pela primeira vez, uma segunda cadeira para a coroação. Ao que parece, esta cadeira tinha que ficar mais baixo do que a outra, porque Mary, quando sentada, era mais alta que o marido.

Foi uma transição estranha. Guilherme III era sobrinho do rei deposto e sua esposa, Mary, filha deste. O casal reinou sobre a Inglaterra de 1689 a 1702, mas a revolução gloriosa de 1688, como foi chamada, reduziu acentuadamente o poder da coroa. Guilherme concordou em tornar-se rei e sua esposa tornou-se rainha, mas tiveram que concordar com uma declaração de direitos que reduziu drasticamente o poder da monarquia e estabeleceu o Parlamento como o poder supremo do reino. Ainda que o Parlamento que se formou depois de 1688 não fosse representativo do povo, no sentido em que é hoje (sendo nessa época amplamente dominado pela elite de proprietários de terras, comerciantes e nobres), foi, apesar disso, um degrau para as modernas formas de governo.

Além do mais, a Inglaterra era agora não apenas novamente protestante, mas governada por um rei com um grande interesse pessoal em reprimir a agressão francesa na Europa. Esses eram tempos estranhos.

Os huguenotes franceses lutavam ao lado dos ingleses contra seus compatriotas, e os jacobitas ingleses (os que apoiavam Jaime II) juntavam-se aos franceses em oposição aos ingleses.

A Grã-Bretanha obteve várias vitórias contra os franceses nos anos que se seguiram. A marinha britânica derrotou a francesa em 1692, e a guerra em terra prolongou-se por mais meia década. A década de 1690 foi uma época terrível de guerras na Europa, e as más colheitas, a fome e todos os problemas sociais provocados por estas tragédias em nada ajudaram a melhorar a situação. Contra esse pano de fundo, Leibniz e Newton moviam-se firmemente para uma guerra própria.

PARA NEWTON, os *Principia* foram um momento crítico em sua vida. O livro lhe deu confiança para escrever o texto que mais tarde iria se tornar o *Ótica*. Enquanto isso, a demanda alimentou seu trabalho para uma segunda e depois uma terceira edição dos *Principia*, e ele manteve uma extensa (talvez até neurótica) correspondência ajudando outros a corrigir, revisar, explicar e melhorar o livro — trabalho que ocupou parte do seu tempo pela maior parte do resto de sua vida.

À medida que crescia o número de edições dos *Principia*, também crescia a lenda em torno de Newton — e a popularização de sua ciência, tanto a profunda como a profana. Um bom exemplo desta última apareceu em 1739, quando foi publicado o livro *Sir Isaac Newton's Philosophy Explain'd for the Use of the Ladies* ("A filosofia de Sir Isaac Newton explicada para o uso das senhoras"). O autor era um italiano de nome Francesco Algarotti e ele enaltecia seus próprios esforços para trazer uma nova espécie de entretenimento para as senhoras do continente, as quais ele achava que deviam ser gratas a ele. "Eu trouxe para a Itália uma nova maneira de cultivar a mente, em lugar da atual moda momentânea de ajustarem seus penteados e fazerem seus cachos."

À parte a fama por sua ciência, os *Principia* realmente mudaram a vida de Newton. Pouco depois que o livro foi publicado, ele foi eleito para o Parlamento, posição que o fez vir para Londres. E aí ele veio a conhecer Christian Huygens, antigo mentor de Leibniz, que visitava

154 A GUERRA DO CÁLCULO

Londres pela primeira vez, pelo final da década de 1680. Esse encontro foi importante, não apenas porque aproximou esses dois destacados intelectuais, mas também porque iria apresentar Newton a um jovem matemático e astrônomo, Nicolas Fatio de Duiller, um suíço que viveu por vários anos em Londres e que iria desempenhar um importante papel em sua vida.

Fatio é um personagem fascinante e um participante-chave das guerras do cálculo. Ele entrou nas vidas de Leibniz e Newton separadamente (na deste último de um modo muito peculiar), e foi realmente a primeira pessoa a provocar problemas entre eles.

Nascido na Basiléa, Suíça, em 16 de fevereiro de 1664, Fatio era o filho brilhante de uma rica família suíça. Foi para Paris no início da década de 1680 para ser educado, com uma generosa mesada e permissão para estudar qualquer coisa que quisesse. Seu pai havia feito diversas tentativas para que ele estudasse teologia, mas Fatio preferiu matemática e astronomia, para as quais demonstrava forte tendência, embora seu real talento nos anos de juventude parecesse ser a capacidade de estar no lugar certo na hora certa.

Depois de Paris, Fatio foi a Haia para estudar, e nessa ocasião, como um jovem de 21 anos, conheceu um certo conde Fenil. Fenil servia como oficial do Exército na França quando matou seu comandante, tendo então que fugir para outro país. Ele ficou na casa de Fatio por algum tempo, tendo confidenciado a este um plano que estava concebendo.

Como um meio de reparar sua situação, Fenil havia proposto ao ministro da Guerra francês, o marquês de Louvois, capturar Guilherme de Orange, então ainda um príncipe holandês, e o entregar a Luís XIV e à França. O marquês engoliu a isca. Ele enviou para Fenil uma carta aprovando o plano, prometendo-lhe perdão completo se tivesse sucesso, e oferecendo pagamento pela operação. O rapto se daria durante uma emboscada. O príncipe Guilherme gostava de fazer passeios pela praia de Scheveling, a cerca de 5 quilômetros de Haia, onde vivia. O conde propunha passar com um pequeno navio pela arrebentação, desembarcar no raso, chegar à praia com uns 12 homens, agarrar o príncipe e partir com ele para Dunquerque. Ousado como era, o plano fa-

Os Belos e os Amaldiçoados 155

lhou. O único erro de Fenil foi contar a Fatio — e Fatio imediatamente contou o plano a um doutor que estava viajando para a Holanda, que o transmitiu a Guilherme.

Esse fato ganhou para Fatio os favores da corte holandesa e ele foi premiado por sua deslealdade para com o conde Fenil com a promessa de ser nomeado professor de matemática na Universidade em Haia, com um bom salário e o confortável encargo de ensinar aos nobres e às classes superiores. Contudo, enquanto essas providências estavam sendo tomadas, Fatio foi para a Inglaterra, onde acabou por se tornar professor de matemática em Spiltalfields. Ele ainda fez algumas viagens à sua casa na década de 1690, mas, à exceção dessas ausências, residiu na Inglaterra pelo restante de sua vida.

Quando Fatio chegou a Londres em 1687, não perdeu tempo para situar-se em meio à elite científica britânica, conseguindo ser eleito para a Royal Society em apenas duas semanas. Newton acabava de publicar os *Principia* e esse era o assunto do momento nos círculos que Fatio freqüentava.

Huygens chegou a Londres naquele verão e Fatio, explorando seu relacionamento com Guilherme de Orange, obteve o direito de acompanhar o famoso cientista pela cidade. Huygens e ele deram-se bem e se tornaram amigos. Huygens tornou-se uma espécie de mentor matemático de Fatio, da mesma forma que já havia sido para Leibniz. Fatio foi então apresentado a um dos homens mais importantes que iria conhecer — Isaac Newton — a quem encantou. Escoltar Huygens colocou Fatio em contato com Newton.

Desde o momento em que chegara a Londres, Fatio havia se apaixonado pela teoria da gravitação de Newton, e eles se tornaram amigos após terem se conhecido em uma reunião da Royal Society em 12 de junho de 1689. Newton havia comparecido a essa reunião para encontrar Huygens e Fatio estava lá com ele, mas a verdadeira ligação se deu entre Fatio e Newton.

A intensa amizade entre eles, no início da década de 1690, é fonte de certa especulação histórica. As cartas de Newton para Fatio são extremamente afetuosas e alguns pesquisadores já insinuaram que Fatio era objeto das afeições homossexuais latentes de Newton. É mais do

156 A GUERRA DO CÁLCULO

que tentador — na verdade é um prazer — interpretar a estreita relação do inglês com seu jovem protegido como reveladora da causa profunda de sua afeição e tentar ler nas entrelinhas da correspondência entre eles. De sua parte, Fatio escreveu a Huygens que ficou "duro como se estivesse congelado" quando viu o que Newton havia conseguido. Do mesmo modo, podemos arquear uma sobrancelha com espanto ao saber que Newton gostava de construir mobílias para bonecas e que preferia a companhia de moças — insinuando que sua preferência por garotas (em vez de mulheres adultas) poderia disfarçar uma preferência por rapazes.

Contudo existe escassa evidência histórica de que Newton tivesse qualquer interesse por qualquer dos sexos. Segundo Voltaire, Newton morreu virgem após mais de oitenta anos sobre a Terra — uma virtude, acrescenta Voltaire. Para Newton, sexo era tão atraente quanto uma bandeja com pudim e chá deixada do lado de fora de seu estúdio por seu criado — o pudim fica frio sem ser comido de um lado da porta, enquanto Newton, do outro, trabalha durante toda a noite rabiscando estranhos símbolos em blocos de notas.

Qualquer que tenha sido a relação entre eles, os dois eram extraordinariamente próximos e grandes admiradores um do outro, como fica evidenciado por sua correspondência, a qual deixa claro que Fatio tinha grande amizade por Newton. Poucos meses depois de seu primeiro encontro, Fatio escreveu uma carta para seu amigo Jean-Robert Choet, dizendo que Newton era o homem mais honesto que já conhecera e o matemático mais capaz que já existira. Fatio se ofereceu para sentar-se ao lado de Newton e ajudá-lo a ler um novo livro que Huygens acabara de publicar (em francês).

A intensidade da amizade entre eles era mútua. A primeira carta que trocaram foi escrita por Newton mais tarde naquele mesmo ano, em 10 de outubro. Newton escreveu a Fatio e perguntou se haveria algum quarto na residência do jovem suíço em Londres. "Eu pretendo estar em Londres na próxima semana", dizia Newton, "e ficaria muito feliz por estar nos mesmos aposentos que você."

Ao longo dos dois anos seguintes, Fatio e Newton tornaram-se cada vez mais próximos. Mesmo quando Fatio deixou a Inglaterra por 15 meses em junho de 1690, Newton o tinha em mente, tendo, por exemplo, escrito para John Locke, em 28 de outubro de 1690: "Suponho que o Sr. Fatio esteja na Holanda pois não tive nenhuma notícia dele durante meio ano." Quando Fatio retornou, em setembro de 1691, Newton correu a Londres para encontrá-lo privadamente logo que ele chegou, e, depois disso, o relacionamento dos dois tornou-se ainda mais íntimo. Eram vistos juntos com tanta freqüência na Royal Society que, quando o comparecimento dos dois era registrado nas folhas de presença, eles eram muitas vezes marcados como uma só unidade. Hooke, ainda a nêmese de Newton na década de 1690, começou a chamar Fatio de "o macaco de Newton".

Fatio considerava-se como algo mais do que o macaco de Newton e ofereceu-se para supervisionar as revisões dos *Principia* para preparar a segunda edição do livro. Ele visualizava seu papel quase como o de um colaborador de Newton, e escreveu para Huygens que essa segunda edição iria ser muito maior devido às suas adições.

Se Newton se dava muito bem com Fatio, Leibniz tinha uma relação estranha com ele — nada parecido com a sociedade de mútua admiração que Fatio formara com Newton. Huygens tentou conseguir que Leibniz e Fatio se correspondessem, mas o alemão não viu necessidade. Ele já estava servindo como mentor para um número crescente de intelectuais matemáticos europeus — e Fatio não era um deles.

O cálculo também já estava em movimento. Em 1691, Johann Bernoulli foi para Paris e tornou-se professor do marquês de L'Hôpital. Esta foi uma ligação muito útil, porque L'Hôpital iria escrever alguns anos mais tarde, em 1696, um dos primeiros compêndios escritos sobre o cálculo, *Analyse des Infiniment Petits* ("Análise das quantidades infinitesimais"), com grande ajuda de Bernoulli.

Leibniz, igualmente, estava em movimento.

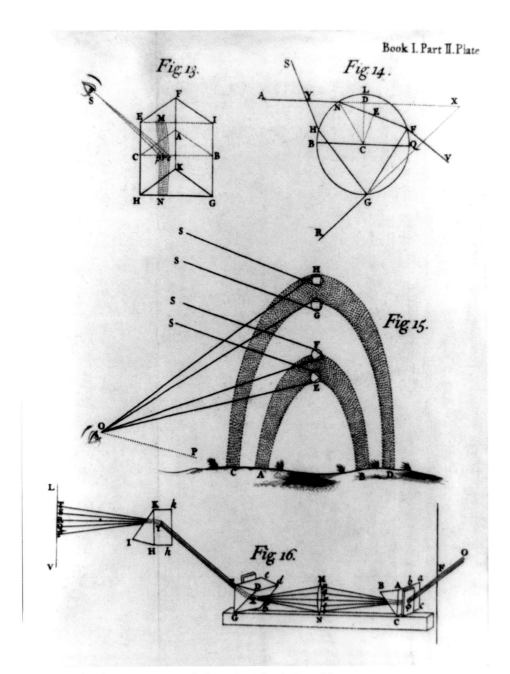

Diagramas dos fenômenos óticos do livro *Opticks*, de Isaac Newton
BIBLIOTECA DO CONGRESSO DOS EUA

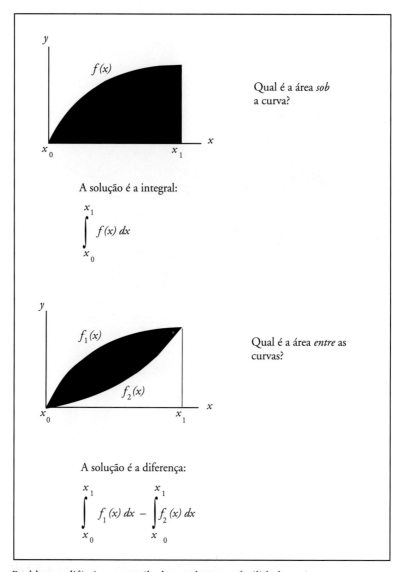

Problemas difíceis que o cálculo resolve com facilidade nº 1

Isaac Newton
Royal Society

Gottfried Wilhelm Leibniz
Royal Society

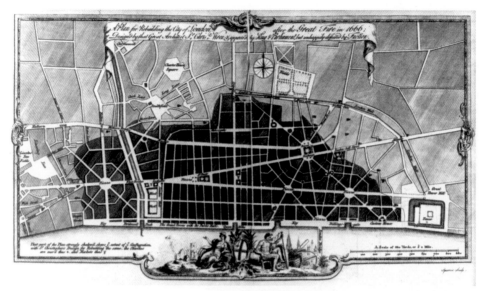

O plano de Christopher Wren para a reconstrução de Londres depois do incêndio de 1666 era impressionante — mas assim também era o plano de Isaac Newton para reconstruir o mundo com base na gravitação universal
BIBLIOTECA DO CONGRESSO DOS EUA

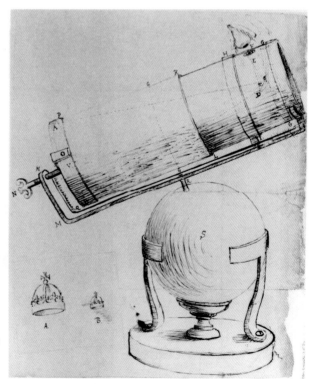

Desenho do próprio Newton de seu telescópio de reflexão
ROYAL SOCIETY

Uma página da *Philosophical Transactions of the Royal Society* mostra a experiência que levou Newton a concluir que a luz branca é composta de raios de diferentes cores
BIBLIOTECA DO CONGRESSO DOS EUA

Gravura de uma mosca, como é vista em um microscópio — do livro de Hooke, *Micrographia*
BIBLIOTECA DO CONGRESSO DOS EUA

Christian Huygens
ROYAL SOCIETY

Modelo da máquina de calcular de Leibniz
GOTTFRIED WILHELM LEIBNIZ BIBLIOTHEK, NIEDERSÄCHSISCHE LANDESBIBLIOTHEK

Henry Oldenburg
ROYAL SOCIETY

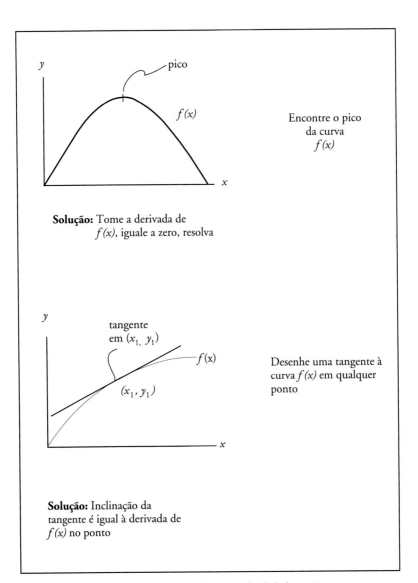

Problemas difíceis que o cálculo resolve com facilidade nº 2

Leibnizhaus antes de ser destruída durante a Segunda Guerra Mundial, a casa em que Leibniz passou seus últimos dias
BIBLIOTECA DO CONGRESSO DOS EUA

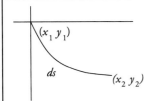

Uma partícula sai do repouso e se move sob a aceleração constante da gravidade de um ponto (x_1, y_1) para outro (x_2, y_2) no menor tempo possível

Formular este problema com cálculo é fácil

$$tempo = \frac{dist\hat{a}ncia}{velocidade}, \text{ ou}$$

$$tempo = \int_{(x_1, y_1)}^{(x_2, y_2)} \frac{ds}{v}$$

Onde *ds* é o diferencial da distância ao longo do caminho

Pelo Teorema de Pitágoras:

$$ds^2 = dx^2 + dy^2$$

ou

$$ds = \sqrt{dx^2 + dy^2}$$

E a velocidade pode ser determinada pelo princípio de conservação de energia

$$\frac{1}{2} mv^2 - mgy = 0$$

então $v = \sqrt{2gy}$

Assim a integral pode ser escrita

$$tempo = \int_{(x_1, y_1)}^{(x_2, y_2)} \frac{\sqrt{dx^2 + dy^2}}{\sqrt{2gy}}$$

Resolver esta integral, por outro lado, é bem mais difícil

Problema Brachistochrone

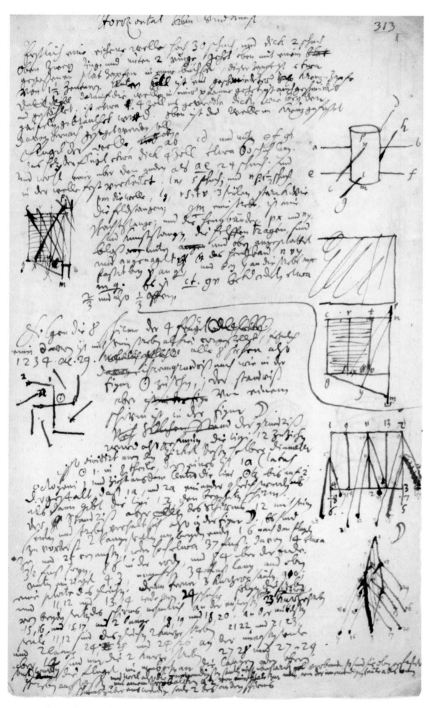

Notas de Leibniz sobre seus moinhos de vento horizontais
GOTTFRIED WILHELM LEIBNIZ BIBLIOTHEK, NIEDERSÄCHSISCHE LANDESBIBLIOTHEK

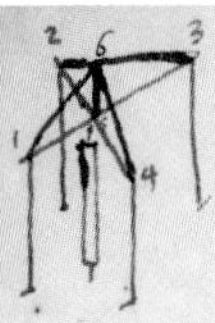

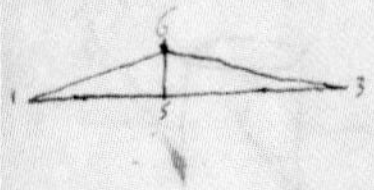

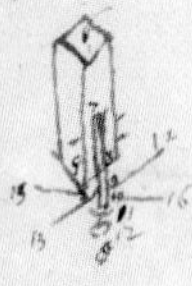

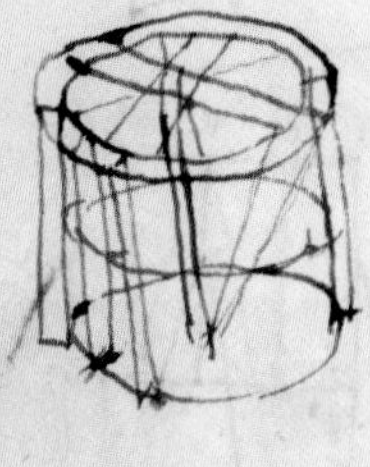

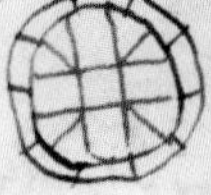

Edmond Halley
ROYAL SOCIETY

Nicholas Fatio de Duiller
BIBLIOTECA EM GENEBRA

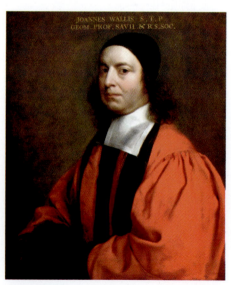

John Wallis
ROYAL SOCIETY

Jorge Ludwig, que depois se tornou Jorge I, rei da Inglaterra, governou Hanover durante os últimos anos de Leibniz
BIBLIOTECA DO CONGRESSO DOS EUA

Quando Newton assumiu a Casa da Moeda Britânica, passou a residir nesta fileira de edifícios na Torre de Londres
FOTOGRAFIA DE JASON S. BARDI

Parte de uma carta escrita a mão por Leibniz, na qual descreve alguns dos seus trabalhos sobre o cálculo

GOTTFRIED WILHELM LEIBNIZ BIBLIOTHEK, NIEDERSÄCHSISCHE LANDESBIBLIOTHEK

Uma cópia da *Charta Volans*
GOTTFRIED WILHELM LEIBNIZ
BIBLIOTHEK, NIEDERSÄCHSISCHE
LANDESBIBLIOTHEK

Fachada da Abadia de Westminster onde Newton foi sepultado em meio a grande cerimonial em 28 de março de 1726
FOTOGRAFIA DE JASON S. BARDI

Os restos mortais de Leibniz estão depositados nesta igreja, em Hanover, Alemanha
FOTOGRAFIA DE JASON S. BARDI

8

A Descida Mais Curta Possível

■ 1690-1696 ■

*Os homens agem como bestas na medida em que a sucessão de suas
percepções se deve apenas ao princípio da memória.*

Leibniz, *Monadology*, publicado em 1720.

É noite em algum ponto da costa da Itália na última década do século XVII, e um pequeno navio balança sobre o mar Adriático, com uma pequena tripulação e alguns passageiros, incluindo um estrangeiro com maneiras cortesãs típicas da Alemanha. A tripulação está preocupada. Uma tempestade, uma tempestade sopra com fúria sobre o mar! O navio balança fortemente e todos a bordo estão mudos, ansiosos, assustados. A tripulação está, provavelmente, praguejando em cinco línguas diferentes, até que, finalmente, um dos marinheiros diz em italiano aos demais tripulantes que a causa da tempestade é o passageiro alemão — um protestante!

O Judas luterano atraiu sobre nós a ira de Deus! Joguem-no ao mar! Joguem-no ao mar!

Mas eles notam que o estrangeiro está sossegadamente sentado, como o calmo olho no centro da tempestade, passando alguma coisa entre as mãos. Que coisa é essa? Um rosário?! Vejam, ele está rezando! Deve ser um homem religioso. Deixem-no viver... Ele é um dos nossos.

160 A GUERRA DO CÁLCULO

Por mais estranho que pareça, a base dessa história é verdadeira. Aos católicos de trezentos anos atrás, um rosário nas mãos de um viajante protestante era o que é hoje uma bandeira do Canadá em um viajante americano. Leibniz escapou de ser morto por marinheiros supersticiosos que o transportavam entre cidades italianas porque, sem que a tripulação soubesse, ele podia entender suficientemente o italiano para saber que corria perigo, a não ser que fingisse ser católico muito rapidamente.

Esse caso é um dos mais interessantes de uma longa viagem feita por ele através da Alemanha e da Itália do outono de 1687 até o verão de 1690 para fazer a pesquisa de que necessitava para escrever uma pequena história da família de Ernst August, a Casa de Brunswick-Lüneburg, que havia proposto fazer alguns anos antes, poucas semanas depois do fracasso do projeto de drenagem das minas das montanhas Harz.

Histórias como essa eram comuns naqueles dias, pois a sorte dos Estados dependia, em última análise, da sorte dos nobres chefes de Estado. A nobreza era hereditária, a estirpe, da maior importância, e assim a árvore genealógica se tornara um importante modo de justificar, se não de incrementar, as posições sociopolíticas dos líderes da Europa. No século XVII, muitos estudiosos prestavam serviços a patronos nobres para pesquisar as histórias de suas famílias, muitas vezes pesquisando seus antepassados através dos séculos até a Idade Média, ou mesmo até épocas mais remotas.

Porque tanta coisa estava em jogo, a lisonja muitas vezes suplantava a história, como quando nobres e senhoras tinham sua linhagem mapeada até Carlos Magno, o qual pelo século XVII deve ter tido mais descendentes no papel do que Genghis Kahn. Muitos desses trabalhos eram simplesmente ridículos. Um teólogo veneziano chegou a dizer que poderia rastrear a família real dos Habsburgos até a arca de Noé. O próprio Ernst August recebeu uma vez um pouco dessa espécie de lisonja de um nobre holandês que traçou sua linhagem passando pelo imperador Augusto e recuando até chegar a Rômulo e Remo.

O duque não era tolo a ponto de acreditar em tudo isso, mas teve despertado o interesse por conhecer a história real de sua família. Outros historiadores haviam afirmado que sua família tinha ligações com

A DESCIDA MAIS CURTA POSSÍVEL   161

a Casa d'Este, uma das mais antigas e mais nobres da Europa. Se isso fosse verdade, daria uma grande dose de credibilidade às ambições de Ernst August de promover o prestígio de sua família. Naqueles dias, uma das melhores maneiras de fazer isso era mostrar uma nobre genealogia, o que, nesse caso, significaria fazer a "esteficação" desta, mas ninguém ainda havia sido capaz de provar que os nobres Brunswicks fossem aparentados com os Estes.

Leibniz tinha um objetivo muito realista. Ele pretendia investigar a família do duque por aproximadamente 1.000 anos, até 600 d.C., e preencher todas as lacunas que encontrasse. Mas, para fazer isso, ele teria que viajar extensamente em busca de fontes em arquivos estatais e mosteiros espalhados pela Alemanha e pela Itália; não havia possibilidade de realizar essa busca permanecendo em Hanover. Logo que o projeto da mina passou a ter problemas e lhe foi ordenado que parasse, Leibniz começou a pedir a Ernst August que lhe permitisse fazer a pesquisa. Ele não estava pedindo permissão apenas para viajar e escrever, mas pleiteava também o pagamento das despesas e um secretário.

Ernst August ficou suficientemente impressionado pela proposta para aprovar os planos de Leibniz, nomeá-lo historiador da corte, e autorizá-lo a pesquisar a escrever a história. Isso foi uma importante conquista para Leibniz. Afinal, ele poderia viajar, estudar, escrever, conhecer e corresponder-se com outros intelectuais, sem ter que se preocupar em saber de onde viria o dinheiro.

Leibniz partiu no outono de 1687 e durante os dois anos e meio seguintes ele visitou cidades por toda a Alemanha, a Itália e Europa meridional: Bolonha, Dresden, Frankfurt, Florença, Marburgo, Modena, Munique, Nápoles, Pádua, Parma, Praga, Roma e Viena. De fato, Leibniz iria deliciar-se com este tipo de viagem pela maior parte do restante de sua vida. Ele viajou tanto, ficando longe de sua residência por semanas, meses, ou, às vezes, anos, que projetou e encomendou uma cadeira dobrável de couro para acompanhá-lo de modo que tivesse um lugar para trabalhar aonde quer que fosse. Essa cadeira, muito ornamentada, tinha uma costura que corria de cima a baixo pelo meio, e os pés eram articulados, de modo que podia ser dobrada facilmente. Essa invenção era característica de Leibniz — ele estava constantemen-

162 A GUERRA DO CÁLCULO

te tentando adaptar o mundo para atender a seus desejos ou necessidades, e não era interessado somente em como eram as coisas, mas também em como podiam ser. Leibniz viveu uma vida que não era adequada ao mundo, assim fez seu mundo adequado a ele.

Em suas viagens, deu muitas voltas e apreciou muitas vistas, subindo, por exemplo, ao topo do Vesúvio em Nápoles e explorando as catacumbas em Roma. Também conheceu muitas pessoas e discutiu numerosos assuntos que não tinham relação com seu objetivo — algo que o deixava maravilhosamente feliz, como declarou em uma carta para Antoine Arnauld: "Como esta viagem tem servido para me liberar parcialmente de minhas ocupações costumeiras, e para suprir minha mente com recreação, assim tenho eu tido a satisfação de me envolver em conversações com muitas pessoas de talento a respeito de ciência e cultura."

Quando ele estava em Roma, o papa Inocêncio XI morreu, e Leibniz conversou com os cardeais que vinham da França para o conclave. Quando um novo papa foi escolhido, Alexandre XIII, Leibniz conscientemente escreveu um longo poema em seu louvor.

Com algumas das pessoas que conheceu ele iria depois se corresponder durante anos. Ele conheceu, por exemplo, o jesuíta Claudius Philip Grimaldi, que estava pronto para embarcar para a China como missionário. Leibniz se interessava muito por coisas da China e acreditava que a língua chinesa se baseava numa filosofia profunda que havia sido esquecida — até mesmo pelos próprios chineses. Pelo resto de sua vida Leibniz iria ter uma paixão singular por assuntos relativos a esse país, e por um intercâmbio cultural entre o Oriente e o Ocidente, e, por isso, teve grande prazer em se corresponder com Grimaldi.

Leibniz conheceu o célebre médico italiano Bernardino Ramazzini, que tem sido chamado o pai da medicina industrial. Eles tiveram grande estima um pelo outro. Leibniz era um grande advogado dos cuidados com a saúde, e acreditava que os governos tinham a obrigação moral de prestá-los ao povo. Ele fez intensa promoção de uma cura para a disenteria proporcionada por uma raiz da América do Sul. Leibniz também advogava a medicina preventiva, tendo escrito um memorando em 1681 defendendo a manutenção da saúde dos militares por meio de atividades praticadas nos tempos de paz, como os esportes.

A Descida Mais Curta Possível

163

Propôs a idéia de conselhos de saúde e defendeu energicamente o isolamento de pessoas afetadas durante surtos de doenças para restringir as epidemias. Depois de ser encorajado por Leibniz, Ramazzini elaborou um registro estatístico sobre a situação da saúde em 1690, que foi defendido por Leibniz em Viena e perante alguns dos seus conhecidos na França.

Numa viagem a Viena, Leibniz teve sua primeira audiência com o imperador do Sacro Império Romano, e aproveitou a oportunidade para lançar uma arrebatada torrente de idéias, à qual deu seguimento com diversos memorandos. Ele explodia de tantas idéias: um imposto sobre roupas para festas a fantasia; iluminação para as ruas de Viena (o que surpreendentemente acabou sendo executado); arquivos e bibliotecas centrais; importantes reformas econômicas; e maneiras de melhorar a indústria.

A história da Casa de Brunswick foi, de certo modo, um tremendo sucesso, e Leibniz pôde cumprir sua promessa de pesquisar as origens da família do duque. Havia existido a hipótese de que um casamento entre uma família do Norte da Itália e uma da Baviera teria ocorrido alguns séculos antes, o qual envolvera um dos ancestrais do duque da Casa dos Guelfos. Seguindo essa pista, Leibniz pesquisara antigos monumentos dos Este e, em 1689, encontrou uma tumba em Modena que tinha gravados os nomes dos mortos. Também localizou documentos que comprovavam as ligações legais da família, e assim as evidências físicas e as efêmeras juntas serviam como uma prova razoável que o casamento de fato ocorrera. Pelo início de 1690, ele havia estudado cuidadosamente documentos suficientes para fazer Milton[1] ficar cego uma segunda vez, e estava orgulhoso por relatar a Ernst August que tinha provado firmemente a relação de sua família com a Casa d'Este.

Isso efetivamente aumentou o prestígio da Casa de Brunswick, vindo a permitir a elevação dos duques de Hanover ao eleitorado do Sacro Império Romano — fazendo parte do punhado de nobres alemães que podiam votar nas eleições para escolher o imperador do Sacro Império

---

[1] John Milton (1608-1674), célebre poeta inglês, cuja principal obra é o poema "O Paraíso Perdido". Tendo contraído glaucoma, ficou completamente cego a partir de 1654. (*N. do T.*)

164 A GUERRA DO CÁLCULO

Romano (o imperador vinha sendo escolhido, desde 1356, por certos príncipes alemães que eram chamados "eleitores" e que se julgavam herdeiros das glórias do Senado Romano entre a mixórdia plebéia das outras 350 entidades políticas, em geral menores, que compunham o Sacro Império Romano).

Elevar Ernst August a eleitor não foi uma coisa fácil, pois vários outros príncipes alemães se opuseram a isto por uma variedade de razões. Leibniz escreveu alguns documentos em apoio à causa dos Brunswick, com base em análise histórica, precedentes legais e forte persuasão diplomática. Durante oito anos, ao todo, a partir de 1684, ele trabalharia duro atrás dos bastidores nas negociações para conseguir a posição de eleitor para o duque. Finalmente, em 1692, Ernst August viu suas ambições realizadas e foi feito eleitor, uma honra que seus descendentes iriam herdar daí em diante sem nenhuma outra necessidade senão seus direitos hereditários.

Em 1696, Leibniz foi promovido a conselheiro privado de justiça — uma posição de alto nível, provavelmente concedida, pelo menos em parte, pela sua participação na elevação do duque à condição de eleitor. Isso teve como conseqüência o acréscimo de um bônus ao seu salário.

Dessa perspectiva, a viagem de Leibniz foi um sucesso estrondoso. Se ele tivesse podido encerrar seu trabalho nessa história no ponto em que estabeleceu a ligação entre o duque e a Casa d'Este, o projeto teria sido um sucesso total. Mas isso era uma coisa que ele não podia fazer. Ainda tinha que *escrever* a história da Casa de Brunswick. Comprovar a conexão com a Casa d'Este havia sido apenas parte do trato. Em janeiro de 1691, um ano depois de ter escrito da Itália para o duque, comunicando a boa nova de que tinha confirmado a árvore genealógica favorável da família, Leibniz preparou um resumo e o apresentou ao duque, dizendo que estimava que a história poderia levar dois anos para ser escrita.

Ele não fazia idéia daquilo que o esperava.

O projeto era um importante empreendimento e, mesmo com a ajuda de assistentes, Leibniz nunca pôde terminá-lo. De fato, essa história o perseguiu pelo resto da vida, e pouca coisa houve em seus últimos anos que não fosse perturbada por essa missão nunca completada.

A DESCIDA MAIS CURTA POSSÍVEL 165

A missão tomou tempo de seus outros estudos em matemática, física e filosofia e, em seu leito de morte, em meio às guerras do cálculo com Newton, a história ainda estava pendente sobre sua cabeça, como uma foice de papel.

Ele exprimiu bem sua frustração em 1695, numa carta para um homem chamado Vincent Placcius: "Eu não posso descrever a você que vida perturbada estou levando. Procuro por diferentes coisas nos arquivos, esperando encontrar alguma luz a respeito da história da Casa de Brunswick, e vejo velhos papéis e manuscritos que nunca foram impressos. Cartas, eu recebo e envio em grande número. Mas tenho tanta coisa nova em matemática, tantos pensamentos em filosofia, tão numerosas observações escritas de outras espécies, que não desejo perder, que me acho muitas vezes sem saber o que fazer primeiro, e sinto a verdade da exclamação de Ovídio, *Inopem me copia fecit* ('a abundância me fez pobre')."

Em 1696, uma notícia prematura sobre a morte de Leibniz circulou pela Inglaterra. Ao saber disso, Leibniz escreveu uma carta ao inglês Thomas Burnett, queixando-se de como estava ocupado: "Se a morte vier a me conceder apenas o tempo necessário para a execução dos trabalhos que já projetei, prometo não dar início a nenhum novo empreendimento, e industriosamente prosseguir com os antigos; e mesmo esse acordo iria atrasar o fim da vida por um período não pequeno."

Infelizmente, não haveria nenhuma folga — mais de 25 anos depois, Leibniz morreu trabalhando ainda naquela maldita tarefa. Esta tornou-se o seu *opus tedium*, e ele escreveu mais tarde ao matemático Adam Kochanski que essa história era sua pedra de Sísifo, à qual estava preso. Quando Leibniz morreu, havia chegado com a história apenas ao ano 1005 e não seria senão mais de um século depois de sua morte que a história viria, finalmente, a ser publicada em três volumes.

Talvez a razão para Bertrand Russell lamentar que grande parte do tempo gasto por Leibniz a serviço dos duques tenha sido um desperdício seja resultado das incontáveis horas que o matemático alemão gastou durante alguns de seus anos mais produtivos, trabalhando naquilo que agora parece ser um exercício, não apenas gigantesco, mas também sem sentido, em pesquisa genealógica. É verdade que confirmar a ligação com

166 A GUERRA DO CÁLCULO

a Casa d'Este ajudou a elevar o duque à dignidade de eleitor, mas o restante da pesquisa genealógica não fez muito para contribuir para a mais importante melhoria da família — o filho de Ernst August, Jorge Ludwig, ser elevado a regente, o que iria acontecer quando o terceiro chefe de Leibniz, esse filho, tornou-se Jorge I, rei da Inglaterra, em 1714.

A decisão de fazer Jorge rei da Inglaterra não foi baseada na genealogia antiga da família, mas se deveu à sua linhagem mais recente e a um pedigree solidamente protestante. Ele era bisneto do rei Jaime I, porém, o mais importante, era totalmente protestante. E quando ele assumiu o trono, o que deveria ter sido uma época feliz para Leibniz — como alguém que nominalmente estava no círculo íntimo da corte em Hanover — foi de fato um período amargo. A redação da história da família Brunswick manteve Leibniz afastado da nova corte, porque Jorge Ludwig usou isso como desculpa para não permitir que ele o acompanhasse à Inglaterra. Ainda assim, pelo menos uma coisa interessante brotou do projeto. O prefácio, o *Protogaea*, que ele escreveu em 1693, era uma fascinante história natural da Terra e da região onde o duque e seus ancestrais haviam vivido. Nele, Leibniz investigou a préhistória, recuando até antes da criação do homem.

No seu *Protogaea*, Leibniz propôs a teoria de que o planeta era originalmente quente e que havia se resfriado, formado uma crosta, e, então, a água havia se condensado em sua superfície. Ele explicou a influência da atividade vulcânica na história e na sedimentação geológica, comentou os fósseis, e antecipou a teoria da evolução de Darwin, ao sugerir que os primeiros animais na Terra eram marinhos e que os animais terrestres vieram depois. Um comentário de um autor do século XIX nota que o *Protogaea* contém "o germe de algumas das mais esclarecidas especulações da geologia moderna".

Leibniz publicou um resumo do seu *Protogaea* nas *Acta Eruditorum* em 1693, mas o ensaio propriamente não foi publicado senão depois de sua morte. Alguns autores têm sugerido que o projeto foi o perfeito exemplo de um trabalho leibniziano. "O modo pelo qual ele prosseguiu com sua tarefa, os imensos giros de pensamento a que ele se entregou, o número de assuntos que foram sucessivamente abordados, o entusiasmo com que ele perseguiu cada um, a escala gigantesca na qual ele modelou seu plano, e, especialmente, os escassos fragmentos que deixou do todo, são tão notadamente característicos de seu gênio e de seus hábitos."

NEWTON TAMBÉM ESTAVA passando na última década do século XVII pelos maiores altos e baixos que sua vida tinha a oferecer. Os *Principia* haviam sido bem recebidos e, no ano seguinte à impressão do livro, ele fora eleito para o Parlamento como representante da Universidade de Cambridge. Essa eleição, que o trouxe para Londres, deu-lhe o gosto pelo serviço público que ele nunca iria perder. Newton também começou a fazer lobby junto a seus amigos e contatos para obter uma função administrativa permanente. Tentou conseguir que John Locke lhe arranjasse uma posição na Casa da Moeda em 1691, e com outro amigo tentou conseguir uma posição no King's College, em Londres. Seu amigo Charles Montague, que viera para o Trinity College em 1679 e conhecera diretamente o gênio de Newton, também foi recrutado para conseguir um posto para ele. Embora Montague não tenha, de início, tido sucesso, ao final, ajudou a assegurar um posto no governo para ele.

Em 1693, alguns dos trabalhos matemáticos de Newton finalmente começaram a ser impressos pela primeira vez. Ele não cuidou pessoalmente da publicação deles, tendo preferido deixar que John Wallis os publicasse incluídos em alguns volumes de matemática do próprio Wallis. Wallis era um homem encantador e um matemático brilhante, embora talvez um tanto faccioso, já que era acima de tudo um matemático *inglês* e se empenhava em promover a supremacia das realizações britânicas. Em seus livros de 1693 e 1695, ele dedicou páginas às contribuições de Newton e comparou os fluentes e as fluxões com o cálculo que Leibniz havia publicado poucos anos antes. "Aqui está apresentado o método das fluxões de Newton, para usar o nome dado por este, o qual é de natureza similar ao cálculo diferencial de Leibniz, para usar o nome dado por este", escreveu Wallis, "como qualquer um que compare os dois métodos poderá observar bastante bem, embora seus criadores empreguem notações diferentes..."

168   A GUERRA DO CÁLCULO

Wallis também fez referência às cartas de Newton de 1676 e disse que nelas ele explicava seu método para o matemático alemão. Este é um momento importante nas guerras do cálculo porque, ao ler essas passagens, muitos dos leitores de Wallis estavam encontrando pela primeira vez a informação de que Newton havia desenvolvido métodos que, atenção!, haviam, na realidade, precedido o cálculo de Leibniz e lhe eram idênticos. E com esta revelação veio a primeira sugestão de que o trabalho de um homem era *melhor* do que o de outro, porque o muito respeitado Wallis defendia a prevalência dos fluentes e fluxões de Newton sobre o cálculo de Leibniz. Em uma passagem, por exemplo, Wallis escreveu: "E embora à primeira vista os fluentes e suas fluxões pareçam difíceis de entender, uma vez que usualmente não é fácil entender idéias novas, ele [Newton] pensa, contudo, que a noção de tais conceitos vai rapidamente se tornando mais familiar do que acontece com a noção de momentos ou partes mínimas ou diferenças infinitamente pequenas." Essa afirmação não fez muito para mudar as opiniões que já eram a favor de Leibniz, mas foi realmente a primeira salva da guerra.

Alguns dos leitores do livro na Europa continental ficaram pasmos com suas afirmativas a respeito do cálculo. Afinal de contas, os artigos de Leibniz sobre cálculo haviam sido lidos através de todo o continente e como neles Leibniz nunca mencionara qualquer coisa sobre Newton, muitos europeus não sabiam o que pensar das subseqüentes publicações inglesas dos trabalhos anteriores de Newton. Ainda não haviam visto nada dos métodos de Newton que Wallis estava proclamando. Tampouco podia qualquer desses métodos ser achado impresso em qualquer lugar. O cálculo de Leibniz, por outro lado, vinha sendo impresso há uma década e estava realmente começando a dar frutos, com os irmãos Bernoulli e outros aprendendo, desenvolvendo e começando a aplicar seus métodos para resolver problemas complicados.

Johann Bernoulli ficara um pouco irritado, depois que leu os capítulos mais importantes dos livros de Wallis, com o que via como uma desconsideração a Leibniz. Ele escreveu dizendo isso a Leibniz, que assumiu uma posição de superioridade neste ponto. "Temos que admitir que o homem é extraordinário", escreveu ele a Bernoulli. Mas este via o trabalho de Newton como derivado (copiado) do de Leibniz, e foi

A Descida Mais Curta Possível   169

rude a ponto de sugerir a possibilidade de plágio — que as idéias de Newton haviam sido tomadas por empréstimo de Leibniz: "Eu não sei se Newton concebeu ou não suas idéias depois de ter visto seu cálculo, especialmente porque eu sei que você transmitiu a ele seu cálculo, antes que ele publicasse o método dele."

Leibniz não ficou silencioso em relação aos livros de Wallis e ao tratamento que neles era dado à sua matemática. Escreveu uma carta a Thomas Burnet queixando-se: "Estou muito satisfeito com o Sr. Newton, mas não com o Sr. Wallis, que me trata com uma certa frieza em seu último [volume dos] trabalhos em latim, através de uma engraçada presunção de tudo atribuir à sua nação." Nessa carta, ele empregou um artifício que iria usar durante as duas décadas seguintes, toda vez que o assunto do cálculo aparecesse. Pergunte a Newton, dizia em essência Leibniz. Newton sabe — ele lhe dirá. E Leibniz aparentemente tomava o aparente silêncio de Newton sobre o assunto como um reconhecimento de que ele estava em seu direito ao reivindicar para si a invenção independente do cálculo.

O interessante é que Wallis era muito melhor aliado de Leibniz do que de Newton. Wallis não pretendia prejudicar Leibniz, mas o via como um matemático legitimamente apreciado que independentemente fizera uma descoberta do cálculo e, nos últimos anos de sua vida, ele e Leibniz trocaram cerca de oitenta páginas de cartas. Na realidade, Newton pode ter escrito como autor oculto as passagens cheias de elogios pessoais que apareciam no livro de Wallis; no mínimo, Wallis estava escrevendo o que Newton queria que ele escrevesse e, duas décadas mais tarde, quando as guerras do cálculo chegavam ao auge, seria Newton que indicaria Wallis para apoiar sua causa. Pergunte a Wallis. Ele sabia.

Nessa altura, Leibniz, de sua parte, estava inteiramente disposto a mostrar em público uma face boa e dar a Newton o crédito que lhe era devido. Nos primeiros anos da década de 1690, ele e Huygens estavam novamente se comunicando, até que a morte deste, em 1695, interrompeu essa renovada correspondência. Huygens escreveu uma carta a Leibniz depois de ter visto um volume da *Algebra* de Wallis. Nela ele dizia a Leibniz haver encontrado "equações diferenciais muito iguais às suas, exceto quanto aos símbolos". Leibniz obteve de Huygens extratos do livro de Wallis em 1694 e, depois de ler o que este informava sobre o trabalho de Newton, escreveu a Huygens dizendo: "Eu vejo que o cálculo dele concorda com o meu", mas acrescentava que seus métodos eram "mais adequados ao esclarecimento da mente".

Ainda assim, existe alguma evidência de que Leibniz não desejava que as coisas ficassem nesse pé. Uma resenha anônima da obra de Wallis que foi publicada nas *Acta Eruditorum* tratava o trabalho de Newton como se fosse meramente um louvor às qualidades de Leibniz como matemático. Essa resenha foi muito provavelmente escrita pelo próprio Leibniz, que gostava de escrever cartas científicas anônimas nas quais ele, ao mesmo tempo que atacava outros matemáticos, elogiava a si mesmo. (Uma vez ele escreveu uma resenha anônima de alguns de seus próprios trabalhos, na qual se referiu a si próprio como "o ilustre Leibniz".)

Enquanto isso, provavelmente ele não encarava Newton como realmente uma ameaça, porque estava vendo o tremendo sucesso do seu próprio trabalho intelectual — ele estava em primeiro lugar no seu jogo. Finalmente, em 1694, Leibniz encontrara um habilidoso artesão para ajudá-lo a aperfeiçoar um modelo operacional da sua máquina de calcular, que podia multiplicar números de até 12 dígitos.

Leibniz publicou em 1695 a mais completa descrição de sua filosofia em uma revista francesa sob o título "Systéme nouveau de la nature et de la communication des substances". Era o relato de sua metafísica, retrocedendo até seus estudos de lógica como estudante universitário e nos quais vinha trabalhando, de maneira mais ou menos contínua, durante as três décadas desde então passadas. Essa publicação colocou Leibniz no mapa intelectual da Europa. Muitos já haviam sabido dele através de sua vasta correspondência e de seus diversos trabalhos sobre matemática e filosofia, mas aquele artigo realmente tornou seu nome amplamente conhecido. Ele tornou-se ainda mais uma figura pública por sua filosofia depois que o francês Pierre Bayle escreveu um dicionário e nele incluiu uma crítica do seu trabalho.

Com relação à matemática, na Europa continental, Leibniz era o patriarca do cálculo — sua maior autoridade. Quando L'Hôpital planejou escrever um tratado de cálculo em 1694, ele primeiro escreveu a Leibniz sobre isso, explicando alguns dos problemas que tencionava resolver.

A Descida Mais Curta Possível

Tivesse Leibniz escolhido atacar Newton durante a última década daquele século, ele teria certamente ganho as guerras do cálculo. Newton não estava ainda em sua posição de maior força como presidente da Royal Society, e bem podia nunca se ter recuperado se Leibniz, então no auge de sua fama, tivesse-o perseguido. Mas Leibniz não o faria, porque não tinha nenhuma intenção de prejudicar Newton, nessa altura. Ele até escreveu uma carta para este, em 1693, cheia de elogios e veneração por seu estimado colega.

Essa curta troca de cartas que Newton e Leibniz fizeram diretamente um ao outro foi tão amigável quanto sem sentido. "Quão grande, segundo penso, é o débito que devo a você, pelo nosso conhecimento de matemática e de toda natureza, eu o reconheci em público quando se ofereceu ocasião", escreveu Leibniz, abrindo a correspondência. "Você deu um surpreendente desenvolvimento à geometria por sua série; mas quando publicou seu trabalho, os *Principia*, você mostrou que mesmo aquilo que não está sujeito à análise convencional é um livro aberto para você."

Leibniz acrescentou que gostaria de ver Newton continuar com seus estudos sobre a natureza matemática do mundo. "Nesse campo você tem ganho por você mesmo com muito poucos companheiros um imenso retorno por seu labor", escreveu ele.

Na resposta de Newton à carta de Leibniz, cerca de seis meses mais tarde, ele fez ao seu correspondente um incrível cumprimento como alguém que considerava um dos maiores matemáticos da época: "Eu valorizo muitíssimo sua amizade e já há muitos anos considero você um dos mais importantes geômetras deste século, como tenho reconhecido em todas as ocasiões que se ofereceram." Também nesta carta Newton traduziu um anagrama da carta que enviara a Leibniz em Paris duas décadas antes, o que deixou o alemão feliz por finalmente receber. Claramente, Leibniz não via nenhuma razão para desafiar um Newton aparentemente muito amigável nessa época. Ele não o via como uma ameaça.

Johann Bernoulli, como um dos leais seguidores de Leibniz, não estava assim tão disposto a deixar as coisas correrem. Bernoulli acalentava a idéia de que iria revelar a incapacidade de Newton de competir com seu amigo quando se tratava de matemática. Em 1696, ele lançou um desafio chamado "o problema da braquistócrona", e o endereçou, com não pequena dose de sociabilidade, "aos mais espertos matemáticos do mundo". Cópias individuais foram enviadas a Wallis e Newton na Inglaterra, e Leibniz publicou um artigo sobre o problema na revista alemã *Acta Eruditorum*, bem como o fez anunciar no *Journal des Savants*, na França. Soluções seriam aceitas até a Páscoa seguinte.

Essa espécie de competição havia sido criada por Leibniz poucos anos antes, quando lançou desafio semelhante ao abade Catellan em 1687. O problema, então, era achar uma curva ao longo da qual um corpo desceria sem fricção e em velocidade constante. Huygens, Leibniz e os irmãos Bernoulli haviam todos participado dele.

Esses tipos de problema serviam para demonstrar o poder do cálculo. Jacob Bernoulli havia proposto um problema similar em 1690, e quando Leibniz encontrou a solução, ele a enviou ao *Journal des Savants* para publicação em 1692. Nesse artigo ele ressaltou o poder do cálculo infinitesimal para resolver com facilidade esse e outros problemas. Poucos meses depois ele enviou outra carta para a mesma revista, e uma outra em 1694 na qual reiterava o poder superior do cálculo em relação à análise de Descartes. Também elogiava Johann e Jacob Bernoulli por aplicarem o seu cálculo, mencionava L'Hôpital e seu trabalho e, o que é interessante, dizia que Newton tinha um método semelhante, mas usava uma notação inferior.

Em 1696, Johann Bernoulli queria testar quão poderoso era o método "semelhante" de Newton, quando havia lançado o problema da braquistócrona ou "o tempo mais curto". O desafio de Bernoulli consistia em determinar a linha curva ligando dois pontos dados, um não diretamente embaixo do outro, ao longo da qual um corpo pesado, caindo sob influência da gravidade, iria descer no menor tempo possível. Esse é um exemplo clássico do tipo de problema que o cálculo pode resolver — um problema para o qual pode ser encontrada uma solução geral que expressa a curva sem definir quaisquer parâmetros do problema, tais como a massa do corpo ou a distância entre os pontos. E era o desafio máximo para testar as habilidades de Newton, uma vez que somente verdadeiros mestres do cálculo poderiam resolvê-lo.

A Descida Mais Curta Possível   173

Tratava-se de problema penoso, como me recordo do contato (da experiência) que tive com ele num curso de física que fiz há mais de dez anos numa aula do começo da faculdade. Lembro-me de ter passado a maior parte de um sábado trabalhando em busca da solução, mas não pude resolvê-lo. Poucos dias depois, cheguei mais cedo à sala de aulas e confessei ao meu professor que, depois de exaustivos esforços, não tinha conseguido resolver o problema. "Não se sinta tão mal", disse-me ele, "há trezentos anos havia somente três ou quatro matemáticos em todo o mundo que podiam resolvê-lo."

Na realidade, apenas cinco matemáticos foram capazes de resolver o problema — ou pelo menos enviaram de volta a solução dentro do tempo combinado. Eles foram, sem causar surpresa, talvez as únicas cinco pessoas no planeta que haviam dominado o cálculo: Leibniz, Newton, L'Hôpital e os irmãos Bernoulli. Newton, é claro, não teve problemas para resolvê-lo, e o fez com aparente facilidade. Ele o recebeu em 29 de janeiro de 1697, quando, depois de trabalhar um dia inteiro na Casa da Moeda, chegou em casa e resolveu o problema, em uma única noite, tendo enviado sua resposta para Bernoulli anonimamente.

O fato não passou despercebido a Leibniz, que se regozijou, "apenas eles resolveram o problema, os que eu havia imaginado que seriam capazes de resolvê-lo, por serem somente aqueles que haviam penetrado suficientemente fundo no mistério de nosso cálculo diferencial".

A jogada não conseguiu expor Newton como alguém com menor capacidade em análise matemática, mas provou a supremacia do cálculo. Para Leibniz, o cálculo era um clube de elite do qual ele era o fundador. Ele não foi ameaçado pelo fato de haver um outro membro — Newton — do outro lado do Canal da Mancha que aparentemente tinha produzido seus próprios métodos independentes e era capaz de aplicá-los com grande sucesso. A escola Leibniz de cálculo era dominante e em ascensão, e, para ele, a escola de Newton era... uma nota de rodapé, realmente.

Leibniz, até certo ponto, tinha piedade do homem. Afinal, sua própria ascensão à superioridade intelectual na Europa do início da década de 1690 havia coincidido com a deterioração do estado mental de Newton. O matemático britânico não estava bem, e rumores se espa-

174 A GUERRA DO CÁLCULO

lhavam pelo continente de que ele sofria da pior doença que um gênio poderia ter.

Sabe-se que, em 1693, Newton teve um colapso nervoso quase total, cuja causa tem sido motivo de grande especulação histórica através dos anos. Seus sintomas, em termos modernos, eram insônia, perda de apetite, perda de memória, melancolia e ilusões paranóicas. Ele manifestou as ilusões em cartas enviadas a seus companheiros, e sua insônia e demais sintomas foram coligidas dessas mesmas fontes. Ele conta, em uma dessas cartas, que havia dormido apenas nove horas durante duas semanas. E recusara alimento durante todo esse período.

Várias razões têm sido sugeridas para sua doença, cujo sintoma mais óbvio era sua quase total falta de sono. Quanto ao sono, deve ser dito que Newton vinha passando muito do seu tempo estudando excessivamente, como estava acostumado a fazer, mas mesmo para um *workaholic* sua falta de sono era incomum.

Tem sido sugerido que a falta de sono seria na realidade um sintoma de uma causa muito mais profunda — Newton podia estar sofrendo de envenenamento crônico por mercúrio. Com certeza ele mostrava os sintomas característicos — insônia, problemas digestivos, perda de memória e ilusões paranóicas. Também não há dúvida de que estava se expondo a quantidades talvez perigosas de produtos químicos durante suas experiências alquímicas. No final da década de 1680 e início da de 1690, Newton fez experiências com diferentes ligas de ferro, estanho, antimônio, bismuto e chumbo. Suas anotações indicam que ele estava achando maneiras de combinar diferentes quantidades de metais em ligas. Ele encontrou, por exemplo, uma liga — duas partes de chumbo, três partes de estanho e quatro partes de bismuto — que derreteu sob o sol de verão.

Contudo a hipótese de envenenamento por mercúrio ficou enfraquecida pela falta de sintomas adicionais que se esperaria de um envenenamento por mercúrio suficientemente severo para causar insônia, incluindo sintomas difíceis de passarem despercebidos, como problemas gastrointestinais, gengivite, déficits neurológicos e fadiga crônica.

Pelo menos um profissional psiquiátrico argumentou contra o envenenamento por mercúrio e a favor da idéia de que o estado mental de Newton não era de natureza tóxica, mas, pelo contrário, de origem psicológica — que ele era maníaco-depressivo (ou sofria de transtorno bipolar, como é chamado agora). Forte apoio a esta teoria pode estar no fato de que Newton parece ter sofrido de insônia muitas vezes em sua vida, o que é compatível com a tendência da depressão maníaca de se manifestar episodicamente durante a vida de uma pessoa.

Outras indicações da infância de Newton incluem fatos como estar muitas vezes mal arrumado, geralmente sozinho, tímido e não parecia participar de qualquer atividade recreativa. Seus anos na faculdade foram marcados pelo isolamento, e o transtorno maníaco-depressivo pode ter sido a causa profunda de muitos dos problemas que teve em sua vida — tais como suas batalhas com Hooke e Leibniz.

Esta análise, embora perfeitamente plausível, é impossível de ser provada. E está longe de ser a única teoria existente. Uma outra é que o colapso nervoso foi causado por um trauma profissional severo que Newton sofreu em 1692. Segundo a lenda, a tragédia foi uma vela deixada acesa e uma janela deixada aberta. Um dia, em fevereiro daquele ano, ele foi à igreja e deixou uma vela acesa em sua mesa. De alguma maneira, ela tombou sem se apagar e incendiou um maço de papéis, inclusive as únicas cópias de algumas das suas valiosas anotações sobre experiências óticas, observações físicas e outros assuntos que ele vinha aperfeiçoando há décadas. Newton, ao chegar em casa, descobriu que o fruto do trabalho de muitos anos havia se queimado, transformando-se em negros flocos de cinza.

Não ficou claro qual o impacto causado pela perda desses papéis, mas a teoria é que isso pode ter sido a causa de Newton ter chegado à beira da insanidade. A perda de uma tal coleção de notas insubstituíveis, contendo cerca de metade do trabalho de toda sua vida, certamente teria sido um golpe devastador para qualquer cientista antes da nossa era de discos de backup de computador.

Outra versão dessa mesma história diz que o cachorro de Newton, Diamond, derrubando a vela em cima dos papéis, outra vez os reduziu a cinzas. Nesse relato Newton aparece na porta como uma *belle* sulista dos Estados Unidos a ponto de desmaiar, falando com sotaque britânico e se lamentando: "Oh Diamond! Diamond! Você pouco percebe o mal que fez."

176 A GUERRA DO CÁLCULO

Embora esse último cenário seja tão engraçado de ser imaginado, não há nenhuma evidência de que Newton tenha tido alguma vez um cachorro chamado Diamond. Essa história pode ser tão verdadeira quanto aquela da queda da maçã dando a Newton a idéia da gravitação universal. E existe evidência de que o rumor do fogo foi apenas isso — um rumor. Ao que parece, houve um incêndio anos antes, em 1678, que queimou realmente alguns papéis, depois que Newton deixou uma vela acesa na casa vazia, e pode ter havido alguma confusão sobre isso quando, na década de 1690, espalhou-se o rumor de um incêndio haver destruído uma quantidade substancial de seus escritos. Na verdade, o rumor tornou-se tão exagerado que pelo menos uma pessoa afirmou que o fogo queimara toda a casa de Newton.

Outra teoria diz que, com fogo ou sem fogo, sua incapacidade tinha mais a ver com sua relação com Fatio, que havia se tornado mais e mais intensa nos meses que antecederam o colapso. Uma virada dramática na relação dos dois ocorreu quando Fatio caiu doente com pneumonia em 1692, após retornar a Londres vindo da casa de Newton em Cambridge, em 17 de novembro daquele ano. "Minha cabeça está um tanto desarrumada, e suspeito que ficará cada vez pior", escreveu ele a Newton. Fatio continuou detalhando seus sintomas — uma congestão que parecia maior do que seu punho em seu peito — e disse que havia tentado todos os remédios e tratamentos comuns sem resultado. "Senhor, eu quase não tenho esperanças de voltar a vê-lo", escreveu Fatio. "Estivesse eu com menos febre, lhe contaria muitas coisas."

Newton escreveu dizendo que não conseguia nem expressar o quanto estava abalado por ouvir isso. Ele ofereceu dinheiro a Fatio e quis mantê-lo em Cambridge para cuidar dele até que recuperasse a saúde. "Pois acredito que este ar será melhor para você", respondeu Newton, tendo assim finalizado sua resposta: "Seu mais afetuoso e fiel amigo para servi-lo, Isaac Newton", e a enviou como carta expressa para Fatio em Londres, que por esse tempo já estava quase recuperado.

Não obstante, poucos meses depois, Fatio escreveu que gostaria de aceitar a oferta de Newton e de estar com ele em Cambridge — especialmente se pudesse ficar nos quartos juntos ao de Newton: "Me agra-

A Descida Mais Curta Possível

177

daria saber, senhor, que perspectivas tinha diante de si quanto a uma maneira para eu subsistir em Cambridge."

Infelizmente, "o quarto junto ao meu não está disponível", respondeu Newton. Todavia ele novamente ofereceu dinheiro a Fatio, uma pensão, o que fosse necessário para que pudesse ficar perto dele em Cambridge e para tornar mais fácil sua permanência ali. A essa proposta respondeu Fatio: "Eu desejaria, senhor, viver consigo toda a minha vida, ou a maior parte dela, se isto fosse possível."

Porém Fatio, em vez disso, decidiu deixar a Inglaterra e retornar à sua pátria, a Suíça. Depois de dois encontros finais, em maio e junho de 1693, Fatio saiu da vida de Newton — quase que para sempre. Nunca saberemos o que se passou entre esses dois homens. O que sabemos é que, em 1693, todos os contatos íntimos entre os dois chegaram a um fim abrupto, e isso se deu aproximadamente na época em que Newton caiu em severa depressão.

Qualquer que tenha sido a causa de sua loucura, ela se manifestou de estranhas maneiras. Ele enviou cartas perturbadoras para Samuel Pepys e John Locke, dizendo que há meses não dormia nem comia; ele queria interromper toda correspondência com Montague, convencido de que este era um falso; desculpou-se extensamente por pequenas ofensas que havia feito a Locke; e assim por diante.

Existe uma última possibilidade a considerar com relação ao estado de Newton: que ele absolutamente não estava envenenado por uma toxina, arrasado pela depressão ou perturbado pela perda de um amigo, mas estava simplesmente sendo Newton. Sua insônia pode não ter sido um sintoma de algum problema neurológico subjacente, mas, antes, um acesso comum de energia excitada, semelhante a outros que o agitaram muitas vezes em sua vida. Do mesmo modo, a cólera paranóica, que muitas vezes é citada como um dos seus sintomas mais importantes, era algo que caracterizava muitos de seus relacionamentos. Não sendo um aspecto exclusivo da década de 1690, o famoso mau gênio de Newton apareceu durante toda a sua vida. Ele travou uma desagradável briga com o astrônomo John Flamsteed, por exemplo, convencido de que este era culpado de não ter ele sido capaz de chegar a uma teoria correta sobre os movimentos da Lua. Newton não havia ficado satisfei-

178 A GUERRA DO CÁLCULO

to com a teoria lunar como a expusera nos *Principia* escritos na década de 1680, e nos anos subseqüentes trabalhava para melhorá-la. Em 1694, passou a usar as observações de Flamsteed para explicar a órbita da Lua. Ele trabalhou nisso intermitentemente por vários anos.

Esse trabalho conjunto era para ter sido um dos primeiros exemplos daquilo que iria se tornar um tipo padrão de colaboração científica entre o teórico e o experimentador, o perfeito casamento entre a teoria e a experimentação. Newton, embora fosse também um hábil experimentador, iria agir como teórico e aplicar suas penetrantes habilidades geométricas aos conjuntos de dados que Flamsteed, o astrônomo, lhe forneceria. A experiência, assim como a colaboração, falhou — em grande parte porque Newton era tão autoritário que estragou o relacionamento.

Mas, mesmo que Newton não tenha tido nenhuma espécie de colapso nervoso, o efeito sobre Leibniz foi o mesmo. Ele ouviu dizer que Newton havia tido... alguma coisa, e sentiu simpatia pelo homem cuja grandeza reconhecia. Leibniz tinha sincera preocupação por seu rival inglês.

A preocupação surgiu novamente poucos anos depois, em 1695, quando Burnet, então o médico real da Escócia, visitou Hanover e tornou-se amigo de Leibniz. Quando Burnet regressou à Inglaterra, Leibniz manteve-se em contato com ele e o utilizou para sentir o pulso da vida e dos acontecimentos em Londres.

Na realidade, ele confiou em Burnet para manter-se informado também sobre Newton. Depois da curta troca de cartas entre eles em 1693, Leibniz passou a ter um interesse ocasional por Newton e suas atividades, e teve pelo menos mais uma ocasião de enviar uma nota para ele através de Burnet em 1696. Burnet respondeu que o destinatário ficara agradecido pela carta, mas estava muito ocupado, porque acabara de tornar-se diretor da Casa da Moeda, uma posição que Newton vinha tentando conquistar há algum tempo.

Montague, amigo de Newton, havia escrito para ele em 19 de março de 1696, com as boas novas de sua nomeação: "Estou muito contente de finalmente poder dar-lhe uma boa prova da minha amizade, e da estima que o rei tem por seus méritos (...) o rei me prometeu fazer [você] diretor da Casa da Moeda, o lugar mais apropriado para você,

A DESCIDA MAIS CURTA POSSÍVEL   179

trata-se do principal administrador da Casa da Moeda, vale 500 ou 600 libras por ano, e não tem muito trabalho para exigir maior presença do que você pode dispor."

Newton fez o juramento de manter em segredo a tecnologia para fazer novas moedas, e o assinou em 2 de maio — com isso ele se tornou o novo diretor da Casa da Moeda. Nessa posição, ele iria supervisionar um orçamento anual de 7.500 libras, ou o equivalente a mais de 700 mil libras (cerca de US$ 1,5 milhão) em moeda atual. Além disso, esse cargo iria trazê-lo para Londres, um lugar muito mais interessante para se viver do que Cambridge. Cambridge era uma pequena cidade, enquanto Londres era uma metrópole importante, com uma população de cerca de meio milhão de habitantes.

Leibniz, porém, não percebeu a importância dessa mudança, e lamentou que o novo cargo houvesse aparentemente tirado Newton de seu trabalho sério em ciência e matemática. Isso, de certo modo, era verdade. Embora Newton não houvesse abandonado inteiramente a matemática, seus anos de criatividade como um matemático ativo já eram passado há muito. No legado de anotações, artigos não publicados e outros documentos que ele iria deixar a seus herdeiros ao morrer, existem muitos trabalhos e cartas escritos depois de 1696 que tinham relação com a matemática, mas em sua maior parte eram referentes a revisões dos *Principia* e estavam longe de serem trabalhos originais. Ele realizou uma grande quantidade de trabalho em teoria lunar, em teorias relacionadas com a refração atmosférica e a determinação de uma forma de sólido de menor resistência, as quais eram todas aplicações que dependiam acentuadamente de sua habilidade matemática, mas que foram todas apequenadas pela considerável literatura que Newton produziu com relação à Casa da Moeda, à qual ele se atirou a despeito de haver Montague lhe assegurado que se tratava de uma função que ele desempenharia com pequeno esforço.

Entretanto talvez a preocupação de Leibniz com a nova carreira de Newton pouco tivesse a ver com as demandas da Casa da Moeda. Leibniz não desconhecia as operações da Casa da Moeda — pelo menos em teoria. Ele havia rascunhado anos antes um memorando para Ernst August, no qual propunha um novo método para cunhar moedas, conside-

180 A GUERRA DO CÁLCULO

rando que a região de Hanover tinha prata da melhor qualidade. Leibniz havia sugerido pesos equivalentes para as moedas — em lugar do peso real. Assim, uma moeda de Hanover com menor peso iria valer o mesmo que uma mais pesada de outra região. Desse modo, o valor da prata superior seria tomado em consideração.

Leibniz pode ter estado sutil ou subconscientemente se referindo à sua própria situação, por ter sido tirado de assuntos mais importantes pela terrível história em que constantemente tinha que trabalhar. Talvez ele estivesse simplesmente expressando em relação a Newton aquilo que ele gostaria de ter para si — estar livre do tédio da história que tinha que escrever e das pequeninas intrigas da corte em que servia. Tivesse Leibniz *sua* escolha, ele provavelmente teria preferido passar seus dias conversando e escrevendo sobre assuntos importantes. Como eram na ocasião, as intrigas na corte em Hanover fariam uma dona-de-casa fã de novela encabular. A melhor maneira de ilustrar aquele ambiente moralmente insalubre é narrar uma história, e a mais intrigante de todas, envolvendo Jorge Ludwig, filho de Ernst August, sua mulher e o amante desta, na década de 1690. Essa história começou quando Jorge Ludwig casou-se com sua prima Sophia Dorothea, filha de seu tio Jorge William. Jorge Ludwig era frio e severo, em contraste com sua bela e amorosa esposa, da qual se dizia ser atraente e bem-amada, a única entre os descendentes de seus pais a sobreviver após o nascimento.

A vida cortesã em Hanover na segunda metade do século XVII era grandiosa, apesar da cruel destruição infligida ao restante da Alemanha durante a Guerra dos Trinta Anos. Dizia-se que Ernst August possuía cavalariças com mais de seiscentos cavalos, vinte cocheiros, dezenas de ferreiros, cavalariços, veterinários e outros auxiliares. Seus salões estavam cheios de camareiros, porteiros, pajens, médicos, mestres de esgrima, professores de dança, barbeiros, músicos e cozinheiros, entre outros. A diversão era abundante, e Ernst August transformou Hanover num extravagante playground, festejando aquilo de que gostava. Entre seus marcos figurava um novo palácio em estilo italiano.

Sophia Dorothea chegou em total inocência para casar-se com Jorge Ludwig, em 21 de novembro de 1682. Pouco sabia ela da infelicidade à sua espera. Seu sogro tinha uma amante residente, a condessa de

A Descida Mais Curta Possível

Platten, que maquinava contra ela. Nos séculos XVII e XVIII, os homens de sociedade da Europa tinham amantes, e não ter uma era considerado estranho — até não-masculino. Contudo, em Hanover, as aventuras sexuais dos nobres beiravam o incesto. A condessa convenceu sua irmã a ter um caso com o jovem Jorge. Quando este se cansou dela, a condessa encorajou sua própria filha (filha de Ernst August, meia-irmã do próprio Jorge) a se tornar amante de Jorge.

Nessa cena incestuosa entrou o conde Philip Christopher von Königsmark, um impetuoso jovem nobre de uma rica família sueca. Era amigo do irmão de Jorge, Charles, e em um baile de máscaras encontrou Sophia Dorothea a qual, como se fosse um golpe do destino, ele havia conhecido anos antes e por quem acalentara uma paixão juvenil. Em 1688 ele se apaixonou por ela, e um ano depois voltou para viver em Hanover, tornando-se coronel a serviço do duque e aninhando-se nos braços acolhedores de Sophia Dorothea, que já tinha aprendido uma ou duas coisas sobre a vida na corte.

Infelizmente, Königsmark não era um rapaz do tipo de uma só amante, e deitou-se secretamente com a muito mais velha condessa de Platten. A esta ele gabou-se do seu caso com Sophia Dorothea. Era um jogo muito perigoso o que Königsmark estava jogando. Seu chefe, Ernst August, não era um homem gentil e magnânimo, e Königsmark estava correndo um grande risco dormindo ao mesmo tempo com sua nora e com sua amante.

O duque era perigoso. Ele tinha um cúmplice em seu filho Charles, que estava envolvido numa conspiração para arrancar uma herança de Jorge, que foi assassinado de uma maneira abominável em 1691. O conspirador, um certo Von Moltke, foi "quebrado na roda", como se dizia então. Seus braços e suas pernas foram feitos em pedaços por uma pesada roda de carro e depois ele foi amarrado prostrado à roda, que foi levantada num mastro e deixada ao sol para que ele morresse lentamente, mas com as nádegas para cima, com todo o sangue escorrendo para seus membros quebrados, fazendo-os inchar.

Königsmark foi se tornando crescentemente ciumento por ter que partilhar Sophia Dorothea com Jorge Ludwig, e quando ela teve que passar muito tempo em atividades oficiais, durante um festival de três

182   A Guerra do Cálculo

meses para marcar a elevação do duque e da duquesa à dignidade de eleitores, ele teve um acesso de raiva. Nesse estado, ele rejeitou a figura matronal da condessa de Platten como uma pobre substituta de sua jovem e bela amante. Ele começou a culpar a condessa por todos os seus problemas, inclusive por alguns financeiros, e jurou que iria provocar uma briga com o seu filho — um duelo que seria mortal para o rapaz, porque o impetuoso Königsmark era um mestre espadachim.

Rejeitada como amante e ameaçada como mãe, a condessa de Platten tinha que vigiar todos os movimentos dos dois amantes. Quando Sophia Dorothea e Königsmark decidiram fugir juntos em segredo, a condessa contou tudo a Ernst August. Este teve um acesso de raiva e seus homens interceptaram o impetuoso e desesperado Königsmark, antes que ele pudesse encontrar-se com a linda nora do duque. No tumulto que se seguiu, Königsmark foi morto e, enquanto ele morria, a condessa de Platten, que, escondida, acompanhava o desenrolar da emboscada, ficou em pé sobre ele. Conta-se que, ao dar seu último suspiro, ele a amaldiçoou e cuspiu sobre ela, e que ela enfiou o calcanhar na boca do moribundo e torceu para longe suas maldições.

Esses eram os gracejos das intrigas em Hanover durante a década de 1690.

O relato oficial do desaparecimento do sueco dizia simplesmente que ele havia se perdido naquela noite e nunca mais foi visto. Mas o dano estava feito. As cartas dos amantes foram encontradas e o escândalo envolvia uma pessoa muito conhecida em toda a Europa. Numa tentativa de limitação do prejuízo, Sophia Dorothea foi levada a julgamento, e um divórcio foi decretado em 28 de dezembro de 1694. Jorge estava agora livre para casar novamente. Sophia Dorothea, por seu lado, foi aprisionada numa fortaleza próxima, e teve seus filhos retirados de sua guarda. Ela viveu 32 anos mais, abandonada por seu infiel marido, privada de seu amante assassinado, e pranteada por seus filhos.

Nos anos que se seguiram, Jorge Ludwig passou a ter aversão a seus filhos — em especial a seu filho, que se parecia muito com Sophia Dorothea. Jorge permaneceu indiferente quando seus netos nasceram, e se tornou tão impiedoso com seus descendentes que, poucos anos depois de se ter tornado rei da Inglaterra, ordenou que seus netos, com 5, 7 e

A Descida Mais Curta Possível

9 anos de idade, fossem retirados dos pais à força. Suas ordens foram mesmo tão longe que seu neto recém-nascido foi arrancado dos braços da mãe e morreu poucas semanas depois — possivelmente como resultado desse ato de violência.

Nesse interessante, embora vazio, cenário dramático que era Hanover pelo final do século XVII, Leibniz se abatia com a pouca, se é que alguma, companhia intelectual. Ele confidenciou a Thomas Burnet em 1695 que dificilmente tinha alguém com quem falar e que, se não fosse por suas conversas com a rainha Sophia, a mulher de Ernst August, já madura, não teria praticamente ninguém com quem palestrar. Tinha que contar com sua correspondência com pessoas como ele, Burnet, para ter alguma companhia intelectual, e, sob esse ponto de vista, Leibniz não podia esperar que mais alguém, especialmente um matemático tão brilhante e aparentemente tão frágil como Newton, fosse envolver-se com essas tediosas intrigas políticas. Em 1696, o mesmo ano em que Newton começou a trabalhar na Casa da Moeda, uma coisa curiosa aconteceu a Leibniz — ele quase se casou. Enquanto estava em Frankfurt em certo ponto de suas viagens, alguns de seus amigos sugeriram que ele perseguisse uma jovem solteirona rica, e, ao que parece, ele fez algumas investidas, mas que provavelmente se pareciam mais com discussões legais do que com um namoro íntimo, e que não tiveram resultado. Ao final, a moça pediu tempo para pensar sobre a proposta, e ele perdeu o interesse. Ele estava nessa época com 50 anos, e havia sido um solteirão por toda a vida. De minha parte, não posso senão desejar que eu soubesse mais sobre ela.

9

Os Capangas de Newton
▪ 1696-1708 ▪

*Saibam todos que nós, por diversas boas causas e considerações, (...)
damos e concedemos ao nosso confiável e Bem amado Súdito Isaac
Newton a função de Mestre e Operário de todas nossas moedas de Ouro
e Prata dentro de nossa Casa da Moeda em nossa Torre de Londres e em
qualquer outro lugar em nosso Reino da Inglaterra.*

— Guilherme III, rei da Inglaterra. *Nomeação de Newton para Mestre
da Casa da Moeda*, 3 de fevereiro de 1700.

Newton tinha uma casa na Torre de Londres, em que viveu pelo menor tempo possível quando se mudou para a capital. Pelo fim do século XVII, quando passou a residir lá, a Torre já era um lugar antigo, saturado de história e intriga. Newton morava a apenas alguns curtos passos do lugar em que Ana dos Mil Dias,[1] e muitos outros prisioneiros famosos haviam sido executados.

Hoje a Mint Street ostenta uma estreita fileira de casas de tijolos negros, um tanto despretensiosas, no lado mais a oeste do complexo da Torre; essas casas já foram convertidas em residências particulares, as quais, segundo me disse um guia, são habitadas por pessoas que trabalham naquela famosa atração turística.

Newton não viveu lá por muito tempo. O barulho de todas as moedas chocalhando era tão desagradável que ele logo achou uma casa em

---

[1] Ana Bolena (1507-1536), segunda esposa de Henrique VIII e mãe de Elizabeth I, condenada à morte sob acusação de adultério. (*N. do T.*)

186

A GUERRA DO CÁLCULO

outra parte da cidade. Mas dormir longe daquele barulho não significava que sua atenção estava em outro lugar. Sua Casa da Moeda era uma repartição do governo em crise. Por decreto, a Casa da Moeda havia sido encarregada de cunhar novamente todas as moedas de prata do reino — uma coisa que se tornou necessária porque as moedas antigas tinham bordas arredondadas e podiam ser facilmente "recortadas".

Esse recorte ocorria quando pessoas desonestas tiravam uma pequena lasca de metal da borda de uma moeda. Se fizessem isto com várias, poderiam fundir as lascas numa barra de prata; e como uma das complexidades da Casa da Moeda permitia trocar barras de prata por moedas, os "recortadores" podiam trocar suas barras por dinheiro novo.

Se o recorte de moedas era um problema crônico, a falsificação era um problema agudo. Durante a maior parte do século XVII, as moedas de prata da Inglaterra eram prensadas a mão — um cansativo trabalho pago por peça envolvendo suor e cunhos de prata martelados. Esse método havia sido abandonado trinta anos antes de Newton haver chegado à Casa da Moeda; em lugar desse método, a cunhagem havia se tornado um processo mais industrial, no qual a prata era fundida em grandes panelas de ferro aquecidas sobre fogo e as moedas eram estampadas por máquinas especialmente projetadas para essa tarefa. Mas algumas das antigas moedas estavam ainda em circulação e, enquanto estivessem, os falsificadores podiam criar seus próprios cunhos e estampar imitações feitas de ligas de menor valor.

Refazer a cunhagem da moeda foi a solução para esses problemas porque uma nova invenção permitiu às novas moedas receberem, ao serem fabricadas, uma borda característica, borda essa que evitava que o recorte viesse a ser feito sem ser percebido, e que também tornava mais difícil a falsificação. Assim a Casa da Moeda, que ficava na Mint Street entre o que antes eram as muralhas interior e exterior da Torre de Londres, passou a despejar moedas novas pelo final do século XVII. Cerca de trezentos trabalhadores e cinqüenta cavalos operavam as nove máquinas de cunhagem das quatro da manhã até a meia-noite, todos os dias, e produziam cerca de 45 toneladas de moeda por semana. Foi o maior programa de recunhagem da história da Inglaterra — e não ia bem.

Quando o projeto começou, tinha muitos problemas. Para começar, não havia dinheiro suficiente para pagar o custo da operação. A Casa da Moeda era financiada por uma taxa sobre bebidas importadas que não era suficiente para custear essa recunhagem maciça, e, como solução, o governo introduziu um novo imposto sobre janelas na cidade de Londres. Ao que se supõe, algumas das antigas edificações "cegas", sem janelas, da cidade sobreviveram àquela época e chegaram até mesmo ao século XX.

Além disso, as novas moedas não eram ainda uma garantia contra a falsificação, e havia grande quantidade de falsificadores suficientemente espertos para enganar o novo sistema. As novas moedas de prata eram feitas de uma liga com 92,5% de prata pura e 7,5% de cobre. Um falsificador podia simplesmente comprar a nova moeda, misturá-la com cobre ou prata de menor pureza, produzir moedas falsificadas e depois trocar estas por mais moedas novas. Isso era feito com tal facilidade de modo tão desenfreado que, quando Newton se tornou diretor da Casa da Moeda estimou que um quinto das moedas recolhidas eram falsas.

Newton passou a conhecer muito bem todos os detalhes da falsificação e do recorte de moedas quando assumiu seu primeiro cargo como diretor, um dos três principais dirigentes da Casa da Moeda. Como diretor, ele era o representante do rei, um posto que aparentemente já era do mais alto nível. Ele administrava as finanças da Casa da Moeda e supervisionava os outros membros da administração, mas na realidade o poder na instituição estava com o mestre da cunhagem, que era uma espécie de contratante principal. O contrato do mestre era simples. Para cada libra de prata que ele cunhasse, ele tinha direito a uma certa percentagem como comissão, e com isso ele subcontratava o trabalho e daí obtinha seu lucro. Na época em que Newton foi nomeado, as funções do gabinete do diretor haviam sido reduzidas, e o mestre da cunhagem tinha assumido grande soma de poder, e não era mais considerado inferior ao diretor.

188 A GUERRA DO CÁLCULO

Basicamente, o diretor era responsável, quase que exclusivamente, pelo trabalho policial e legal. O primeiro dever de Newton era identificar os falsificadores e os que praticavam o recorte de moedas e processá-los — um trabalho pelo qual sentia pouca atração, mas em cujo exercício se destacou. Embora a acusação contra esses criminosos fosse um dever que já fazia parte das funções do diretor há décadas, os antecessores de Newton haviam deixado sua execução a cargo de seus funcionários. Newton fez isso pessoalmente, mas diz-se que ficou tão desgostoso com esse trabalho que depois de certo tempo pediu ao Tesouro para dispensá-lo de sua execução. "Isso é função de um advogado e pertence mais propriamente ao advogado e procurador-geral do rei", escreveu ele. "Rogo humildemente que não me seja imposto por mais tempo."

Isto não quer dizer que tenha relaxado em suas funções. Ele prosseguiu com seus processos com o mesmo zelo especial que dedicava à maior parte do que ocorria em sua vida, tomando pessoalmente longos depoimentos dos falsificadores e seus advogados, e escrevendo algo como um livro de registro de casos para orientar seu trabalho. Até comprou uma nova roupa para esse trabalho. Pagou uma quantia significativa de seu próprio bolso para instituir juizados de paz em vários condados a fim de processar os falsificadores numa grande parte do país.

Se havia algum criminoso para quem Newton aguçaria seus dentes acusatórios mais do que para qualquer outro, este era o notório falsificador William Challoner. Challoner era um ladrão e vigarista de grande habilidade e de bravatas maiores ainda. Poucos anos antes de Newton tornar-se diretor, ele havia conseguido receber uma grande recompensa utilizando uma manobra traiçoeira para conseguir um prêmio oferecido pelo governo britânico por alguma informação que levasse à captura de um panfletário que vinha divulgando propaganda contra o rei. Challoner achou um dos panfletos ofensivos, pagou para que fosse reimpresso e entregou os impressores que ele próprio contratara para receber o dinheiro da recompensa.

No início de 1696, quando Newton chegou à Casa da Moeda, Challoner preparava um golpe ainda mais ousado. Um ano antes, ele

Os Capangas de Newton   189

havia escrito um panfleto defendendo a redução do peso das moedas de prata para torná-las iguais às moedas mais antigas, recortadas. Presumivelmente, a razão para isto era Challoner ser um dos melhores falsificadores da Grã-Bretanha na época, e essa redução de peso significaria maiores lucros para si, já que poderia usar menos prata em suas moedas falsificadas. Ele procurou o Parlamento e diversos membros do governo britânico para denunciar a incompetência e a corrupção da Casa da Moeda. Oferecendo seus serviços, Challoner anunciava que tinha inventado uma maneira de fazer moedas à prova de falsificação. Tentou convencer o governo de que podia modernizar as máquinas de cunhagem das moedas desde que pudesse supervisionar pessoalmente sua operação.

Um comitê parlamentar que ouviu esse oferecimento pediu a Newton, poucos meses depois, que desse a Challoner acesso às máquinas de cunhagem. Mas Newton recusou-se. Algumas dessas máquinas eram altamente secretas. O próprio Newton, ao assumir seu posto, tivera que fazer o juramento de nunca revelar os segredos da fabricação das moedas. Ele parece ter enxergado o que estava por trás do truque de Challoner e era alguém para ser levado a sério nesses assuntos. Colocou Challoner a ferros e o manteve preso. Muitos meses depois, em 1699, ele acusou com tanto sucesso o conhecido falsificador que o bandido foi condenado à morte por seus crimes.

Por essa e outras demonstrações de competência, Newton foi premiado com a promoção a mestre da Casa da Moeda em 1699, quando morreu o mestre sob o qual ele servia, Thomas Dyle. Newton foi nomeado para o lugar deste no dia seguinte ao Natal. A carta com sua nomeação, em nome do rei Guilherme III, concedia "ao dito Isaac Newton todos os edifícios, construções, jardins e outros honorários, pensões, lucros e privilégios, franquias e imunidades pertencentes ao mencionado cargo".

Pouco depois desta nomeação, as esferas de ação dos governos de Newton e de Leibniz iriam tornar-se inexoravelmente ligadas. O rei Guilherme III morreu em 1702; e sua esposa co-regente, Mary, teve a má sorte de contrair varíola e morrer cerca de dez anos antes (e algumas centenas de anos antes que o método de vacinação de Jenner ini-

190   A Guerra do Cálculo

ciasse o longo processo que acabaria levando à erradicação da doença em todo o mundo, na década de 1970). Guilherme e Mary não deixaram herdeiros ao trono, e isso deu lugar a uma certa crise nos anos que antecederam a morte do rei, quando o Parlamento britânico lutou para encontrar uma solução que garantisse uma sucessão protestante.

A seguinte na linha de sucessão era a princesa Ana, firmemente protestante apesar de ser filha do deposto rei Jaime II. Em 1702, depois que o rei Guilherme morreu, ela tornou-se governante da Grã-Bretanha. A rainha Ana era uma mulher corpulenta, quadrada. Num retrato pintado pelo artista Michael Dahl, que está na National Portrait Gallery em Londres, ela está de pé, impressionante num régio vestido dourado e uma manta de pele azul, ostentando diamantes incrivelmente grandes, com uma das mãos pousada nas jóias da coroa. Ser retratada de pé pode ter sido uma importante afirmação porque, quando foi coroada em abril de 1702, estava obesa, doente e com um ataque de gota tão severo que não podia ficar de pé ou andar. Teve que ser carregada nas costas dos guardas do palácio para entrar na Abadia de Westminster, onde foi coroada.

Seu governo não foi fácil. Ana herdou uma guerra, que começou em 1702, quando uma nova aliança — a "Grande Aliança", incluindo Dinamarca, Prússia, Hanover, Palatinado, Inglaterra e Holanda — foi formada contra a França. E seu reinado também coincidiu, em quase toda sua duração, com a guerra da sucessão espanhola, que não terminou até o Tratado de Utrecht, um ano antes de Ana morrer, em 1713. Porém a verdadeira tragédia de sua vida foi não ter conseguido criar seus filhos, apesar de ter tentado durante metade de sua vida. Ela ficou grávida 18 vezes e teve sete filhos, mas o último morreu antes que ela chegasse a assumir o trono.

Contudo, ainda antes que ela se tornasse rainha, o Parlamento britânico aprovou em 1701 o Act of Settlement (Ato de Entendimento), que incluía explicitamente na linha de sucessão ao trono os descendentes da rainha Sofia, a boa amiga de Leibniz. Isso significava que o filho de Sofia, Jorge Ludwig, estava indicado para tornar-se rei da Inglaterra depois da morte de Ana. A sucessão correta teria feito tornar-se rei o irmão da rainha Ana, Jaime (o que viria a ser Jaime III). Em vez disso, devido à decisão do Parlamento, a coroa passou para aquele primo afastado deles, cuja única reivindicação ao trono era ter como bisavô, pelo lado de sua mãe, o rei Jaime I. A filha deste, Elizabeth Stuart, havia se casado com Frederico, um eleitor na Alemanha, e eles tiveram um filho. Ela era a Sophia que acabou casando com Ernst August, o duque de Hanover. Sophia e Ernst tiveram seis filhos, um dos quais era Jorge Ludwig. Quando Ernst August morreu em 1698, foi sucedido como duque por Jorge. A causa da ascensão de Jorge ao trono inglês não teria tido sucesso se ele estivesse sujeito a regras de sucessão que não fossem baseadas no medo que inspirava um novo rei católico.

Depois que Jorge Ludwig tornou-se eleitor de Hanover, ele alterou o clima jovial da corte. Uma testemunha dessa mudança, a duquesa de Orleans, descreveu-a numa carta: "Não é de espantar que não se veja mais o prazer em Hanover, pois este eleitor é tão frio que transforma tudo em gelo."

Ocorrera um certo atrito entre a rainha Ana e o duque em Hanover alguns anos antes. Jorge Ludwig viajara para a Inglaterra e fora apresentado à rainha como um potencial marido, mas nada resultou do encontro. Na época, rumores atribuíram isto ao fato de que o másculo jovem duque não se sentira atraído pela atarracada e quadrada Ana.

Houve também atrito entre Jorge Ludwig e Leibniz depois que aquele se tornou duque. Provavelmente, Jorge desejava tolerar mais coisas de Leibniz do que de qualquer outro dos seus cortesãos, uma vez que Leibniz era uma lenda viva — um ilustre pensador que era a principal inteligência do ducado. Além disso, Leibniz proporcionava valioso aconselhamento e fiel serviço. Contudo Jorge nunca teve Leibniz realmente como pessoa de sua confiança, e suas demonstrações de respeito muitas vezes tinham um tom zombeteiro. Uma vez ele referiu-se a Leibniz como seu "dicionário vivo" e queixou-se de suas freqüentes ausências e de sua incapacidade para terminar a história dos Brunswick.

Leibniz enfrentou essas coisas com tranqüilidade. Ele era realmente uma lenda viva quando Jorge Ludwig tornou-se duque em 1698. Sua folha de serviços à Casa de Hanover era sólida e sua lista de realizações, mesmo deixando de lado seu trabalho para os dois duques

192 A GUERRA DO CÁLCULO

precedentes, o pai e o tio de Jorge Ludwig, era imensa. Apesar do fato de não ter concluído a história em que estava trabalhando havia quase dez anos, Leibniz supunha que sua posição na corte ao final do século XVII era tão segura quanto a de ser o grão-mestre do cálculo — inexpugnável.

Pura ilusão!

Saído não se sabe de onde, Fatio de Duillier reapareceu subitamente em cena quando decidiu encabeçar a luta em favor de Newton em 1699, depois de escrever um artigo, "Uma investigação geométrica de duas partes sobre a linha de queda mais curta", em que fazia a surpreendente acusação pública de que Newton não apenas havia sido o primeiro a descobrir o cálculo, mas também que Leibniz havia realmente roubado o método do seu mentor e amigo.

"O célebre Leibniz pode talvez agora perguntar como eu me familiarizei com o cálculo que posso usar", escreveu Fatio. "Reconheço que Newton foi o primeiro e por muitos anos o mais acatado inventor do cálculo, tendo sido eu levado a isto pela evidência factual sobre este ponto. Quanto a saber se Leibniz, o segundo inventor, tomou alguma coisa dele, prefiro deixar que julguem os que viram as cartas e outros manuscritos de Newton, e não eu."

Por que Fatio subitamente pula onde não parecia haver qualquer disputa em curso e torna-se o campeão da causa de Newton depois de terem os dois se mantido afastados durante os anos precedentes? Uma possibilidade é que talvez ele estivesse procurando renovar sua amizade com Newton. Mas igualmente forçosa como explicação é a possibilidade de ele ter sido movido por ressentimentos em relação a Leibniz.

Fatio tinha sua própria história pessoal com Leibniz, e sentia imensa antipatia pelo alemão. Assim como Leibniz havia feito uma década antes, Fatio havia entrado em contato com Huygens. Fatio era mais jovem do que Leibniz quando este se encontrava na mesma posição, e Huygens era muito mais velho, mas, não obstante, Fatio se via como se fosse um igual a Leibniz, porque agora eram ambos discípulos de Huygens. De sua parte, Huygens desejava promover um intercâmbio entre Fatio e Leibniz, porque pensava que seria produtivo, e por isso Fatio escreveu a Leibniz em diversas ocasiões, pedindo-lhe que partilhasse suas ferramentas e técnicas matemáticas. Leibniz recusou-se, deixando de perceber o que poderia ganhar na permuta. Ele ainda tinha o maior respeito pelo seu velho mentor, mas, aparentemente, não o suficiente pelo novo protegido de Huygens.

Talvez tenha sido essa afronta anterior que levou Fatio a assumir a causa de Newton em 1699 e a acusar Leibniz de plágio. Ou talvez ele tenha se sentido insultado por Leibniz no episódio do problema-desafio lançado por Bernoulli, que Fatio também havia resolvido, mas cuja resposta não enviara a tempo. Fatio ficou ofendido quando leu o que Leibniz escrevera sobre o problema — as exultantes fanfarronadas de que somente participantes da panelinha dos seguidores de Newton e Leibniz poderiam resolvê-lo. Fatio viu isto como uma ofensa direta e, portanto, foi levado a revidar jogando areia no rosto de Leibniz sob forma de uma séria acusação de plágio.

"Nem o silêncio do mais modesto Newton, nem o zelo ansioso de Leibniz em atribuir a ele próprio em toda parte a invenção desse cálculo vão influenciar qualquer um que tenha lido com atenção estes documentos que eu mesmo já examinei", escreveu Fatio em seu artigo. Não há dúvida que ele estava particularmente posicionado para fazer com tal vigor a defesa de Newton e o ataque a Leibniz. Fatio era uma das poucas pessoas na Europa que eram suficientemente versadas em cálculo para entender os documentos, assim como ele tinha tido maior acesso ao gabinete privado de Newton, com todos os seus ricos papéis, do que praticamente qualquer outro ser humano durante a vida do inglês.

Não obstante, o ataque de Fatio foi inoportuno. Embora ele não tenha acusado diretamente Leibniz de plágio, deixou isso, sem dúvida, implícito. Uma acusação substancial contra Leibniz iria ser feita mais tarde, e nessa ocasião muitos outros iriam juntar-se aos que atacavam Leibniz em favor de Newton, como fez Fatio em 1699. Mas isso teria que esperar algum tempo. Em 1699, Newton estava ainda há poucos anos em seu cargo na Casa da Moeda, e supervisionar essa instituição consumia grande parte do seu tempo e de sua atenção. Ele não ofereceu ajuda alguma a Fatio.

Agindo sozinho, Fatio estava muito longe de sua turma. Afinal, Leibniz era saudado na Europa como o mais destacado matemático de sua época — uma posição que o próprio Leibniz sempre afirmou com vigor. Também na Inglaterra sua reputação era excelente, e ele era membro da Royal Society há longo tempo. E o mais destacado matemático de sua época estava agora furioso. Ele demonstrou surpreendente controle não perdendo sua frieza; pelo contrário, ele respondeu diretamente pelas páginas das *Acta Eruditorum*.

Em maio de 1700 Leibniz publicou sua resposta à acusação de Fatio, defendendo vigorosamente sua posição e menosprezando o jovem como tendo sido pervertido por uma sede de reconhecimento. Em um ataque quase psicanalítico, escreveu: "Desconfiança é um sentimento de hostilidade." E acompanhou tal declaração com o ardor eloqüente de um brilhante advogado: "Podemos prontamente esconder debaixo de um zelo pela justiça sentimentos que, claramente reconhecidos, iriam nos desgostar. Na verdade, quanto mais eu entendo os defeitos da mente humana, menos eu fico irritado com qualquer aspecto do comportamento humano."

Nesse artigo, ele se defendeu insinuando que Fatio não tinha o apoio nem mesmo de Newton em sua acusação. Para Leibniz, muito embora seu relacionamento com Newton tenha ocorrido sempre mais ou menos a grande distância, tinha todos os sinais exteriores de ser de mútuo respeito e da mais elevada admiração. Aos ouvidos de Leibniz, o silêncio de Newton quanto à acusação de Fatio era ensurdecedor. "Pelo menos o homem excelente apareceu em diversas conversas com amigos meus", escreveu Leibniz, referindo-se a Newton, "para manifestar uma boa disposição para comigo, e não fez a eles nenhuma queixa, até onde eu sei. Também em público ele falou a meu respeito em termos nos quais seria da maior injustiça encontrar falta. Eu também tenho reconhecido seus grandes serviços nas ocasiões apropriadas."

Leibniz desejara dar a Newton o que lhe era devido como matemático em mais de uma ocasião, e esta certamente era uma. A essa altura, o alemão ainda não tinha nenhuma querela com seu rival inglês, e não perdeu a oportunidade para dar adequado, senão exagerado, louvor a Newton, colocando os dois como matemáticos iguais. Mas ele sustentou que suas grandezas eram paralelas — que ele pouco havia colhido das descobertas originais de Newton da troca de cartas entre eles. Afirmou que não tinha idéia de como era avançada a matemática de Newton até que leu os *Principia,* mas não foi senão durante a década de 1690 que compreendeu que os métodos de Newton eram "um cálculo tão semelhante" ao seu. Nesse artigo, Leibniz indicou que o inglês, nos *Principia,* confirmou que eles haviam inventado seus métodos matemáticos independentemente: "Como em seus *Principia* ele também testemunhou, explícita e publicamente, que nenhum de nós é devedor, com referência às descobertas geométricas tornadas comuns por ambos, por qualquer luz acesa pelo outro, mas somente a suas próprias meditações."

Leibniz também afirmou explicitamente sua inocência na questão. "Quando publiquei meus elementos do cálculo diferencial em 1684 eu nada sabia de suas descobertas nesse departamento, exceto o que ele próprio me havia dito em uma de suas cartas, onde ele declarava que podia traçar tangentes..." O traçado de tangentes para o qual Leibniz chamava a atenção em seu artigo (uma operação que é grandemente simplificada pelo uso do cálculo) de forma alguma era exclusivo de Newton. Além disso, Leibniz, em outro lugar, declarou explicitamente que ninguém sabia melhor do que Newton que suas descobertas eram verdadeiramente independentes "sem que um recebesse qualquer esclarecimento do outro".

Leibniz não escreveu em sua revista favorita meramente uma repreensão ao artigo de Fatio. Por segurança, ele anonimamente fez também uma crítica de sua própria carta, concedendo-lhe, é claro, um parecer favorável. Adicionalmente, procurou apoio em sua defesa queixando-se formalmente à Royal Society numa carta apresentada em 31 de janeiro de 1700. Sem o apoio de Newton, Fatio foi facilmente abatido por Leibniz, e os matemáticos importantes da época o apoiaram.

John Wallis, por exemplo, pelo que se disse, teria ficado muito incomodado pelas acusações de Fatio e simpático em relação a Leibniz. Ele garantiu a este que o ataque de Fatio não fora sancionado pela Royal Society e que sua reputação estava assegurada. E Newton?... Newton permaneceu calado sobre a questão.

196   A Guerra do Cálculo

A disputa poderia ter acabado nesse ponto, e as guerras do cálculo esgotado tendo Leibniz como um vencedor de pouco valor, admitindo que Newton era igual a ele em descobertas originais, demonstrando que Fatio havia perdido a linha, e prosseguindo com seus trabalhos. Para Leibniz, isso era um problema simples que tinha sido simplesmente resolvido. Na sua visão do mundo, a invenção do cálculo pertencia mais a ele do que a Newton. Não haviam os dois feito a descoberta independentemente e não havia Leibniz publicado seu trabalho em primeiro lugar? "Quando publiquei os elementos do meu cálculo, em 1684", escreveu Leibniz, "seguramente não existia nada que fosse do meu conhecimento sobre as descobertas de Newton nessa área, além daquilo que ele me havia transmitido anteriormente por carta." O material a que ele se referia, acrescentou, não era cálculo, mas, antes, alguns métodos preliminares.

Além disso, Leibniz havia publicado seu cálculo numa revista que então circulava entre os principais matemáticos da Europa. Seus métodos eram há longo tempo aceitos e bem conhecidos em todo o continente, e não escondidos como se fossem algum segredo culposo. E, o mais importante, não havia ele inventado a notação usada no cálculo, a qual havia permitido o desenvolvimento posterior deste? Em 1700, seu cálculo era um sucesso em várias aplicações usadas por outros com as bênçãos de Leibniz, e o fato de continuar a ser desenvolvido era uma forte comprovação de seus métodos. Newton, por outro lado, nada havia feito para publicar sua versão do cálculo, até quando já era um homem relativamente velho, e parecia menos interessado em promover suas fluxões e seus fluentes do que em se assegurar dos direitos por sua invenção; além disso, sua notação era inferior à de Leibniz.

Solidificando sua reputação como matemático, Leibniz publicou outro artigo em 1701 com o título em francês "Essay d'une nouvelle science des nombres" (Ensaio sobre uma nova ciência dos números). Esse ensaio comemorava sua eleição para membro da Académie Française des Sciences e descrevia uma nova ciência dos números denominada "matemática binária", que ele havia desenvolvido em 1679. Binário (literalmente, "dois dígitos") é um sistema pelo qual todos os valores são representados como seqüências de apenas dois dígitos — um e zero.

Leibniz pensava que os números binários iriam revelar propriedades dos números comuns que não iriam ser aparentes de outra forma, e, de fato, os números binários, como definidos por Leibniz, tornaram-se a base dos sistemas de circuitos eletrônicos.

Depois da bem apresentada série de contestações feita por Leib-'
niz, Fatio não passou tão bem. Em 1704, ele era o secretário de um grupo de fanáticos denominado "Profetas Camisard"— uma espécie de culto do dia do Juízo Final, vindo da França, cujos seguidores eram obcecados pelo imediato cumprimento das profecias das revelações da Bíblia e proclamavam poder ressuscitar os mortos. O grupo foi repudiado por suas crenças, e o próprio Fatio foi colocado no pelourinho no centro de Londres em 2 de dezembro de 1707. Sua cabeça e as duas mãos foram enfiadas nos buracos do pelourinho, e um chapéu foi colocado em sua cabeça, com a inscrição, "Nicolas Fatio, condenado por apoiar Elias Moner em suas perversas e falsas profecias e fazer com que fossem impressas e publicadas para aterrorizar o povo da rainha".

É interessante notar que Leibniz nunca pareceu pessoalmente vingativo para com Fatio, mesmo depois que as acusações se tornaram conhecidas. Diversas vezes depois dos acontecimentos de 1700, ele escreveu palavras bondosas sobre Fatio numa carta para seu amigo Thomas Burnet. E quando Fatio foi supliciado em 1708, Leibniz escreveu como havia ficado chocado, não só com o tratamento dado a ele, mas também como Fatio, "um homem excelente em matemática", podia se ter envolvido com os Profetas Camisard.

A disputa com Fatio foi presságio de um dia do Juízo diferente para Leibniz. O ataque de Fatio foi isolado e dele pouco resultou. Mas foi um sinal do que estava por vir.

A vez seguinte em que os fogos se inflamaram foi quando foram atiçados por um personagem de pouca importância chamado George Cheyne, cuja principal reivindicação à fama, além do seu papel nas guerras do cálculo, parece ser sua estranha teoria das febres, baseada na física newtoniana.

*

CHEYNE ERA ESCOCÊS de nascimento, mas havia se mudado para Londres por volta do início do século XVIII como um do crescente grupo de newtonianos. Em um tributo não autorizado a seu novo mestre, Cheyne escreveu um livro intitulado *On the Inverse Method of Fluxions* ("Sobre o método inverso das fluxões"), no qual tentou explicar para o mundo o cálculo newtoniano.

Era um livro inferior, sem importância, escrito por um homem que provavelmente teria sido completamente esquecido não fosse pelo fato de tampouco haver, até então, aparecido impresso sobre os métodos de cálculo, o que fez com que seu livro não pudesse passar despercebido. E realmente muitos homens o notaram — não sendo Newton o menos importante deles.

Quando o livro de Cheyne foi publicado, Newton estava se tornando uma figura cada vez mais importante na Inglaterra. Robert Hooke morrera em março de 1703, e isto havia liberado Newton do castigo que sofria há tanto tempo, um homem que tinha, algumas vezes, sido um rabugento importuno para ele. Mesmo no final de sua vida, Hooke ainda ameaçava Newton com suas acusações públicas. Em 16 de agosto de 1699, por exemplo, quando Newton compareceu à Royal Society para apresentar um novo sextante que acabara de inventar, Hooke, sempre sem se deixar impressionar, respondeu afirmando que ele próprio havia inventado o sextante trinta anos antes.

Pouco tempo depois, em 30 de novembro de 1703, Newton foi eleito presidente da Royal Society. Esta não foi a única satisfação que Newton teve na virada do século XVIII. Em 16 de abril de 1705, foi-lhe concedido o mais elevado reconhecimento com o grau de cavaleiro conferido pela rainha Ana.

Agora, como cavaleiro e presidente da Royal Society, Newton estava finalmente a ponto de livrar-se do seu longo silêncio e afirmar sua prioridade na invenção do cálculo ao publicar o *Optiks* em 1704. O livro de Cheyne foi parte da inspiração para isto, porque Cheyne entendeu tão errado o cálculo de Newton que este quis publicar seu próprio texto, o que fez na seção de apêndices do *Optiks*, "Sobre a quadratura das curvas".

Isso levou diretamente a uma confrontação com Leibniz, porque depois que tomou conhecimento do *Optiks,* Leibniz se apressou, é claro, a publicar uma resenha anônima do apêndice matemático escrito por Newton. Nessa resenha ele escreveu: "Em vez das diferenças de Leibniz, Newton aplica e tem aplicado sempre as fluxões (...) como também Honoratus Fabrius em seu *Synopsi Geometrica* colocou o movimento progressivo no lugar dos indivisíveis de Calvalieri."

O que queria ele dizer com isso? Quase nada para os leitores modernos, sendo tão obscuros os nomes Honoratus Fabrius e Calvalieri que essa declaração ofensiva é totalmente vaga — inócua, mesmo. Mas, para um matemático tão brilhante como Newton, que era bom conhecedor das descobertas matemáticas e das controvérsias do seu tempo, o significado ficou instantaneamente claro. Fabrius havia tomado o trabalho de Calvalieri, e, ao comparar Newton com aquele, Leibniz podia estar insinuando sutilmente que Newton havia tomado dele o cálculo. Isso seria realmente demais para Newton suportar quando o descobrisse.

Todavia iriam decorrer alguns anos antes que ele o descobrisse, e esses anos seriam os últimos que Newton e Leibniz iriam passar não envolvidos pelas guerras do cálculo em toda sua intensidade, guerras que iriam explodir depois de 1708, quando um dos partidários de Newton atacaria Leibniz.

Entretanto os anos entre 1705 e 1708 não foram os mais felizes da vida de Leibniz, devido à perda de uma boa amiga. Durante anos ele havia estado próximo das mulheres das cortes alemãs. Ele era um perfeito companheiro para as damas da corte, realmente, já que podia falar maravilhosamente e era bem-informado sobre uma dúzia de coisas de permanente importância e provavelmente o dobro disso sobre muitos tópicos de interesse contemporâneo ou trivial.

Particularmente afeiçoada a Leibniz era Sophie Charlotte, a filha da rainha Sophia e de Ernst August, que sentia uma extraordinária afeição pelo já maduro filósofo. Certa vez ela expressou esse sentimento no louvor superlativo e exagerado que era a moda da época: "Não pense que eu prefiro esta grandeza e estas coroas, sobre as quais fazem aqui

200 A GUERRA DO CÁLCULO

tanto alvoroço, às conversas sobre filosofia que temos tido juntos", escreveu ela a Leibniz.

Sophie Charlotte era um importante membro da realeza européia. Ernst August a havia casado com o príncipe Frederico de Brandenburgo, quando ela era adolescente. A princesa era uma encantadora menina, bonita, rica e inteligente, e destinada à grandeza. Seu marido tornou-se o eleitor Frederico III poucos anos depois de terem-se casado, e algum tempo depois, em 1701, Frederico e Sophie Charlotte tornaram-se rei e rainha da Prússia. Seu neto foi Frederico, o Grande.

Sophie Charlotte havia sido tutelada por Leibniz e como rainha manteve extensa correspondência com ele — sobre metafísica, história, literatura e quase tudo mais. Aparentemente, ela era tão inteligente que algumas vezes se queixava de que Leibniz simplificava demais as coisas em suas discussões com ela. Ao que se supõe, segundo Frederico, o Grande, quando ela se queixava a Leibniz sobre isto, ele dizia que era mais um reflexo do brilho dela do que uma atitude condescendente dele. "Não é possível satisfazê-la", teria dito Leibniz. "Você quer saber o porquê do porquê."

A morte dela em 1705 foi um tal choque para Leibniz que certos embaixadores e dignitários em Berlim foram apresentar seus pêsames a ele, como se fosse ele o membro sobrevivente da família mais próximo dela. Mais tarde ele escreveu um dos seus livros mais famosos, *Theodicy* (*Teodicéia*)[2], baseado em conversas que teve com Sophie Charlotte, e nos textos em francês que havia escrito para ela, com base nessas mesmas conversas, como uma espécie de memorial. O livro levantava questões sobre doutrinas da Igreja com as quais ele já havia lutado durante seus esforços pela reunificação das igrejas, no final do século XVII. A obra exerceu muita influência depois que foi publicada em 1710, especialmente na Alemanha, e é hoje um dos mais importantes textos-base para os estudiosos de Leibniz, porque expressa sua filosofia. *Teodicéia* foi publicada anonimamente em 1710, porque Leibniz não queria que seu nome aparecesse numa obra teológica.

---

[2] Termo cunhado por Leibniz para designar a doutrina que procura conciliar a bondade e onipotência divinas com a existência do mal no mundo. (*N. do T.*)

Os Capangas de Newton 201

Publicar anonimamente era muito comum no século XVII, e Leibniz já havia achado que, de tempos em tempos, esse era um modo conveniente de expressar suas opiniões matemáticas. Essa espécie de anonimato complicou imensamente as coisas nos anos seguintes, porque as comunicações que iam e vinham entre Leibniz e Newton eram muitas vezes marcadas pelo subterfúgio. Os dois homens confiavam em seus seguidores para fazer por eles seus argumentos e ataques. Leibniz tinha a vantagem no papel, visto que possuía alguns importantes partidários na Europa que eram também matemáticos brilhantes. Mas, curiosamente, Newton tinha a vantagem real — talvez porque não tinha igual entre seus partidários, como ficaria demonstrado por um de seus mais importantes seguidores, um jovem professor de Oxford chamado John Keill, que fez da promoção das acusações de Newton contra Leibniz sua cruzada pessoal.

Keill era um escocês que havia acompanhado seu professor, David Gregory, para Oxford em 1694. Embora fosse um personagem de muito pouca importância no palco da ciência, ele se tornou um importante ator nas guerras do cálculo. De modo muito semelhante ao que fizera Fatio, Keill procurou fazer mais do que assegurar a Newton o devido crédito como co-inventor. Ele queria assegurar todo o crédito e a conseqüente fama a Newton, e somente a Newton. Para consegui-lo, Keill tinha que mostrar que Leibniz havia roubado o cálculo de Newton. Recebendo no decorrer de sua campanha uma grande ajuda de Newton, Keill teve sucesso em lançar um sério desafio a Leibniz.

Keill, o segundo "capanga" de Newton depois de Fatio, lançou-se à ofensiva em 1708 e começou a acusar Leibniz de plágio. Ele publicou um artigo nas *Philosophical Transactions* da Royal Society pelo final de 1708, embora o texto não tenha sido impresso senão em 1710. O artigo de Keill era um pequeno pastiche sem importância sobre física que, inexplicavelmente, trazia uma importante acusação. "As leis das forças centrípetas", como era intitulado, é mais digno de nota pelo que dizia em relação à disputa sobre o cálculo do que sobre forças centrípetas. Nele, Keill escreveu que o cálculo de Leibniz era "a mesma aritmética" que as fluxões de Newton, e disse ser Newton,

202 A GUERRA DO CÁLCULO

"fora de qualquer dúvida", o primeiro inventor das fluxões: "O mesmo cálculo foi mais tarde publicado por Leibniz, tendo mudado o nome e o modo de notação."

A alegação de Keill foi cuidadosamente elaborada para ser uma acusação de plágio rude, mas indireta. Ninguém poderia discutir que Leibniz publicara primeiro. Assim, Keill escolheu a segunda melhor opção. Ele disse que Newton havia inventado o cálculo antes de Leibniz e que este não seguiu Newton somente no tempo, mas também no projeto. Além disso, Keill modificou seu ataque de modo a parecer que não estava acusando Leibniz de plágio, enquanto, ao mesmo tempo, insinuava que plágio era exatamente o que o alemão havia feito. Muito embora Newton não escrevesse suas idéias, não as compartilhando com seus contemporâneos por meio da publicação, ele, contudo, as havia partilhado com Leibniz. Keill afirmou que Leibniz podia ter conseguido tudo o que precisava para desenvolver o cálculo das duas cartas que Newton lhe havia enviado anos atrás, em 1676. Elas continham, segundo Keill, o que era "suficientemente inteligível para uma mente aguçada".

Era, realmente, uma hábil abordagem. A questão tornou-se uma causa que poderia ser vencida por Keill — e, em última análise, por Newton — porque eles não estavam tentando provar historicamente que Leibniz havia se apossado de alguma coisa durante todos aqueles anos passados, mas, sim, que ele *poderia* tê-lo feito. E a associação deste argumento com a evidência ainda mais sólida de que Newton havia desenvolvido seu método de cálculo antes da versão de Leibniz, era suficiente para justificar o argumento de que o matemático inglês era o verdadeiro e único inventor do cálculo.

Um desafio como esse nunca fora feito desde a malfadada tentativa de Fatio para conseguir crédito para Newton cerca de uma década antes. Porém, ao contrário dos argumentos de Fatio, que ruíram como um castelo de cartas a um mero aceno de Leibniz, o ataque de Keill era muito mais perigoso. Era uma provocação deliberada à qual Leibniz tinha que responder — uma armadilha para caça coberta de ramos e folhas.

O inverno de 1709 foi um período terrível e miserável na Europa. Coincidiu com um desastre militar para os franceses e uma fome terrível no continente, quando condições extraordinariamente duras castigaram os povos. E uma outra guerra, em preparação havia várias décadas, estava, afinal, prestes a explodir.

O Ônus da Prova
■ 1708-1712 ■

"A justiça é uma virtude social ou uma virtude que preserva a sociedade."

— Leibniz, *A lei natural.*

Leibniz ficou mudo de surpresa e muito irritado ao ouvir as acusações de Keill. Ele admitiu que Keill havia errado devido a algumas conclusões a que havia chegado, e se ressentia, em primeiro lugar, pelo fato de um homem que ele não via como um dos seus legítimos pares estar fazendo tais acusações. Quem Keill pensava que era? Para tirar satisfação, Leibniz iria voltar-se para a venerável Royal Society, da qual era membro há longo tempo. Esse era o mesmo caminho que ele seguira quando Fatio fizera seu ataque sem fundamento, e Leibniz então havia sido inocentado, portanto, ele esperava que o mesmo acontecesse agora — não apenas porque era exatamente a mesma situação, mas porque ele sabia que estava certo. Não havia roubado nada de Newton e estava confiante em que os inteligentes membros da Royal Society iriam ver as coisas do seu jeito. Afinal, Leibniz acreditava muito nas sociedades intelectuais.

As sociedades científicas constituíram uma grande parte de sua vida, como o foram para muitos dos cientistas dos séculos XVII e XVIII.

Durante o curso de sua vida, Leibniz havia visto como as academias desempenhavam um importante papel, tanto na compilação e na divulgação das experiências, como em sua execução. A Académie des Sciences da França, por exemplo, patrocinava projetos importantes, como um mapeamento detalhado do império francês na América do Sul, na África e nas Índias Ocidentais.

E Leibniz era especialmente afeiçoado a essas sociedades científicas, porque via para elas as maiores possibilidades. As sociedades que existiam em Paris e Londres, instituições veneráveis com um respeitável conjunto de membros, não eram senão clubes comuns de cavalheiros comparados com o que Leibniz visualizava. Ele tinha um entusiasmo quase insaciável pelas possibilidades das sociedades científicas porque elas se encaixavam em sua grandiosa visão de um mundo mais perfeito, e ele chegara mesmo a tentar fundar um desses grupos em Berlim.

Em 1697, Leibniz soube, pelo diplomata Johann Jakob Chuno, que Sophie Charlotte desejava construir um observatório em Berlim e imediatamente enviou-lhe uma carta dizendo que ela devia ampliar seus planos e criar uma academia científica. Os projetos de Leibniz para a Sociedade de Ciências de Berlim foram perturbados pelo fato de serem frias as relações entre Berlim e Hanover. Além disso, do ponto de vista de Jorge Ludwig, escrever a história da Casa de Brunswick era a principal tarefa de Leibniz, há muito atrasada.

A princípio, Jorge Ludwig proibiu Leibniz até de ir a Berlim, mas depois veio a concordar e, finalmente, em 1700, Jorge permitiu que Leibniz fizesse a viagem — mas somente depois que o eleitor em Berlim solicitasse pessoalmente a presença deste. A sociedade de Berlim foi lançada com sucesso, apoiada por Sophie Charlotte e Frederico III, que gostou da idéia de que seria visto como patrono de iniciativas intelectuais; e Leibniz era para ser designado o primeiro presidente da sociedade. Frederico, o Grande diria mais tarde que Leibniz era por si só uma sociedade científica.

De certo modo, isso não era nada novo para a Alemanha. Grupos que se reuniam regularmente e discutiam filosofia, física, matemática, astronomia e inúmeros outros assuntos eram provavelmente muito comuns. Leibniz pertenceu a um deles, na Universidade de Iena, enquanto

O Ônus da Prova 207

cursava um semestre para obter seu doutorado em leis. Lá, um grupo de professores e estudantes se reunia uma vez por semana para discutir livros, tanto novos como antigos. Ele havia participado de um grupo similar na Universidade de Leipzig.

Mas esses grupos nada eram se comparados com instituições como a Royal Society ou a Académie des Sciences da França. Aquilo que Leibniz havia imaginado para a sociedade de Berlim era ainda mais grandioso do que suas correlatas inglesa e francesa. "Os trabalhos de uma tal sociedade não deveriam ser direcionados simplesmente para a gratificação de uma curiosidade científica e a execução de experiências infrutíferas, ou simplesmente para a descoberta de verdades úteis, sem qualquer aplicação das mesmas; mas os usos da ciência devem ser indicados, mesmo de início, e serem feitas invenções tais que redundassem em honra para seu criador e em benefício para o público", escreveu ele. "O objetivo da sociedade, desse modo, devia ser melhorar não apenas as artes e as ciências, mas também a agricultura, a manufatura, o comércio e, numa palavra, tudo aquilo que é útil em apoio à vida."

O que antevia para sua sociedade científica era alguma coisa semelhante ao moderno grupo de cérebros [*think tank*], talvez, porém, com muito mais poder. Leibniz pensava que sua sociedade não devia simplesmente assessorar, estudar e relatar quanto aos assuntos do momento, mas devia também estabelecer políticas, práticas e abordagens progressistas para melhoria da vida. Ele desejava que ela não focalizasse somente a ciência, mas que alargasse seus interesses para incluir história, arte e comércio.

Leibniz havia acalentado essa visão durante anos. Seu esquema para a drenagem das minas das montanhas Harz tinha como base a idéia de que esse empreendimento poderia vir a financiar uma sociedade assim. De uma experiência anterior, quando ele ainda estava a serviço do eleitor de Mogúncia e de Boineburg, havia aprendido a importância de não propor demasiadamente, depois que o eleitor rejeitou seus planos de longo alcance como sendo muito ambiciosos e de alto custo. A propósito, esses planos pediam a troca de tudo, das unidades padrão de medida ao papel da Igreja na educação, e procuravam transferir grande quantidade de poder decisório para as mãos da academia que ele propunha.

208 A GUERRA DO CÁLCULO

Em 1700, Leibniz tinha aprendido a refrear muito mais seus planos, mas, é claro, seus projetos ainda eram grandiosos. A sociedade científica em Berlim devia ter observatório, espaço para um laboratório, hospitais, bibliotecas, uma tipografia e museus. Ele não subestimava a quantia que seria necessária para alcançar seus objetivos; exatamente porque estava agudamente consciente das necessidades financeiras de um empreendimento como esse, viu-se forçado a apresentar um grande número de esquemas para financiá-lo.

Para custear a academia, Leibniz deu livre curso a uma torrente de idéias criativas. Ele sugeriu pedir doações à Igreja, criar uma loteria e instituir novos impostos, incluindo uma taxa sobre o vinho, um pequeno aumento no imposto de renda, um imposto sobre viagens ao exterior e sobre papel importado. Queria obter monopólios para a produção de novos calendários e almanaques, para a produção de carros de bombeiros e para o cultivo de amoreiras, cujas folhas eram utilizadas na criação do bicho-da-seda.

De fato, Leibniz se interessava tanto pelas amoreiras que tentou durante anos cultivá-las. Contudo suas tentativas fracassaram porque o bicho-da-seda não se desenvolve no clima germânico. As plantações de amoreiras acabaram por ser abandonadas e se arruinaram.

Assim como suas amoreiras, a visão grandiosa de Leibniz também se arruinou. O problema era que a academia ficava em Berlim e ele estava em Hanover e, embora tivesse agora uma razão legítima para viajar, tinha, contudo, que obter permissão de Jorge Ludwig cada vez que quisesse partir. O duque, é claro, não tinha nenhum interesse em permitir que Leibniz passasse longos períodos longe de Hanover — não enquanto a história de sua casa precisasse da atenção dele.

A situação de Leibniz era ainda mais complicada pelo fato de as relações entre as cortes de Hanover e Berlim estarem tensas; isso fez com que ele chegasse a ser acusado de ser um espião quando estava em Berlim. A conseqüência de suas ausências foi reduzir sua influência na academia. Ele pode ter conservado o título oficial de presidente, mas na maior parte do tempo naqueles primeiros anos da instituição ele esteve fora da vista e fora da lembrança de seus membros.

O Ônus da Prova

209

Os dois membros da academia que realmente detinham o poder eram dois sujeitos conhecidos como os irmãos Jablonski. Um era o secretário, e o outro, o presidente em exercício. Eles acabaram por não mais consultar Leibniz sobre a indicação de novos membros e acrescentaram o insulto maior de eleger um certo barão von Printzen como diretor da academia em 1710. Quando a academia foi inaugurada oficialmente em 19 de janeiro de 1711, Leibniz não estava lá e, em 15 de abril, seu salário foi abruptamente reduzido à metade. O último insulto foi que, quando Leibniz morreu, um ano e meio mais tarde, a academia nada fez em sinal de pesar pelo falecimento de seu fundador.

Não obstante, ainda que sua sociedade em Berlim não tenha se saído da maneira que ele imaginara em 1711, quando se preparava para responder aos ataques de Keill, Leibniz continuava um grande adepto das sociedades científicas em geral, e tinha um enorme respeito pela Royal Society de Londres e pensava que seus membros iriam decidir com justiça seu pleito quando ele o apresentasse.

Para Newton, a única sociedade científica que tinha realmente importância era a Royal Society de Londres. Quando ele se tornou seu presidente em 30 de novembro de 1703, a sociedade havia mudado desde seus dias de glória da década de 1670, época em que ele havia sido eleito para se integrar às centenas de membros da sociedade, a qual supervisionava muitas experiências importantes. Esses fatos eram uma tênue lembrança em 1703. O número de membros novos estava estagnado e o total de participantes havia caído.

As discussões e as experiências na Royal Society haviam se tornado alvo de ridículo. Jonathan Swift satirizou a sociedade em seu famoso livro, *As viagens de Gulliver*, descrevendo cientistas que queriam extrair a luz do sol de pepinos. O rei da Inglaterra, segundo se conta, divertiu-se com a tentativa de um membro dessa instituição de pesar o ar e algumas das discussões autênticas sobre as propriedades medicinais de substâncias comuns ou incomuns são igualmente cômicas. Em 1699, um membro da Royal Society, um Sr. Van de Bemde, afirmou que cerca de meio litro de urina de vaca bebidos por uma pessoa farão com que esta ou evacue ou vomite "com grande facilidade".

Mas Newton trouxe renovado vigor para a sociedade e, durante os vinte anos seguintes, ele a dirigiu como um executivo moderno dirigiria um empreendimento financiado por ele próprio. Newton presidiu quase todas as reuniões da sociedade durante as duas décadas seguintes, incluindo os encontros menores do seu conselho. Seu mandato foi fora do comum. Todos os presidentes antes dele haviam ocupado o cargo por apenas uns poucos anos, no máximo, e alguns tiveram mandatos tão curtos que quase podiam ser chamados de presidentes "interinos". Samuel Pepys, por exemplo, foi presidente por exatamente dois anos, de 1684 a 1686, e Christopher Wren também ocupou o cargo por dois anos, a partir de 1680.

Não é exagero dizer-se que quando Leibniz fez seu apelo à Royal Society, estava na realidade fazendo seu apelo ao próprio Newton. Newton *era* a Royal Society naqueles dias.

O ANO EM que as guerras do cálculo explodiram numa batalha de grandes proporções, 1711, foi um tempo de crescentes realizações para Newton, quanto a publicações. Poucos anos antes, em 1707, William Whiston tinha publicado em latim as conferências de Newton em Cambridge sobre álgebra, *Arithmetica universalis*, que o matemático havia proferido atendendo às exigências da cátedra lucasiana que ele ocupava. Desde 1672, Newton vinha compilando notas para essas conferências. Em 1712, seu texto iria ser traduzido para o inglês e publicado em Londres. Nesse ínterim, foi publicado o *De Analysi* de Newton, editado por William Jones. Este livro basicamente demonstrava alguns dos resultados obtidos com o cálculo de Newton, mas sem qualquer tratamento formal ou notação. Jones havia adquirido a biblioteca de John Collins alguns anos depois deste ter morrido, e nela, entre livros e papéis, encontrou o texto de Newton escrito tantos anos antes. Jones procurou Newton para obter permissão para publicar o livro, e depois desta lhe ser concedida, ele editou a obra em 1711.

Leibniz provavelmente não deu a menor importância a essas publicações. Elas se baseavam em material muito desatualizado, escrito dé-

O Ônus da Prova   211

cadas antes. Ele estava mais interessado na inaceitável acusação publicada por Keill em 1708 nas *Philosophical Transactions of the Royal Society*, que ele havia acabado de ler em 1711, porque a publicação levara alguns anos para chegar até ele em Hanover.

Em março de 1711, Leibniz enviou uma carta a Hans Sloane, que era o secretário da Royal Society, queixando-se da maneira como havia sido tratado. A carta foi lida diante dos membros da sociedade em 24 de maio de 1711, e nela Leibniz dizia essencialmente, lá vamos nós outra vez: "Eu desejaria que um exame do trabalho não me forçasse a fazer uma queixa contra seus compatriotas por uma segunda vez. Há algum tempo, Nicholas Fatio de Duillier me atacou numa publicação por eu ter me atribuído uma outra descoberta. Eu ensinei-o a conhecer melhor as *Acta Eruditorum* de Leipzig e vocês próprios [ingleses] reprovaram essa [acusação] como eu soube por uma carta escrita pelo secretário dessa distinta Sociedade (isto é, se me lembro corretamente, por você próprio)", escreveu Leibniz a Sloane em 21 de fevereiro de 1711.

Como tinha feito antes, quando Fatio havia publicado acusações contra ele, a reação de Leibniz foi reconhecer a importância de Newton na matemática. Pergunte a Newton, disse Leibniz em essência — ele me apoiou antes e vai me apoiar novamente. "Ninguém saberia melhor do que Newton que esta acusação é falsa", escreveu Leibniz. "Pois com certeza eu nunca ouvi falar do nome do cálculo das fluxões nem vi com estes olhos os caracteres que Newton usava."

"O próprio Newton, uma pessoa verdadeiramente excelente, reprovou esse zelo mal orientado de certas pessoas em favor da sua nação e dele próprio, segundo eu entendo", continuou ele. "E, contudo, o Sr. Keill neste mesmo volume, nas [*Transactions* de] setembro e outubro de 1708, página 185, considerou correto renovar suas acusações mais impertinentes quando escreve que eu publiquei a aritmética das fluxões inventada por Newton, depois de ter alterado o nome e o estilo de notação."

Novamente, como havia feito na disputa com Fatio, Leibniz distinguia entre Newton, por quem tinha alta estima, e Keill, que era na melhor hipótese um equivocado, e na pior um mentiroso. E em qualquer caso, Keill dissera coisas que exigiam correção. "Embora eu não considere o Sr. Keill um caluniador (pois penso que ele deve ser acusado mais por sua pressa em julgar do que por malícia)", escreveu Leibniz, "todavia não posso senão tomar aquela acusação que me é injuriosa como uma calúnia. E porque é de se temer que ela possa ser freqüentemente repetida por pessoas imprudentes ou desonestas, sou levado a buscar um remédio da sua ilustre Royal Society."

O que Leibniz queria era que Keill desse uma declaração pública perante a Royal Society retratando-se de sua acusação. O alemão disse a Sloane que desejava que Keill declarasse que não queria dizer aquilo que dissera, a calúnia "como se eu houvesse encontrado alguma coisa inventada por outra pessoa e a reivindicasse como minha", explicou Leibniz. "Dessa maneira ele pode me dar satisfações por sua injúria e demonstrar que não teve intenção de proferir uma calúnia, e um freio será posto em outras pessoas que poderiam algum dia dar voz a outras semelhantes [acusações]."

Em 22 de março de 1711, Keill compareceu a uma reunião da Royal Society presidida por Newton e concordou em escrever uma carta em resposta à exigência de Leibniz por satisfações. Keill levou dias preparando sua resposta, provavelmente com a ajuda de Newton, e compareceu diante da Royal Society no 5 de abril seguinte, para apresentá-la.

Keill não estava arrependido. Naquela segunda reunião, ele defendeu-se vigorosamente da acusação de calúnia da única maneira possível — levando a julgamento sua acusação contra Leibniz. Respondeu às acusações deste dizendo que seu ataque não havia sido feito sem provocação, mas era meramente uma resposta à resenha anônima do trabalho de Newton em 1705. Afirmou que não fora injustamente duro em sua crítica, porque esta havia sido uma resposta apropriada ao injusto ataque contra Newton. Keill declarou que iria preparar um relato escrito da história do cálculo e da disputa.

A resposta de Keill foi cuidadosamente preparada de tal modo que não acusou Leibniz de plágio, como tal, mas, em vez disso, disse simplesmente que Newton havia inventado seu cálculo em primeiro lugar, que Leibniz viu alguma coisa do que Newton fizera, e que essas "insinuações claras e óbvias", como sustentou Keill, deram-lhe um acesso ao cálculo diferencial.

O ÔNUS DA PROVA   **213**

Ele apresentou formalmente essa opinião numa carta a Sloane em maio de 1711, dizendo, "eu fui levado a escrever essas linhas pelo editor das *Acta Eruditorum* de Leipzig, que no relato que deram do trabalho de Newton sobre fluxões e quadratura afirmam expressamente que o Sr. Leibniz foi o descobridor desse método". Newton é quem foi ofendido, disse Keill, "daí, se eu pareço ter falado com muita liberdade sobre Leibniz, eu o fiz não com a intenção de arrancar qualquer coisa dele, mas sim com o fito de reivindicar a autoria de Newton para aquilo que eu penso pertencer a ele".

Finalmente, numa espécie de insulto cortês, Keill expressa surpresa por Leibniz ainda precisar reivindicar a invenção do cálculo: "Uma vez que ele possui tantas riquezas incontestáveis, eu com certeza não consigo entender por que ele quer ficar mais rico com despojos tirados de outros."

A carta de Keill foi formalmente apresentada à Royal Society em 24 de maio e enviada em seguida a Leibniz. Leibniz ficou chocado quando leu a resposta de Keill. Este não apenas havia deixado de aceitar seu generoso oferecimento de retratar-se de suas palavras e se humilhar diante daquela sociedade, mas reiterava agora suas ultrajantes acusações com mais violência do que antes. Essa foi a última gota para Leibniz. Se Keill não se retratasse de suas palavras, Leibniz iria enfiá-las goela abaixo do inglês — ou pelo menos iria pedir à Royal Society que o fizesse engoli-las.

Embora Leibniz estivesse irritado, não se rendeu à raiva. Obviamente ele se via num nível intelectual completamente diferente do de Keill e estava certo de que poderia obter satisfação se conseguisse que a Royal Society (uma instituição à qual, afinal, ele ainda pertencia) calasse e censurasse Keill por suas *vanae et injustae vociferaciones* ("vociferações vãs e injustas"), que era o modo como ele as via.

Em 29 de dezembro de 1711, Leibniz escreveu a Sloane pedindo novamente reparação e acusando Keill de ser um arrivista pouco familiarizado com os detalhes do caso que discutia. Ele não tinha ainda palavras duras para Newton, naturalmente, porque respeitava seu contemporâneo e igual que vivia do outro lado do canal. Mas Keill era alguém por quem Leibniz tinha pouca consideração — alguém que certamente não era um seu igual.

214   A GUERRA DO CÁLCULO

Dizia Leibniz em sua carta: "Nenhuma pessoa imparcial ou de bom senso achará correto que eu, na minha idade e com um tal testemunho dado por minha vida devesse apresentar uma argumentação defensiva para ela, aparecendo como um suplicante diante de um tribunal, contra um homem que é na verdade instruído, mas um arrivista com pouco conhecimento profundo do que se passou anteriormente e sem qualquer autorização da pessoa mais interessada..." Ele apelou para a sociedade (e para Newton) por salvação: "Eu confio em seu senso de justiça, [para determinar] se tal zurrar vazio e injusto devia ou não ser suprimido, o qual eu acredito mesmo o próprio Newton iria reprovar, sendo ele uma pessoa ilustre inteiramente familiarizada com acontecimentos passados."

Em retrospecto, parece uma abordagem ridícula para Leibniz ter tomado. Mas na época era inteiramente razoável. Durante todos aqueles anos de silêncio sobre tema do cálculo, Newton nunca havia realmente feito declarações públicas agressivas no nível daquelas que Keill estava agora fazendo. E poucos anos antes, quando Fatio acusara Leibniz de plágio quase no mesmo tom, Newton havia permanecido em completo silêncio e nada tinha feito em defesa do seu amigo chegado, quando Leibniz fez seu protesto. Leibniz pode ter perfeitamente acreditado que Newton iria apoiá-lo no apelo à Royal Society em seu pleito contra Keill.

Nada podia estar mais longe da verdade. Na realidade, Leibniz estava vivendo seus últimos dias sem mácula como o inventor amplamente reconhecido do cálculo. A armadilha estava armada, e ele caminhou direto para ela. Desse momento em diante até o dia em que morreu, teria que responder à acusação de que havia tomado a invenção de Newton.

O que Leibniz não sabia em 1711 era que Keill havia discutido com Newton suas acusações — que, de fato, ele estava escrevendo com a aprovação de Newton. Nesse ano, Keill tinha lhe enviado cópia de uma resenha anônima do livro de Newton *De quadratura curvarum*, publicada no número de 1705 das *Acta Eruditorum*, a qual basicamente dava a entender que o trabalho original do inglês foi adaptado do cálculo de Leibniz — um insulto que Keill teve o cuidado de apontar em sua carta

O Ônus da Prova

de encaminhamento: "Eu aqui estou lhe enviando o [artigo] onde há um comentário feito sobre seu livro, eu desejo que você leia a partir da página 39 (...) até o fim", escreveu Keill.

O artigo teve o efeito de um balde de gasolina derramado sobre uma fogueira. Newton deve ter se enfurecido quando leu a resenha, porque levou um longo tempo para acalmar-se — nunca chegando, de fato, a acalmar-se até muito tempo depois de Leibniz ter morrido. Newton não se enganou nem por um instante quanto à identidade do autor, e concluiu desde logo que era Leibniz, uma vez que as *Acta Eruditorum* era a revista à qual o alemão estava tão estreitamente associado. Ainda que Leibniz negasse até o dia de sua morte ser o autor da resenha, a idéia de Newton estava inteiramente certa: é claro que Leibniz a havia escrito.

Newton rascunhou várias respostas à resenha, embora nunca tenha publicado nenhuma delas: enquanto isso, a circulação do artigo das *Acta Eruditorum* deflagrou uma onda de escritos contra ele. Durante anos, seus documentos privados estiveram cheios com comentários ocasionais e longas diatribes arengando contra Leibniz, que era para Newton um novo Hooke, um substituto de Flamstteed, um Judas... Caim... Satanás.

Newton escreveu numerosas minutas de uma carta para Hans Sloane, comentando a disputa entre Keill e Leibniz e aquela, para ele infame, resenha: "Eu não tinha visto essas passagens antes, mas ao lê-las achei que tinha mais razões para queixar-me dos compiladores de artigos sobre matemática das *Acta* do que o Sr. Leibniz para se queixar do Sr. Keill."

Newton tinha um argumento válido. A resenha de Leibniz era destituída de generosidade na avaliação do trabalho dele. Mas a resposta de Keill, por seu lado, ia diretamente à jugular do alemão, com a afirmação explícita de que este tomara suas idéias de Newton.

Exibindo uma fachada de independência objetiva, Newton escreveu a Sloane dizendo que a disputa entre Keill e Leibniz não o envolvia: "O Sr. Leibniz pensa que alguém com sua idade e sua reputação (...) não devia envolver-se numa disputa com o Sr. Keill, e eu sou da mesma opinião, eu penso que é impróprio para mim envolver-me numa disputa com o autor daqueles artigos. Pois a controvérsia ocorre entre esse autor e o Sr. Keill." Em vez de se envolver diretamente, Newton colocou em movimento a máquina da justiça de outra maneira.

Leibniz negaria veementemente que algum dia tivesse tomado emprestadas idéias de Newton. Seu apelo à Royal Society para que decidisse a disputa acabou se revelando um erro cataclísmico, porque Newton não só era o cientista mais respeitado desse augusto corpo — ele era o seu presidente. Ele podia influenciar a disposição da sociedade como talvez nenhum outro indivíduo poderia. O interesse de Newton estava somente em Newton.

Em resposta à carta de Leibniz de 29 de dezembro de 1711, e a seu pedido de satisfação, a Royal Society nomeou um comitê para examinar o assunto, em 6 de março de 1712. No papel, tratava-se de uma disputa entre dois membros da sociedade, e esta estava agindo de boa-fé e lutando para resolver com justiça a controvérsia.

Na realidade, pouco havia com relação ao comitê ou a seu trabalho que fosse realmente objetivo. Seus membros eram em grande parte amigos e compatriotas de Newton — pessoas como Halley. Mas, talvez antevendo a aparência de parcialidade em favor de seu compatrício, muito mais pessoas foram indicadas para o comitê, incluindo estrangeiros como De Moivre e Bonet, o ministro da Prússia.

Sobre a influência dessas indicações, Newton afirmaria mais tarde que o comitê era numeroso quanto aos membros e internacional no seu caráter. Trezentos anos depois do fato, as afirmativas parecem frágeis, e o comitê aparece como se fosse pouco mais do que um veículo coberto por um fino véu para promover os argumentos de seu presidente. A comissão não se reuniu preparada para decidir o que era melhor, fluxões ou cálculo. Ela partiu da premissa de que eram a mesma coisa, exceto quanto aos símbolos usados. A partir daí, o problema da autoria tornou-se simplesmente uma questão de prioridade: teria sido Newton o primeiro?

Com os documentos à mão (à mão de Newton) provando que o inglês foi o primeiro, a decisão era um problema simples para o comitê. O que pode alguém dizer sobre suas deliberações? O maior feito deles foi que parecem ter conseguido estabelecer um recorde de velocidade para o trabalho de um comitê.

O Ônus da Prova

Eles estudaram o problema durante meramente seis semanas e, em 24 de abril de 1712, emitiram seu longo e detalhado relatório — um documento conhecido como *Commercium Epistolicum D. Johannis Collins et Aliorum de Analysi Promota* (Correspondência do douto John Collins e outros com relação ao progresso da análise). Como era de esperar, o documento decidiu em favor de Newton e condenou Leibniz. Colocou Newton em elevado destaque, descrevendo-o como aquele que devia ser, com justiça, reconhecido como o maior matemático dos últimos cinqüenta anos. E não poderia ter sido mais prejudicial à reputação de Leibniz, ao pintá-lo como um plagiário compulsivo.

"Consultamos (...) os papéis do Sr. John Collins", começava o relatório com seriedade. Examinei uma versão original do *Commercium* na biblioteca da Royal Society em Londres (uma versão reimpressa de 1727). Basicamente, é uma grande coletânea de documentos como o *De Analysi* e de cartas trocadas entre Collins e outros, começando com uma de Barrows para Collins de 1669, e terminando com a última de Leibniz para Oldenberg, de 1677. O *Commercium* faz um extrato seletivo de peças dessa correspondência e de outros textos importantes, com o propósito de provar que Newton foi o verdadeiro inventor do cálculo.

Os autores do *Commercium Epistolicum* parecem ter partido da premissa de que Leibniz era culpado, e passaram seu tempo juntando fragmentos de cartas e papéis escritos durante cerca de quarenta anos para prová-lo. Eles pediram atenção para o fato de Leibniz ter uma tradição de apresentar enganosamente como sendo seu o trabalho de outros — tal como aconteceu no caso da sobrancelha, quando tinha falado com o matemático Pell e afirmado serem suas algumas das descobertas anteriores de outro matemático. "Ele persistiu em afirmar que se tratava de uma descoberta sua pela razão de que ele a havia encontrado", escreveu o comitê.

Eles também determinaram que Newton inventara o cálculo antes de 1669 — como o demonstrava o fato de um exemplar do *De Analysi* ter sido achado entre os papéis de Collins.

O *Commercium Epistolicum* concluía que Leibniz havia tido acesso a certos documentos de Newton enquanto esteve em Londres em 1673

218   A GUERRA DO CÁLCULO

e 1676, que recebera cartas de Newton e que não existia nenhuma evidência de que ele houvesse inventado o cálculo antes de receber essas cartas. O relatório dizia ainda que o cálculo de Leibniz era o mesmo que o de Newton, exceto por sua notação, criada já depois do método das fluxões do matemático britânico. A decisão do comitê: Keill não havia cometido calúnia, e, portanto, não precisava se desculpar.

"Acreditamos que aqueles que consideraram o Sr. Leibniz como o primeiro inventor pouco ou nada sabiam de sua correspondência com o Sr. Collins e o Sr. Oldenburg muito antes", concluía o relatório. "Razões pelas quais reconhecemos o Sr. Newton como o primeiro inventor e somos de opinião de que o Sr. Keill, ao afirmar o mesmo, não foi de modo algum injurioso ao Sr. Leibniz."

A Royal Society e seu presidente, Newton, aceitaram o relatório como sendo correto e justo, e decidiram pagar por sua publicação. Embora uma edição oficial não fosse vendida em livrarias, vários exemplares tornaram-se disponíveis em 8 de janeiro de 1713, e a Royal Society pagou para que alguns fossem enviados aos matemáticos mais importantes da Europa. Diversas cópias do *Commercium Epistollicum* foram para Paris, e uma delas chegou às mãos do abade Bignon, que a deu a Nikolaus Bernoulli, que a levou para Basiléa e a mostrou a seu tio Johann, o qual escreveu sobre ela para Leibniz, numa carta datada de 7 de junho de 1713.

O relatório foi um sucesso assombroso, sob o ponto de vista de Newton. Para ele, o caso estava agora bem descrito e fácil de ser entendido. Deixou estabelecida sua prioridade na invenção do cálculo quase quarenta anos depois do fato, e o fez de modo tão convincente que, desde que o comitê publicara seu relatório até aquele momento, poucas pessoas haviam mencionado as palavras "cálculo" e Leibniz no mesmo alento sem dizer primeiro o nome de Newton.

Da perspectiva de Leibniz, o relatório foi um pancada na cara com um saco cheio de bolas de gude. Mesmo se alguém aceitasse que os membros do comitê tivessem sido completamente objetivos, suas conclusões são ainda merecedoras de questionamento. Mas Leibniz nunca teve uma chance de questionar essas conclusões, porque o comitê nunca convidou o alemão para apresentar seus argumentos.

O *Commercium Epistollicum*, apesar de ser um documento tão cheio de falhas como é, teve um profundo efeito sobre o debate a respeito do cálculo. O relatório colocou Leibniz em um status inferior como segundo inventor, na melhor hipótese, e como um plagiador oportunista, na pior, aos olhos de muitos. Reverteu a maré da opinião pública contra ele, e se deixou de pô-lo fora de combate por completo, pelo menos o atingiu seriamente. Ele iria passar o resto de sua vida reagindo, mas nunca chegou a ser totalmente capaz de derrubar as acusações de Newton.

Os amigos de Leibniz insistiram com ele para que respondesse. "A maioria das pessoas pode deduzir do seu silêncio que os argumentos do inglês são válidos", escreveu um deles. O problema para Leibniz era que Newton havia colocado a discussão em termos históricos — especificamente a versão histórica que dizia que ele havia inventado as fluxões muito antes de comprovação era apresentada no *Commercium Epistollicum*. Mas Keill havia afirmado que Leibniz tivera acesso ao trabalho ainda não publicado de Newton, e que o trabalho era suficientemente inteligível para que o alemão fosse capaz de copiá-lo. Como o *Commercium* não procurara refutar a acusação de Keill, cabia a Leibniz provar sua inocência. Na ausência de uma contraprova que merecesse crédito, a argumentação de Newton ganhou ainda mais força.

Esses foram os últimos anos da vida de Leibniz e deveriam ser cheios de alegria por ver suas realizações florescendo em maturidade, e não tomados por uma luta para recuperar sua honra sobre um trabalho há muito realizado. Como ele nunca se casou e nunca teve filhos para cercá-lo de netos, ele tinha que se orgulhar de descendentes de outra espécie — suas criações intelectuais e seus inteligentes pupilos europeus, que se inspiraram nessas idéias para desenvolvê-las ainda mais. Agora Newton tinha sob sua custódia o cálculo, uma das mais brilhantes crias de Leibniz.

Leibniz foi honrado em 1711 com um convite para uma conferência com o czar Pedro, o Grande, que tinha vindo à Alemanha para ver o filho, casado com a princesa Wolfenbütel. Em certo momento, Leibniz aconselhou o czar a abrir bibliotecas e observatórios na Rússia e a nomear professores de artes e de ciências. Apesar do furor em Londres,

Pedro encontrou-se novamente com Leibniz em 1712 e pediu conselhos ao alemão sobre o modo de estabelecer e promover a matemática e a ciência em seu país. Sem nunca haver posto os pés na Rússia, Leibniz recebeu o título de conselheiro privado de justiça, com um excelente salário. Um ano depois o czar visitou Hanover; embora Leibniz não estivesse lá, soube que Pedro havia feito muitos elogios a ele.

Nessa época, Leibniz não era um homem com boa saúde. Estava doente, envelhecido e parcialmente paralisado por uma gota tão severa que ele sofreu com uma lesão aberta em sua perna durante dois anos. Mas ignorou o estado de sua perna. Sua atenção estava voltada para assuntos menos próximos de casa.

11

As Falhas do Movimento

▪ 1713-1716 ▪

Examinar os últimos anos da disputa sobre o cálculo não faz aumentar nossa admiração por alguns dos maiores vultos da espécie humana.

— A.R. Hall, *Filósofos em guerra.*

Em 1712 Leibniz partiu para Viena, uma cidade que para ele tinha muito mais apelo do que seus solitários locais de refúgio em Hanover, sobre os quais ele escreveu a seu amigo Thomas Burnet: "Os estritos limites, tanto físicos quanto mentais, dentro dos quais estou confinado, são devidos às circunstâncias de eu não viver numa grande cidade como Paris ou Londres, com abundância de homens instruídos dos quais se pode aprender alguma coisa, e receber alguma assistência." Era a última viagem extensa que ele faria em sua vida. Ficaria em Viena por dois anos.

A capital austríaca tinha muito a oferecer a Leibniz, e foi lá que ele compôs a *Monadologia*, um dos mais conhecidos resumos de sua filosofia. Também elaborou outro plano para uma sociedade científica, acompanhada de todas as diferentes ambições que ele costumava associar a tais iniciativas — um laboratório, uma biblioteca, um observatório, um jardim botânico, uma coleção geológica e uma escola de medicina. Escreveu cartas e memorandos em apoio ao que imaginava, e

222   A GUERRA DO CÁLCULO

escreveu diretamente aos nobres de cujo apoio mais necessitava. O plano foi seriamente analisado na corte de Carlos VI em Viena, onde Leibniz tinha fortes defensores, mas estes não iriam adiantar o dinheiro para sua realização.

Apesar desse desapontamento, Leibniz estava feliz em Viena. Em 1713, ele protelou a resposta a repetidos chamados para voltar a Hanover depois que estava na Áustria já há muitos meses. O duque, exasperado, mandou que seu salário ficasse congelado até que ele regressasse, e mesmo assim ele retardou sua volta. O dinheiro realmente não significava muito para Leibniz naquele momento. Ele tinha fontes adicionais de renda nesse último estágio de sua vida e era um homem relativamente rico. Ao morrer em 1716, ele havia acumulado economias de aproximadamente 12 mil táleres, o que constituía uma boa fortuna, considerando-se que o salário médio semanal de um trabalhador comum era de cerca de um taler.

Em 1714, ele ainda estava à espera de que acontecesse alguma coisa em Viena, e naquele verão recebeu uma carta vinda de Hanover, perguntando se ainda tinha alguma intenção de para lá voltar. Leibniz respondeu se defendendo e apresentando a lista dos serviços que prestara naquela corte durante quatro décadas. Ele bem poderia ter passado o restante de sua vida em Viena, não fosse a intervenção do destino.

Em 8 de junho de 1714, Sophia passeava pelos jardins de uma de suas casas, quando subitamente sentiu-se mal, teve um colapso, e morreu com a idade de 84 anos. Poucas semanas depois, morreu a rainha Ana, e de repente tornou-se inevitável que o filho de Sophia, Jorge Ludwig, se tornasse rei da Inglaterra. Ele partiu para Londres no dia 3 de setembro seguinte.

Embora demorasse a viajar, Jorge não mostrou nenhuma hesitação em aceitar o trono. E por que deveria? Ele estava deixando o governo de um pequeno Estado com sede numa cidade européia de segunda classe para tornar-se o monarca de uma das grandes potências da Europa — com o benefício adicional de uma nova residência em uma das maiores metrópoles do mundo. Por outro lado, ele estava indo para uma Grã-Bretanha marcada por lutas políticas, problemas sociais e, quando a grande bolha dos mares do Sul estourou poucos anos depois, também por problemas econômicos.

As Falhas do Movimento 223

Na Inglaterra, os conflitos eram comuns, e as estradas eram povoadas por ladrões e assassinos traiçoeiros. As portas das cidades estavam às vezes enfeitadas por cabeças de malfeitores espetadas em estacas e as execuções pelo povo — algumas vezes brutais espetáculos de apedrejamento — eram consideradas um motivo de diversão.

Podia-se encontrar de tudo nas ruas de Londres. Animais — vacas, carneiros, galinhas, com todos os seus respectivos barulhos e odores —, cães ladrando e sujando por toda parte; soldados bebendo e brigando a qualquer hora; vendedores apregoando seus produtos aos berros; criados em disparada; mendigos e prostitutas debochando e praguejando no ar fétido; elegantes homens e mulheres ricos escolhendo seu caminho através das ruas calçadas de pedras, seguidos de seus séquitos; e despejos os mais fedorentos escorrendo pelo esgoto a céu aberto nas ruas.

Talvez Jorge fosse o rei perfeito para governar sobre essa desordem, já que foi descrito como sendo rude e cru exatamente como tantos de seus súditos. Segundo algumas das descrições que tenho lido, esta descrição é talvez até generosa. Ele era considerado cínico, egoísta e mesmo patologicamente cruel. Ele pode ter sido empurrado para o trono inglês, mas iria governar segundo seus próprios critérios.

Leibniz, tendo ouvido a notícia da morte de Ana, e sabendo o que isso significava, regressou a Hanover. Sem dúvida ele não podia perder a oportunidade de ir para Londres. Ainda antes de Jorge tornar-se rei, Leibniz havia maquinado um plano para passar parte do seu tempo nesta cidade — para participar de conversas com as "excelentes pessoas de que a Inglaterra é tão rica", como explicou a um amigo.

Eles deixaram de se encontrar por uma diferença de três dias. Jorge, com zombaria, disse de Leibniz: "Ele virá somente quando eu tiver me tornado rei." Leibniz procurou acompanhar Jorge, propondo fazer companhia à princesa Caroline, mas ele não estava suficientemente bem para viajar quando ela partiu. Em vez de seguir para Londres, ele foi para Zeitz, uma cidade vizinha, onde, ao que parece, foi apresentado a um cachorro falante que podia recitar o alfabeto e latir palavras como "chocolate" e "café". Que sensação de solidão por ter sido deixado para trás!

Em dezembro de 1714, Leibniz recebeu uma carta do primeiro-ministro von Bernstoff dizendo-lhe que não viesse para Londres e, cerca

224   A GUERRA DO CÁLCULO

de um mês depois, Jorge Ludwig, agora rei Jorge I, proibiu-o expressamente de vir, ordenando-lhe que permanecesse em Hanover até que a ainda incompleta história de sua família estivesse concluída. Leibniz foi, aparentemente, uma vítima dos assessores do rei, que achavam que ele pouco mais iria fazer do que tentar interferir nas atividades deles. Leibniz continuou a trabalhar para Jorge I em Hanover, produzindo, por exemplo, um panfleto antijacobita — anonimamente, é claro.

A resposta de Leibniz a tudo isso foi pedir ao rei seu empregador que o nomeasse historiógrafo da Inglaterra. Jorge I não se impressionou com esse pedido. "Ele primeiro tem que me mostrar que pode escrever história", disse o rei para sua nora.

Preso ao atraso científico e cultural de Hanover, Leibniz estava agora mais isolado do que Newton, e ficou em Hanover até sua morte — doente, ocupado e com a atenção voltada para seu interminável projeto histórico e para as guerras do cálculo.

Devia ter permanecido em Viena. Lá tinha achado tempo para escrever alguns de seus melhores trabalhos. Além da *Monadologia*, ele escreveu, por exemplo, uma exposição sobre a situação da filosofia e da ciência na China.

Foi também em Viena que Leibniz ouviu falar pela primeira vez do *Commercium*, numa carta de Johann Bernoulli, um de seus maiores defensores. Bernoulli estava furioso, escrevendo para Leibniz: "Esta maneira pouco civilizada de fazer as coisas me desgosta especialmente. Ao mesmo tempo você é acusado perante um tribunal que consiste, ao que parece, dos próprios participantes e testemunhas, como se fosse réu de plagio, depois documentos contra você são apresentados, uma sentença é proferida; você perde o caso, você está condenado." Ele considerou o *Commercium Epistolicum* mais uma flagrante tentativa dos ingleses de atribuírem a eles o mérito por descobertas feitas por intelectuais da Europa continental.

Bernoulli ridicularizou Keill como sendo um capanga de Newton e escreveu também que acreditava que alguns dos documentos apresentados no *Commercium* fossem fabricados ou alterados. Pior do que isso, disse Bernoulli, os ingleses estavam acusando Leibniz de ter feito exatamente o que Newton tinha feito: roubado a idéia do cálculo. Bernoulli

As Falhas do Movimento

escreveu, em essência, que Newton não havia compreendido — nem mesmo sonhando — aquilo que afirmava ter realizado, até que lera o trabalho de Leibniz.

"Na verdade você não pode encontrar nem a mais insignificante palavra ou um único sinal dessa espécie mesmo nos *Principia Philosophiae Naturalis*, no qual ele deve ter tido tantas ocasiões para utilizar seu cálculo de fluxões, mas quase tudo nesse livro é feito por meio de linhas em figuras sem qualquer análise definida na maneira usada não somente por ele, mas também por Huygens, na verdade muito antes por Torricelli, Roberval, Fermat e Cavalieri", escreveu Bernoulli, que estava absolutamente certo. Newton havia elaborado os *Principia* no antigo estilo geométrico formalizado em vez de na espécie de matemática algébrica que alguém utilizando o cálculo empregaria.

Bernoulli havia transmitido essa mesma acusação a Leibniz anos antes, numa carta de 1696, mas naquela época Newton estava se recuperando de uma séria crise de depressão, e Leibniz era visto, em muitas partes da Europa, como o maior dos matemáticos. Nessa ocasião, Leibniz não deve ter sentido nenhuma necessidade de trazer a público essas desagradáveis acusações. Além disso, Newton nunca havia feito qualquer reivindicação de prioridade pela invenção do cálculo, e, assim, Leibniz provavelmente estava satisfeito em deixá-las de lado. Mas em 1713, seu bom nome já manchado, Leibniz deu atenção às palavras de Bernoulli.

Ao ter notícia do *Commercium Epistolicum*, Leibniz convenceu-se de que o documento devia estar repleto de maliciosas falsidades, e escreveu a Bernoulli pedindo-lhe que o examinasse. Bernoulli respondeu, a 7 de junho, por uma carta de várias páginas com sua opinião sobre o assunto.

Leibniz redargüiu poucas semanas depois que embora não tivesse ainda visto o *Commercium*, estava seguro de que os "argumentos idiotas" nele contidos eram dignos de ridículo. Ele expressou a Bernoulli seu pesar por pagar esse preço por sua generosidade, depois de passar todos aqueles anos dizendo palavras generosas sobre Newton, sempre que eram solicitados seus comentários sobre o inglês.

Leibniz não iria ser novamente tão generoso, e, realmente, tornou-se bastante mesquinho com Newton depois que o *Commercium Epistolicum* apareceu. Começou a questionar se Newton havia realmente in-

226 A Guerra do Cálculo

ventado a versão do cálculo que apresentava como dele: "Ele conhece as fluxões, mas não o cálculo das fluxões que (como você julga corretamente) criou em um estágio posteriòr, depois que o nosso método já havia sido publicado." Realmente, disse Leibniz em sua carta a Bernoulli,"por muitos anos os ingleses têm estado tão cheios de vaidade, mesmo os mais notáveis entre eles, que têm aproveitado a oportunidade de roubar coisas alemãs e afirmar que são suas".

Bernoulli recebeu a carta de Leibniz e respondeu rapidamente, dizendo que seu amigo devia pensar em provar a inferioridade dos britânicos criando para eles mais problemas-desafios que só pudessem ser resolvidos utilizando o cálculo. "Se tais coisas fossem propostas aos ingleses como um teste, isto seria em minha opinião o meio mais rápido de lhes calar a boca, especialmente se puderem revelar sua extraordinária fragilidade e a inadequação do cálculo de cuja antiguidade eles são tão jactanciosos."

O problema que Bernoulli tinha proposto anos antes havia sido um sucesso ao mostrar que as únicas pessoas que tinham encontrado a resposta correta a tempo foram aquelas que conheciam o cálculo. Como Newton havia então se mostrado capaz de responder àquele desafio, é difícil entender por que Bernoulli e Leibniz pensaram que uma nova prova iria agora embaraçá-lo. Contudo eles pareciam assim pensar, e muitos meses depois que Bernoulli havia feito sua sugestão, Leibniz propôs um novo desafio para provar que Newton era inferior quando se tratava de matemática e ele o incluiu numa carta que escreveu a um nobre veneziano, o abade Conti. A carta termina com Leibniz declarando que a finalidade do problema era "tomar o pulso aos nossos analistas ingleses", embora o propósito desse desafio fosse óbvio — era claramente direcionado a Newton.

O desafio consistia em determinar a curva que devia cortar em ângulos retos uma infinidade de curvas que pudessem ser expressas pela mesma equação. Infelizmente para Leibniz, esta tentativa falhou em revelar a inferioridade dos matemáticos ingleses, porque ocorreu um problema na maneira como o desafio foi escrito; foi interpretado como se estivesse pedindo um exemplo específico de tais curvas, em vez de uma solução geral para se achar tal curva — o problema muito mais difícil que Leibniz tinha em mente.

A solução geral era muito mais difícil, exigindo o domínio do cálculo. Mas Leibniz usara um vocabulário infeliz, que fez com que muitos matemáticos na Inglaterra interpretassem o desafio de forma errada. Conti respondeu a Leibniz em março, dizendo que "diversos geômetras, tanto em Londres como em Oxford haviam encontrado a solução".

O desafio pode ter sido um fracasso, mas não era a única linha de ataque que Leibniz estava seguindo. Na mesma carta que Johann Bernoulli tinha enviado a Leibniz dando-lhe notícia do *Commercium Epistolicum*, ele falou sobre um erro que havia descoberto poucos anos antes nos *Principia*. De fato, o erro tinha sido levado ao conhecimento de Newton pelo sobrinho de Johann, Nikolaus Bernoulli, que havia ido a Londres e lá encontrou-se com Newton em 1712.

Newton escrevera a Nikolaus em 1º de outubro de 1712, agradecendo: "Eu lhe envio anexa a solução do problema sobre a densidade dos Meios resistentes, corrigida. Desejo que a mostre a seu tio e transmita a ele meus agradecimentos por me dar notícia do erro." Ele sem dúvida estava muito feliz por poder fazer a correção antes que fosse impressa a segunda edição dos *Principia* em 1713, porque as revisões que haviam sido incluídas na segunda edição eram já muito extensas e exigiram anos de exaustivo trabalho.

Mas o fato de Newton ter cometido aquele erro pode ter dado motivo a Johann Bernoulli para se indagar se o inglês havia entendido completamente o cálculo, mesmo já na década de 1680, quando apareceu a primeira edição dos *Principia*. Se fosse esse o caso, então Newton não poderia ser o inventor, e Bernoulli disse isto a Leibniz em 1713. Bernoulli também publicou nesse mesmo ano sua crítica aos *Principia* nas *Acta Eruditorum*, a revista alemã estreitamente ligada a Leibniz. Todavia ele estava relutante em aparecer sob as luzes do palco e atacar Newton publicamente, como Keill havia feito com Leibniz. Publicou então sua opinião anonimamente.

Não obstante, as dúvidas de Bernoulli sobre as habilitações de Newton inspiraram Leibniz a escrever uma curta meditação sobre Newton e toda a disputa, a qual conseguira, no mínimo, atiçar as chamas um pouco mais.

228 A GUERRA DO CÁLCULO

A *Charta Volans* (Carta Voadora) era uma pequena folha impressa que apareceu em 29 de julho de 1713, sem o nome do autor, embora poucos não fossem capazes de adivinhar quem era ele. Assim como o *Commercium Epistolicum*, a *Charta Volans* era um documento com imperfeições. Leibniz, referindo-se a si próprio na terceira pessoa em toda a extensão do texto, usou a Carta como um veículo para atacar e zombar de Newton. O coração do documento era o argumento errôneo de Bernoulli de que Newton tinha roubado de Leibniz a idéia do cálculo: "após muitos anos foi criada por Newton alguma coisa a que ele chama de cálculo das fluxões similar ao cálculo diferencial, mas com outras notação e terminologia". Eram, em essência, os mesmos argumentos e frases usados pelos partidários de Newton, mas em sentido inverso.

Todavia Leibniz conseguiu um bom argumento a seu favor como aquele que fora enganado pela traição do outro... devido à sua natureza confiante. "Leibniz, por outro lado, julgando os outros por sua natureza honesta", escreveu ele, "prontamente acreditou no homem [Newton] quando este declarou que tais coisas haviam chegado a ele por sua própria inventividade, e por isso escreveu que parecia que Newton possuía alguma coisa semelhante ao cálculo diferencial."

A *Charta Volans* argumentava que a principal razão por trás da posição dos partidários de Newton em geral e do ataque de Keill em particular era que os ingleses sofriam de uma "xenofobia anormal", que os fazia querer roubar o crédito da Europa continental e atribuir a invenção do cálculo totalmente a Newton. Este seria um argumento a que Leibniz e seus partidários iriam recorrer repetidamente. Isso não era realmente nenhuma surpresa, pois muitas figuras da Grã-Bretanha que eles haviam conhecido (notadamente Wallis e Collins) eram famosos por muito protegerem as realizações dos ingleses. Como Bernoulli colocou numa carta a Leibniz, poucos meses antes deste morrer: "É uma característica dos ingleses invejar tudo de outras [nações] e atribuir tudo a eles ou à sua nação (...) eu duvido que se possa esperar deles [mesmo] apenas isto, que eles irão reconhecer que Newton seja capaz de erro, ou sequer que ele tenha se enganado em qualquer pormenor."

Na *Charta Volans*, Leibniz declarava que tão logo ele (ainda na terceira pessoa) se tornou ciente do modo traiçoeiro e injusto como estava

As Falhas do Movimento 229

sendo tratado, "analisou o problema mais cuidadosamente, e que se não fosse por isso ele não teria examinado assim porque estava condicionado a favor de Newton e começou a suspeitar a partir exatamente daquele procedimento [do inglês], que era tão distante de um tratamento justo que o cálculo das fluxões fora desenvolvido como imitação do cálculo diferencial".

Para dar apoio a essa acusação de que Newton havia copiado Leibniz, a *Charta Volans* incluía a opinião "imparcial" de um destacado matemático que chamava a atenção para o fato de Newton ter sido o segundo a publicar sua descoberta, e referiu-se àquele erro que Bernoulli havia detectado três anos antes como prova de que os métodos de Newton haviam sido desenvolvidos imitando Leibniz, depois de meados da década de 1680. Os partidários de Newton iriam mais tarde agarrar-se a essa parte da *Charta Volans* porque, além da referência a esse "destacado matemático" (que se revelou ser Bernoulli), o documento aludia a um certo eminente matemático, que eles entenderam que significasse Leibniz. Assim, Leibniz iria ser mais tarde objeto de troça por referir-se si mesmo como um "eminente matemático".

Mas naquele verão de 1713, quando a *Charta Volans* foi publicada, Leibniz iria receber as primeiras farpas. Talvez a passagem mais ferina desse documento seja aquela em que Leibniz debochou da tentativa de Newton de apossar-se do crédito pelo cálculo, o que o alemão atribuiu à ambição e ao orgulho do inglês: "Ele estava por demais influenciado por aduladores ignorantes do curso anterior dos acontecimentos e por um desejo de renome. Tendo obtido sem merecer uma parte disso, graças à bondade de um estrangeiro, ele ansiava por ser merecedor do todo — uma indicação de uma mente nem justa nem honesta." Além de tudo, a *Charta Volans* chamava a atenção para os problemas anteriores de Newton com Hooke a respeito dos *Principia* e para sua disputa com o astrônomo John Flamsteed sobre sua teoria do movimento lunar: "Da [tendência de Newton de não dar a outros pleno crédito] Hooke também se queixou, em relação à hipótese dos planetas, e Flamsteed por causa do uso de [suas] observações."

Leibniz conseguiu que um de seus amigos, um homem chamado Christian Wolf, imprimisse e pusesse em circulação para ele a *Charta*

230   A GUERRA DO CÁLCULO

Volans. Pelo início de 1714, cópias estavam sendo distribuídas por toda a Europa, e Johann Bernoulli escreveu a Leibniz para compartilhar as boas novas: "O Sr. Wolf enviou-me muitas cópias de folhas com sua réplica, pois Wolf disse que é sua, e o texto aparece publicado no jornal alemão *Büchersaal*, que é impresso em Leipzig; e pediu-me que a distribuísse entre os matemáticos meus conhecidos; naturalmente, eu já o fiz, e enviei especialmente para um grande número deles na França; mas relutei em remeter algum para a Inglaterra, para evitar que os ingleses suspeitem que seja eu o autor daquela réplica."

Daí em diante, a controvérsia e a batalha cresceram em intensidade. Embora Leibniz negasse que fosse ele o autor do panfleto, poucos (e menos que todos Newton) duvidaram de onde ele vinha. Newton recebeu uma cópia enviada por um homem chamado John Chamberlayne, e, depois de ler com incredulidade a *Charta Volans*, tornou-se quase obcecado por levar adiante sua ação contra Leibniz. Ele escreveu diversas minutas como resposta, muitas das quais foram achadas entre seus papéis quando morreu, embora ele acabasse por nunca publicá-las nem enviá-las a outros como cartas.

Nesse ínterim, no verão de 1713, foi lançada uma nova revista holandesa, o *Journal Littéraire de la Haye*, trazendo no seu primeiro número a tradução do *Commercium Epistolicum* (feita por Wolf, amigo de Leibniz). Jogando dos dois lados da cerca, a revista também publicou uma matéria intitulada "Carta de Londres", escrita por Keill, a qual incluía um trecho extraído de uma carta que Newton havia escrito a Collins, mais de quarenta anos antes, na qual o inglês descrevia seu método para achar tangentes. Keill afirmava que essa mesma carta havia sido enviada a Leibniz. Em resposta, Leibniz escreveu no final do ano um artigo, "Notas sobre a disputa". Nesse artigo, ele novamente apregoou os fatos que aqueles erros encontrados nos *Principia* supostamente provavam.

Continuando a prestar especial atenção à disputa no decorrer naquele mesmo ano, um outro número do *Journal Littéraire de la Haye* reimprimiu a *Charta Volans*, acompanhada de uma resenha anônima do *Commercium Epistolicum* de Leibniz, juntamente com uma resposta anônima às observações de Keill, também escrita por Leibniz.

As Falhas do Movimento

A razão para todo esse anonimato era simples: para Leibniz o fato de Keill o estar atacando era inaceitável. Ele não parecia estar disposto a se envolver numa luta cara a cara com alguém que não só era muito mais jovem e muito menos realizado do que ele, mas que era basicamente um matemático muito menos inteligente. Leibniz parecia não sentir necessidade de rebaixar-se, replicando diretamente a um subalterno como Keill — mas, ao contrário, preferia atingir Newton diretamente.

Mas Newton e Keill já tinham ajustado um bom sistema de trabalho e nenhum deles estava disposto a rompê-lo. Keill escreveu para Newton em 8 de fevereiro de 1714, contando sobre a resenha no *Commercium* e perguntando: "Eu ficaria contente de ter sua opinião sobre o que você pensa que é mais necessário para ser feito em resposta ao Sr. Leibniz (...). Eu sou de opinião de que o Sr. Leibniz devia ser usado com um pouco de esperteza e todo o seu plagiarismo e seus erros largamente mostrados." Em seguida, Keill escreveu outras duas cartas a Newton sobre o mesmo assunto, dizendo sobre as observações de Leibniz que "nunca havia visto nada escrito com tamanhas imprudência, falsidade e calúnia", e que deviam ser replicadas imediatamente.

Newton replicou de maneira negligente quase dois meses depois: "Se lhe aprouver quando você a tiver, pensar que resposta você acha adequada eu irei depois de um ou dois correios enviar-lhe o que penso sobre o assunto, para que você possa comparar com seus próprios sentimentos, e depois escrever uma resposta como você achar apropriado." Newton escreveu nada menos do que sete rascunhos de uma réplica às "Notas" anônimas de Leibniz, mas nunca publicou nenhuma delas.

Em vez de caber a ele, isso cabia a Keill. Este enviou a Newton a minuta de sua réplica, a qual foi crescendo até chegar a um artigo com 46 páginas, que ele enviou ao *Journal Littéraire de la Haye*, para ser publicado no número de julho/agosto de 1714. Há boas razões para se pensar que Newton teve um importante papel nessa "Resposta ao autor das notas", como foi intitulado o artigo, por ter sido escrito em um nível tão alto que provavelmente estava acima da capacidade intelectual de Keill.

Agora que a disputa estava totalmente em público e havia numerosos relatos publicados sobre ela, muito mais pessoas estavam se tornando cientes do que ocorria e muitos contemporâneos dos dois disputan-

232   A Guerra do Cálculo

tes não podiam deixar de nela se envolver. Os inimigos de Newton entre a elite intelectual inglesa, por exemplo, iriam remeter a Leibniz exemplares de publicações como o *Commercium Epistolicum*, assim como informações sobre o que Newton estava tramando. O astrônomo John Flamsteed enviou a Leibniz uma lista dos erros nas teorias de Newton sobre a Lua.

Para alguns dos partidários de Leibniz, a *Charta Volans* não era suficiente. Se Leibniz pudesse responder diretamente a Newton, com seu próprio *Commercium Epistolicum*, seus argumentos seriam grandemente fortalecidos. Bernoulli sugeriu que fazer isto traria uma vitória completa. "Penso que o Sr. Newton algum dia irá se ressentir de dar ouvidos a bajuladores com tanta facilidade", escreveu Bernoulli. "Enquanto isso, seria prudente de sua parte concentrar-se em sua resposta ao *Commercium Epistolicum*, terminá-la em breve e expô-la ao público, para evitar que eles se regozijem com a demora."

Na verdade, Leibniz espalhou que seu próprio *Commercium Epistolicum* seria mais justo, porque incluiria todas as cartas e documentos importantes, insinuando que Newton teria escolhido a dedo certos documentos e ignorado outros. Quando Newton soube dessa crítica, disse que se Leibniz tinha cartas a mostrar, então devia ir em frente e mostrá-las. Acrescentou que existiam cartas ainda mais danosas do que as que haviam sido incluídas no *Commercium Epistolicum*, e que estas não tinham sido publicadas.

Leibniz escreveu a Johann Bernoulli, próximo ao final de 1714: "Muitos homens ilustres aí [na Inglaterra] não aprovam de forma alguma a ousadia dos bajuladores de Newton (...). Estou resolvido a publicar alguma correspondência minha, a qual mostrará o quanto Newton era fraco a outros respeitos."

Mas para Leibniz esta não era a coisa mais fácil de fazer. Para começar, ele estava em Viena de 1712 a 1714 e muito distante do acesso às cartas importantes. Depois, não seria fácil para ele pesquisar seus papéis e encontrar os trechos mais importantes — ele tinha enormes pilhas de correspondência desde décadas atrás. Procurar através de uma pilha dessas cartas não seria tão simples como correr os olhos por documentos previamente selecionados para um propósito específico,

As Falhas do Movimento

como fizera o comitê que havia composto o *Commercium Epistolicum*. Além disso, muitos dos papéis em alemão eram uma confusão de minúscula caligrafia, com alguns caracteres difíceis de se ler sem uma lente de aumento. Acrescente-se a isso notas marginais escritas pelas mesmas mãos e numerosas correções — adições, supressões e trocas de palavras... até para Leibniz, familiarizado com suas próprias palavras, a pouca probabilidade de uma leitura rápida deve ter sido desesperadora. E por todo o tempo, como pano de fundo, estava a pressão que seu empregador continuava a exercer sobre ele para que terminasse o trabalho sobre a história de sua família.

Nesse ínterim, Newton deve ter reconhecido que o *Commercium Epistolicum* podia não ser suficiente para sustentar sua causa. Escreveu um artigo denominado "Um relato do livro intitulado *Commercium Epistolicum*", em 1714, e o publicou anonimamente no número de janeiro-fevereiro das *Philosophical Transactions of the Royal Society*. O artigo ocupava todas as páginas da revista, menos três. Além disso, ele fez traduzi-lo para o francês e o publicou no *Journal Littéraire de la Haye*, providenciou que uma resenha fosse publicada em outra revista, a *Nouvelles Littéraires*, e mandou imprimi-lo como um panfleto separado, que fez distribuir por toda a Europa. Para maior efeito, ainda o fez traduzir para o latim. Afinal, Newton tornava-se o autor prolífico que seus contemporâneos há tantos anos desejavam.

Nesse "Relato", Newton atacou e depreciou uma das maiores contribuições de Leibniz para a matemática: a invenção dos símbolos usados no cálculo, que aumentaram enormemente a capacidade dos matemáticos de aprender e utilizar os métodos de cálculo que são empregados até hoje. "Newton não se limita aos símbolos", acrescentou ele com arrogância.

Os sentimentos eram igualmente hostis no partido de Leibniz, e aqueles que o apoiavam geraram uma grande dose de má vontade — em grande parte dirigida contra Keill. Christian Wolf enviou uma carta a Leibniz na segunda metade de 1714, que trazia queixas do homem e do seu raciocínio infantil: "Eu me surpreendo com a impudência do homem, e também me surpreendo com a sua bazófia (...) porque ele não luta com suas próprias armas, mas com as de Newton."

234 A GUERRA DO CÁLCULO

Leibniz respondeu a Wolf alguns meses depois: "Eu não posso me forçar a fazer uma réplica àquele rude Keill. Eu considerei aquilo que ele escreveu como pouco digno de ler." Em outra carta Leibniz mostrou ainda mais seus verdadeiros sentimentos: "Já que Keill escreve como um caipira, eu não quero ter nada a tratar com um homem dessa espécie. Não há sentido em escrever para quem responde somente com ousadas afirmações e bazófias, pois eles não examinam a substância (...). Eu penso derrubar esse homem, algum dia, com fatos em vez de palavras." Embora Keill fosse vários anos mais moço do que Leibniz e não estivesse incapacitado pela gota como este, eu apostaria em Leibniz — furioso como estava.

Leibniz a esta altura estava desesperado por trazer Bernoulli para a disputa de modo que este pudesse lutar por ele, como Keill lutava por Newton. Bernoulli era o homem perfeito para desempenhar esse papel. Ele era um mestre do cálculo, que o vinha usando há décadas. Era também um matemático ilustre, ao contrário de Keill, que era inferior em capacitação e realizações a Newton e a Leibniz. Na realidade, Bernoulli era uma das poucas pessoas vivas que era o igual em matemática dos dois litigantes em disputa — e talvez um matemático ainda mais brilhante e puro do que qualquer deles.

Bernoulli teria sido um companheiro muito mais respeitável do que Keill, e a disposição que tinha era perfeita para Leibniz. Ele veio firmemente para o lado de Leibniz, e já era aquele "um matemático notável" cujas críticas anônimas constavam da *Charta Volans*. Assim, por que não apresentá-lo claramente?

Bernoulli não desejava aparecer na linha de frente das guerras do cálculo, e pediu a Leibniz para deixá-lo fora da controvérsia. Ele não queria ter seu nome associado à disputa porque estava dividido. Por um lado, era leal ao seu amigo e colaborador de muito tempo — a própria carreira de Bernoulli como matemático avançou como resultado de ele ter apanhado os fios que Leibniz havia fiado e tecido com eles o cálculo como um conjunto de ferramentas matemáticas que podia ser apreendido e aplicado por muitos matemáticos. Ao mesmo tempo, Bernoulli queria ser diplomático em seus contatos diretos com Newton, porque pessoalmente não alimentava nenhuma má vontade para com o maior cientista da Inglaterra. Na realidade, ele devia sentir o contrário —

Newton era o colega amigo que o havia ajudado a ser admitido na Royal Society, e também havia sido o anfitrião gentil que tinha hospedado seu filho quando estava em Londres.

Todavia, Leibniz não aceitaria um "não" como resposta assim tão facilmente. Ele pouco fez para ocultar a verdadeira fidelidade de Bernoulli, e uma vez, escrevendo uma carta sobre o mais recente desafio matemático que havia sido proposto "para testar o pulso dos analistas ingleses", ele revelou que fora Bernoulli quem havia concebido o problema. Procurou também atrair Bernoulli dizendo-lhe que Newton sabia que a carta a que se referia a *Charta Volans* era dele. "Eu gostaria de saber como Newton poderia saber que fui eu o autor da carta", escreveu Bernoulli em resposta, "já que nenhum mortal sabia que eu a escrevi, exceto [você e eu]."

Finalmente, Leibniz deixou escapar que Bernoulli era o autor daquela carta, quando fez anonimamente uma resenha do "Relato" de Newton em 1715. Também para atrair Bernoulli, Leibniz começou a citá-lo em sua correspondência como um dos críticos de Newton.

Assim que Newton descobriu que Bernoulli era aquele misterioso "eminente matemático", não demorou a insultá-lo, chamando-o de "pretenso" matemático em 1716.

Bernoulli iria negar a autoria da carta durante anos, e, depois que Leibniz morreu, procurou reparar a situação, fazendo com que Newton soubesse que não era ele o autor, e que Leibniz havia sido enganado a esse respeito. Escreveu ao matemático francês Pierre Rémond de Montmort: "Desejo acima de tudo viver em boa amizade com ele, e encontrar uma oportunidade de mostrar-lhe como eu valorizo seus extraordinários méritos, na verdade eu nunca falo dele a não ser com muito louvor."

Newton, de sua parte, aceitou o ramo de oliveira de Bernoulli, escrevendo a Montmort na França: "Eu prontamente saúdo e cortejo a amizade dele."

MUITO EMBORA BERNOULLI relutasse em ficar no meio da disputa entre Newton e Leibniz, existiam muitos outros que queriam por demais dela participar — e não apenas porque estivessem a favor de um ou de ou-

236 A GUERRA DO CÁLCULO

tro. Na verdade, à medida que os temperamentos entravam em erupção e as hostilidades ficavam mais e mais expostas, muitas pessoas de ambos os lados do Canal da Mancha ansiavam por ver a disputa chegar a um final amigável.

O ambicioso John Chamberlayne, que mantinha correspondência com os dois, Newton e Leibniz, tentou resolver a disputa por si só. Enviou uma carta a Leibniz, então em Viena, em 27 de fevereiro de 1714, dizendo-lhe: "Fui informado das diferenças fatais para a cultura entre dois dos maiores filósofos e matemáticos da Europa, e não preciso dizer que falo do Sr. Isaac Newton e do Sr. Leibniz, um a glória da Alemanha, e o outro, da Grã-Bretanha, e ambos esses homens que me honram com a amizade que sempre cultivarei o melhor que puder, embora eu nunca possa merecê-la (...) porém como seria muito glorioso para mim, assim como vantajoso para a comunidade do saber, se eu pudesse trazer esse caso a um final feliz."

Mas o desejo de Chamberlayne de fazer daquela disputa avinagrada um vinho harmonioso iria morrer ainda na vinha. Realmente, tudo que seus esforços puderam fazer por Leibniz foi dar-lhe mais uma saída pela qual pudesse expressar sua ira. Leibniz escreveu-lhe de volta, em abril de 1714, com uma carta redigida em termos ríspidos, dizendo que o propósito de Newton ao publicar o *Commercium Epistolicum* tinha sido o de desacreditá-lo injustamente, e que ele não acreditava em absoluto que Newton tivesse inventado o cálculo antes de haver lido seu trabalho. Newton, tanto quanto Leibniz, não queria esquecer o passado. Chamberlayne deu notícia ao inglês da carta que recebera de Leibniz, e Newton replicou que não iria se retratar de coisas que eram verdade, porque o *Commercium Epistolicum* era um documento verdadeiro, e que, de forma alguma, fizera uma injustiça a Leibniz.

Leibniz escreveu uma outra carta a Chamberlayne na qual exprimiu seu descontentamento com o *Commercium*, pedindo-lhe que levasse essa carta à Royal Society. A carta dizia, em parte: "Não acredito absolutamente que o julgamento que foi feito possa ser considerado como um julgamento final da Sociedade. Contudo o Sr. Newton fez com que fosse publicado por todo o mundo através de um livro impresso expressamente para me desacreditar, e o enviou para a Alemanha, para a

França e para a Itália como se fosse em nome da sociedade. Esse pretenso julgamento, e essa afronta feita sem causa a um dos mais antigos membros da Sociedade e que não havia feito a ela nenhuma desonra achará apenas algumas pessoas no mundo que a aprovem."

O próprio Newton traduziu essa carta e a fez ler diante da Sociedade. Os membros desta, porém, ignoraram seu empenho, aprovando uma resolução de friamente não tomar conhecimento da carta, sem qualquer comentário. A revista da Royal Society registra, em 20 de maio de 1714, "A tradução da carta [do Sr. Leibniz] para o Sr. Chamberlayne apresentada na última reunião foi lida. Não foi considerado apropriado [visto que não havia sido dirigida a eles] para a Sociedade que eles se ocupassem com ela, nem eles desejavam fazê-lo...".

Keill, por seu lado, estava mais do que desejando se aproveitar de qualquer coisa que Leibniz tivesse a oferecer, tendo escrito a Chamberlayne poucos meses depois: "Se o Sr. Leibniz fizer qualquer nova queixa eu ainda irei dar ao mundo um maior conhecimento de seus méritos e de sua sinceridade."

Isso criou tal animosidade entre Leibniz, os que o apoiavam e Keill, que aqueles passaram a dar a este o tratamento mais cruel. Assim, por exemplo, Wolf, o amigo de Leibniz, escreveu a este uma carta na qual espalhou o mais ferino boato sobre Keill. "Poucos dias atrás eu soube por uma pessoa chegada da Inglaterra que me visitou, que Keill tinha se comportado de modo tão oposto ao de uma pessoa que ocupa uma cátedra devido à sua vergonhosa moral (pois ele tem freqüentado bares e casas de tolerância com estudantes confiados a seus cuidados, gastando muito dinheiro com vinho e mulheres) que pode vir a se tornar famoso por alguns procedimentos infames resultantes da sua falta de moral..."

Mesmo enquanto esses rumores contra Keill eram espalhados, maiores provas se espalhavam contra Newton. Leibniz indagava altissonante em suas cartas, de algumas das quais ele esperava que Newton viesse a ter conhecimento, sobre um famoso parágrafo dos *Principia* que aparecia na primeira edição, mas que Newton havia retirado da segunda.

Ele também escreveu para pessoas como o abade Conti e uma certa madame de Kilmansegg, dizendo que Newton havia concedido a ele a

238 A GUERRA DO CÁLCULO

invenção do cálculo anos antes, na nota de esclarecimento final da segunda premissa do segundo livro dos *Principia*. Nesse parágrafo Newton escreveu: "Em uma correspondência que teve lugar cerca de dez anos atrás entre aquele muito capaz geômetra, G. W. Leibniz, e mim, eu lhe anunciei que possuía um método de determinar máximos e mínimos, de traçar tangentes e de executar operações semelhantes, que era igualmente aplicável a grandezas racionais e irracionais, e o ocultei em letras embaralhadas (...). Esse homem ilustre respondeu que ele também havia descoberto um método da mesma espécie, e me comunicou sua metodologia, que pouco diferia do meu exceto na notação."

Estranhamente, esse escólio, como é chamada aquela passagem, tinha sentidos diferentes para Leibniz e os que o apoiavam e para Newton e seus partidários. Leibniz parecia entender que isso significava que Newton admitia que ele, Leibniz, possuía um método como o dele. Newton e seus partidários o viam como estabelecendo a prioridade deste na invenção.

Esta diferença de opinião se refletiu nas páginas de um outro livro, *History of Fluxions*, do matemático inglês Joseph Raphson, que foi publicado em 1715 para favorecer a causa de Newton.

Raphson, que morreu antes que seu livro chegasse às ruas, havia revisado uma meia dúzia de documentos publicados anteriormente que estavam à sua disposição. Embora o trabalho de Newton ainda não tivesse sido publicado ou colocado à disposição do público, ele havia permitido a Raphson, através dos anos, ler periodicamente alguns dos seus documentos pessoais. O livro era claramente inclinado a favor de Newton, reiterando em seu prefácio que Newton tinha tanto a prioridade como a genialidade. Raphson foi ainda mais longe do que procurar esclarecer o assunto, apresentando uma cronologia em favor de Newton, ao mesmo tempo que dava a entender, talvez injustamente, que o cálculo de Leibniz era "menos prático e mais trabalhoso" do que o de Newton.

Newton escreveu um suplemento de sete páginas densamente cobertas de letras de imprensa para o livro no qual ele defendia suas palavras anteriores no escólio e afirmava que era uma questão de má interpretação por parte de Leibniz em vez de constituir qualquer admissão

AS FALHAS DO MOVIMENTO

de erro de sua parte. "Não foi escrito para passar aquela premissa para o Sr. Leibniz, mas, ao contrário, para reivindicá-la para mim."

Quando Leibniz tomou conhecimento do *History of Fluxions*, ele já estava escrevendo sua versão dessa história, a que chamou de *History and Origin of the Differential Calculus*. Não era uma idéia nova. Vinte anos antes, ele havia escrito para Huygens com essencialmente a mesma intenção, escrever um livro sobre o cálculo (embora visando um pouco mais à frente). "Sua exortação me ratifica o propósito que tenho de escrever um tratado explicando os fundamentos e as aplicações do cálculo das somas e diferenças e alguns temas com ele relacionados", escreveu Leibniz. "Como um apêndice, eu acrescentarei as belas percepções e visões de certos geômetras que fizeram bom uso de meu método, se eles tiverem a bondade de me enviá-las. Espero que o marquês de l'Hôpital me faça esse favor, se você julgar apropriado sugerir-lhe que o faça. Os irmãos Bernoulli também poderiam fazê-lo. Se eu achar alguma coisa nos trabalhos do Sr. Newton que o Sr. Wallis tenha inserido na álgebra dele que nos vá ajudar a avançar, eu a usarei e lhe darei o crédito."

Mas como aconteceu com a história dos Brunswick, Leibniz nunca concluiu esse tratado. Ele pode não ter tido a paciência necessária para vasculhar cuidadosamente suas velhas notas e cartas, ou pode simplesmente ter estado muito ocupado com seus outros afazeres. Não obstante, sua fragmentada *History and Origin of the Differential Calculus* é um documento tanto belo como destoante. O parágrafo de abertura, que reproduzi na introdução ao Capítulo 5 deste livro, é uma extraordinária afirmação da importância de se registrar uma descoberta de qualquer espécie — particularmente uma da importância do cálculo. "Entre as mais renomadas descobertas da época, deve ser considerada a de uma nova espécie de análise matemática, conhecida pelo nome de cálculo diferencial; e deste, mesmo se os essenciais são na presente época julgados suficientemente demonstrados, todavia a origem e o método de sua descoberta não são ainda conhecidos do mundo em geral...", escreveu Leibniz.

Depois, no parágrafo seguinte, a *History* torna-se muito mais amarga e envolvida na disputa que se travava:

240 A GUERRA DO CÁLCULO

Agora, nunca houve qualquer incerteza quanto ao nome do verdadeiro inventor, até recentemente, em 1712, certos arrivistas, seja por ignorância da literatura dos tempos passados, seja por inveja, seja com vã esperança de ganhar notoriedade através da discussão, ou ultimamente por lisonja obsequiosa, criaram um rival para ele, e pelo louvor deles a esse rival, o autor tem sofrido não pequeno descrédito com relação ao assunto, pois àquele rival tem sido creditado ter sabido muito mais do que pode haver no assunto em discussão. Além disso, nisso eles têm agido com considerável esperteza, ao adiarem o início da disputa até quando aqueles que conheciam as circunstâncias, Huygens, Wallis, Tschirnhaus e outros, por cujo testemunho eles poderiam ser refutados, estavam todos mortos.

Leibniz estava no meio do seu *History*, quando recebeu uma carta do próprio Newton. Essa carta era fruto de outro esforço para negociar a paz — até então sem sucesso exceto o de os ter levado a uma derradeira troca de carta. Esse esforço teve início quando Newton conseguiu que o abade Conti arranjasse um encontro entre os embaixadores e ministros do exterior que estavam em Londres, incluindo o barão de Kilmansegg, embaixador de Hanover, para que, reunidos, decidissem entre eles a disputa. Foi uma iniciativa que demonstrava confiança e ousadia, mas que estava fadada ao fracasso. Embora os embaixadores estivessem muito felizes por se reunirem para discutir a controvérsia, não foram capazes de chegar a uma conclusão.

Eu não me surpreendo, realmente. Newton havia arrumado as coisas para que eles lessem sozinhos o *Commercium Epistolicum* e outros documentos. Mas esses documentos não eram de leitura fácil para qualquer um, muito menos para um grupo internacional de não-matemáticos que, por outro lado, teriam se orgulhado de suas capacidades, ou pelo menos, de seus interesses intelectuais, a ponto de se sentirem impedidos de admitir não estarem à altura da tarefa pela necessidade de salvar as aparências.

Como uma solução, o barão insistiu com o matemático inglês que escrevesse ele próprio a Leibniz, o que foi passado a Newton pelo abade Conti. Uma vez que havia sido ele quem propusera que os embaixadores decidissem o assunto, Newton tinha que dar prosseguimento com uma carta. Ele a escreveu em 26 de fevereiro de 1716, e o abade remeteu-a para Hanover.

Aparentemente, Newton gastou muitas horas rascunhando sua carta, embora nela não houvesse nada de novo. Era ainda uma penosa renovação de todos os fatos. Para ele, o *Commercium Epistolicum* era uma pilha de evidências factual e honestamente coletadas, publicada "por um numeroso comitê de cavalheiros de diversas nações". Ele não mostrava intenção de se retratar de nenhuma palavra desse trabalho.

Newton provavelmente tinha a sensação de que seu argumento, sólido até então, merecia ser mantido. A carta continha algumas críticas à filosofia de Leibniz, e terminava dizendo que cabia ao alemão provar suas acusações de plágio contra Newton. "Mas como ele ultimamente tem me atacado com uma acusação que equivale a plágio; se ele continuar a me acusar, cabe a ele, segundo as leis de todas as nações, provar sua denúncia (...) ele é o agressor e recai sobre ele a responsabilidade de provar sua acusação", escreveu Newton.

O abade Conti anexou a carta de Newton a uma sua; nesta, ele perguntou a Leibniz de maneira direta quem inventara primeiro o cálculo. Leibniz escreveu logo depois a Bernoulli, regozijando-se: "O próprio Newton, desde que viu que considerei Keill indigno de uma resposta, entrou no ringue, tendo escrito uma carta ao abade Conti que [a] enviou para mim."

Bernoulli respondeu a Leibniz: "É uma boa coisa que Newton tenha finalmente entrado ele próprio no ringue, a fim de lutar sob seu próprio nome e deixar de lado sua máscara (...). Seja lá o que for, eu tenho esperança de que agora a verdade histórica será exposta mais claramente, se apenas Newton com aquela sinceridade que eu suponho e creio que ele possua, disser fielmente as coisas que aconteceram e publicamente reconheça a verdade daquilo que você reivindica."

242 A GUERRA DO CÁLCULO

Mas a troca de cartas não iria dar um fruto tão auspicioso. Newton, depois de receber a carta de Leibniz, respondeu com uma ainda mais longa, contendo mais reiterações.

Então Leibniz, talvez sentindo que estava finalmente confrontando Newton frente a frente como desejara por tanto tempo, fez aquilo que seria o equivalente no século XVIII a expor sua opinião num site da internet. Procurando trazer para a briga tantas pessoas quanto pudesse, enviou cópias da correspondência para Paris a fim de que fossem partilhadas e distribuídas. Enviou sua resposta através de Rémond de Montmort — dizendo a ele que era uma carta que ele queria que fosse transmitida a todos os matemáticos em Paris, a fim de que todos pudessem ser suas testemunhas. No texto propriamente da carta, Leibniz negava a acusação de que fosse o agressor que estava acusando Newton de plagiário, e de novo culpou aqueles que procuravam lisonjear o inglês. "A perversa chicanice dos seus novos amigos tem causado muitos embaraços a ele", escreveu Leibniz a respeito de Newton.

As "Observações" de Newton sobre a carta de Leibniz, que ele registrou pouco depois, mostram como ele havia se tornado amargo. "O Sr. Leibniz os acusa [o comitê nomeado pela Royal Society] de não terem feito imprimir as cartas inteiras (incluindo tanto o que não se relacionava ao assunto a que se referiam, como ao que se relacionava com este), como se não fosse legal transcrever um parágrafo extraído de um livro, sem transcrever todo o livro. Assim, ele se queixa de que o *Commercium Epistolium* devia ser muito maior. Mas quando tem que responder ao livro queixa-se de que este é muito grande, e iria exigir uma resposta tão grande quanto ele."

Não se sabe até que ponto isso poderia ter chegado. Mas a correspondência não continuou. Leibniz preferiu deixar de lado toda a discussão sobre o cálculo para atacar a visão do mundo que Newton tinha — isto é, a interpretação dada pelo inglês à gravidade. Neste ponto sem dúvida estava seguro que seu rival era fraco, pois o inglês acreditava na idéia da gravitação universal, difícil de se entender e impossível de se justificar — ação à distância. Como muitos de seus outros contemporâneos, Leibniz tinha dificuldade em aceitar a teoria de Newton.

Ele havia prefaciado esse ataque numa carta a Bernoulli. "Newton de forma alguma demonstra por meio de suas experiências que em toda a parte a matéria tenha peso, ou que qualquer parte dela seja atraída por uma outra parte, ou que exista o vácuo, conforme diz em suas fanfarronices", escreveu ele.

Leibniz desejava claramente transferir todo o debate para terrenos mais filosóficos. Afinal de contas, ele era um dos mais importantes filósofos da Europa (distinção esta que Newton não podia reivindicar) e percebia sua vantagem neste aspecto. "A filosofia dele me parece um tanto estranha", escreveu Leibniz ao abade Conti. "Não acho que ela possa ser confirmada."

Leibniz não fez isso por mero capricho. Ele provavelmente pensava que Newton estava de fato errado, e devia estar certo de que aquilo que via como a infundada filosofia natural de Newton iria afundar seu rival.

NEWTON ESTAVA CONVENCIDO de que existia aquilo a que hoje chamaríamos um "universo newtoniano" — a gravidade, obedecendo a leis determinantes, governa toda a matéria. A princípio, ele havia concebido sua teoria da gravitação universal como um modo de descrever fatos como as marés e o movimento dos planetas em torno do sol. Não tentou explicar o que era a gravidade, mas, em lugar disto, satisfez a si e aos seus leitores descrevendo como ela funcionava.

Para Newton, a gravidade podia ser mais bem entendida por meio da equação que criou para descrevê-la. A força devida à gravidade que é exercida por dois objetos, um sobre o outro, é função das massas dos dois objetos e do inverso do quadrado da distância entre eles. Para Newton, era uma força que se propagava através do espaço vazio.

Do outro lado do Canal da Mancha, Leibniz tinha sérios problemas com a física de Newton porque ele era profundamente raciona-

244   A GUERRA DO CÁLCULO

lista. Estava disposto a aceitar a formulação matemática de que a gravidade era inversamente proporcional ao quadrado da distância entre dois objetos, mas esta formulação puramente matemática da realidade não era suficiente para Leibniz. Ele necessitava que ela fosse racional.

Para Leibniz, um dos princípios em que se baseava a ciência era o da razão suficiente: nada ocorre sem que exista uma razão suficiente para explicar sua ocorrência. Uma vez, ele escreveu: "O princípio fundamental da razão é nada sem causa." E escreveu também: "De qualquer modo, este axioma, de que não há nada sem uma razão, deve ser considerado um dos maiores e mais frutíferos de todo o conhecimento humano, pois sobre ele está construída uma grande parte da metafísica, da física e da ciência moral."

Leibniz provavelmente não gostava da teoria da gravitação universal de Newton com base na premissa simples de que um efeito à distância (tal como a gravidade exercendo sua força mesmo através de uma distância de muitos milhões de quilômetros) teria que ser impossível. Ele rejeitou, sem rodeios, a teoria como absurda. Ou, como ele se expressou friamente: "Eu acredito que é preciso recorrer a uma espécie de milagre perpétuo para explicar esse efeito."

A teoria que já foi predominante, para a qual a gravitação universal vinha constituir uma alternativa, era a idéia de que os planetas eram carreados ao redor do Sol em vórtices, e Leibniz apoiava firmemente esta teoria porque ela fazia muito mais sentido do que alguma misteriosa força milagrosa chamada... como era mesmo?... ah!gravidade?!

Para ele, a razão para o movimento dos planetas era simplesmente ligada à matéria — isto é, a matéria que circunda os planetas empurrando a matéria, isto é, os planetas. Leibniz atentou para o fato de que todos os planetas estão no mesmo plano que o Sol, e raciocinou que isto acontece porque estão girando num vórtice maciço de matéria. Este movimento é igual ao de uma folha em um riacho, carreada pelos bilhões de moléculas de água, e, assim como sem a água a folha não poderia flutuar rio abaixo, sem a matéria do vórtice "nada evitaria que os planetas se movessem em todas as direções".

Esta teoria era poderosa e foi empregada por Leibniz para explicar outras coisas, como a forma redonda da Terra, num raciocínio muito convincente: "Se um corpo for circundado por um outro que seja mais fluido e mais agitado, para o qual ele não deixe suficiente passagem livre para o seu interior, ele será atingido por uma infinidade de ondas vindas do exterior que ajudarão a endurecer e a unir mais suas partes. Um corpo esférico está menos exposto à ação desse fluido circundante porque sua superfície é a menor possível e porque a diversidade uniforme tanto do seu movimento interno como dos movimentos externos contribui para sua forma arredondada."

Newton, é claro, estava provavelmente furioso com o que via como uma tentativa de Leibniz de mudar de assunto. É provável que não tivesse nenhuma vontade de entrar numa longa discussão com Leibniz sobre filosofia natural, e foi poupado de ter que fazê-lo. Em lugar dele, um outro de seus representantes assumiu o debate.

Leibniz escreveu cartas com críticas à visão do mundo de Newton para Caroline, a princesa de Gales, em novembro de 1715. Ela era a nora de Jorge Ludwig, que então ocupava o trono da Inglaterra como Jorge I, e muito amiga de Leibniz, sendo, até certo ponto, uma defensora da filosofia e da pessoa deste. Ela deu as cartas para um homem chamado Samuel Clarke, que estava numa posição privilegiada para discutir com Leibniz a visão do mundo de Newton. Clarke, o capelão do rei, havia traduzido o *Ótica* de Newton para o latim em 1706, mediante uma grande remuneração, e, uma década depois, recebeu uma solicitação da princesa Caroline para traduzir a *Teodicéia* de Leibniz para o inglês. Ele se recusou a fazê-lo, mas comunicou a Leibniz por escrito.

Numa carta a Caroline, Leibniz criticou Newton por necessitar da intervenção divina para explicar fenômenos e manter o Universo funcionando. O Universo de Newton, do modo como ele o via, era um relógio muito mal construído, necessitando de ocasionais reparos. Leibniz se opunha a esta espécie de necessidade porque professava a crença na racionalidade e moralidade uniformes do Universo, e declarava que as decisões de Deus estavam por trás de tudo que acontece. Acredi-

246   A GUERRA DO CÁLCULO

tava que essas decisões derivavam dos mesmos princípios que as decisões humanas racionais e morais. Clarke respondeu argumentando contra Leibniz, e isto deu início a uma das mais famosas trocas de correspondência da história da filosofia — a chamada correspondência Leibniz-Clarke. Essa troca de cartas, embora de curta duração, foi suficientemente importante para ser publicada quase de imediato, em 1717, e continua a ser publicada ainda hoje.

Ao final, entretanto, a tentativa de Leibniz para atrair Newton para uma discussão em terreno metafísico ou filosófico alcançou, provavelmente, menos do que ele havia esperado. Newton nunca mordeu a isca e nunca houve entre eles uma discussão direta sobre a questão da matéria. Além disso, embora possa ter sido uma escolha esperta e óbvia para Leibniz tentar na época, foi uma decisão historicamente infeliz, porque seu ataque à teoria da gravitação universal de Newton enfraqueceu sua própria argumentação.

Apesar de Leibniz claramente se considerar num nível muito mais elevado, Newton estava certo quanto à gravidade. Os argumentos que Leibniz usou contra ele são historicamente um tanto embaraçosos, porque esse era um terreno no qual este homem brilhante estava completamente errado. À medida que transcorria o século XVIII, e depois que os dois homens morreram, o balanço das opiniões iria inclinar-se a favor de Newton, e os cientistas e matemáticos que se seguiram a esses homens começaram a entender mais e mais a realidade da gravidade. A teoria do vórtice, embora tenha tido seguidores mesmo durante o século XVIII, estava destinada às latas do lixo da ciência.

E à medida que a gravidade emergia triunfante, assim também muitos escritores apareciam para exaltar Newton. Talvez o mais famoso destes tenha sido Voltaire, que ridicularizava a teoria do vórtice e celebrava Newton pela da gravidade. "Sir Isaac Newton parece haver destruído todos esses grandes e pequenos vórtices", escreveu ele. E acrescentou: "Essa força de gravitação atua proporcionalmente à quantidade de matéria nos corpos, uma verdade que Sir Isaac demonstrou por experimentos."

Alcançou-se um consenso anos depois de Leibniz e Newton terem morrido. Porque Newton estava certo a respeito da gravidade, muitos devem ter pensado que, talvez, ele também estivesse certo a respeito das verdadeiras origens do cálculo. Assim, foi uma infeliz escaramuça à margem das guerras do cálculo que Leibniz escolheu para apoiar sua causa, atacando Newton a respeito da gravidade.

12

Expurgado de Ambigüidade

▪ 1716-1728 ▪

A Morte não se preocupa nem com a execução de nossos projetos, nem com o progresso da Ciência.

— Leibniz, extraído de uma carta para Thomas Burnet, 1696

Próximo ao fim da vida de Leibniz, à medida que a batalha contra Newton ia alcançando o máximo de intensidade, o embate tinha potencial para assumir um tom cada vez mais político, porque o chefe do alemão era agora rei da Inglaterra. Mas qualquer um que supusesse que Jorge I iria ter mais razões para ficar ao lado de Leibniz, estaria completamente errado. Newton era um whig[1] e os whigs eram, de modo geral, leais à Casa de Hanover. Assim, Newton, no entender de Jorge I, estava, certamente, correto.

De fato, a atitude de Jorge I em relação à disputa pelo cálculo parecia ser de indiferença — não tanto por falta de interesse, mas principalmente uma indiferença que provinha de saber que fosse quem fosse que estivesse certo nessa disputa, ele era o senhor dos dois litigantes. "Eu me sinto feliz de possuir dois reinos, um em que tenho a honra de con-

---

[1] *Whigs* era a designação dada na Inglaterra aos membros do Partido Liberal, nos séculos XVIII e XIX, em oposição aos *Tories*, do Partido Conservador. (*N. da T.*)

tar entre meus súditos com um Leibniz, e no outro com um Newton", disse ele uma vez.

Além disso, Jorge tinha um estranho relacionamento com Leibniz, sempre o pressionando a deixar de evasivas e terminar a história de sua família. Por isso e por outras razões, Leibniz passou os últimos dias de sua vida em Hanover, enquanto Jorge e a maioria de sua corte estavam na Inglaterra — um abandono talvez, ou algo que demonstra, no mínimo, falta de apreço. Talvez mais revelador das relações entre eles seja um incidente ocorrido em 1711. Quando Leibniz feriu-se numa queda, doente, velho e parcialmente aleijado como estava, diz-se que Jorge se divertiu e até achou bom que isso acontecesse. Ele não demonstrou nenhuma benevolência para com aquele que havia tanto tempo era empregado de sua família.

O ferimento foi apenas um de uma longa série de danos físicos que Leibniz iria sofrer durante os últimos anos de sua vida. Ele sofria de gota, que é uma forma extremamente dolorosa de artrite, causada pelo acúmulo de cristais de ácido úrico em forma de agulhas nos tecidos conjuntivos e nas juntas. Esse acúmulo causa inflamação e dores agudas nas juntas, e esses ataques podem levar dias para cessar. Próximo ao fim da vida, sua gota piorou. "Sofro de tempos em tempos em meus pés; ocasionalmente, a doença passa para as mãos; mas cabeça e estômago, graças a Deus, ainda fazem seu papel", escreveu Leibniz em 1715.

Ele teve também um sério abscesso em sua perna direita que tornou difícil para ele andar, talvez devido à sua tendência a não se movimentar. Diz-se que muitas vezes ele ficava sentado durante horas — algumas vezes por dias inteiros — trabalhando sentado em sua cadeira.

Não obstante, ele nunca permitiu que as dores levassem a melhor. Tentava controlar os ataques ficando completamente imóvel na cama e, apertando, de vez em quando, talas de madeira sobre as juntas que doíam. Infelizmente, ao que parece, isto afetou seus nervos tão seriamente que ele acabou ficando permanentemente preso à cama.

Em de novembro de 1716, ficou de cama por oito dias, concordando, afinal, em chamar um médico, um Dr. Seip, na sexta-feira, dia 13. Há uma história que descreve uma cena interessante do paciente, como uma enciclopédia viva, com um conhecimento profundo da arte e da aplicação da medicina, discutindo alquimia e história com o doutor enquanto era torturado por dores e seu pulso se enfraquecia. Irrompeu um suor frio em sua testa, e ele transpirava profusamente. Tremia sem controle, rodeado de livros e anotações e outros trabalhos e, embora tentasse trabalhar, não conseguia escrever nada.

O médico deu um terrível prognóstico; Leibniz não tinha nenhuma chance de recuperação. Deu-lhe alguns remédios. Leibniz durou até o dia seguinte, e a 14 de novembro de 1716, o mais famoso filho de Leipzig morreu, depois de longos anos de relutante residência em Hanover.

Seu caixão tinha que ser construído, e o secretário de Leibniz, Eckhart, encomendou um muito ornamentado e caro, decorado com frases de Horácio, símbolos matemáticos e do renascer. O funeral ocorreu poucos dias depois, sendo o corpo de Leibniz em seguida transferido para a igreja de Neustädter, onde ia ser enterrado. Ele foi sepultado *dentro* da igreja, o que naqueles dias era raro para um cidadão comum. Existe uma lápide com a inscrição "Ossa Leibnitii" sobre o que hoje se acredita serem seus restos mortais.

A estrela de Leibniz ganhou mais brilho depois de sua morte. No século XVIII, ele foi considerado um intelectual muito importante, e foi erigido um monumento em sua honra por volta de 1780, o que também era extremamente raro para alguém que não era nobre. Esse monumento pode ser descrito como um templo circular, com um busto de mármore branco no centro, e a inscrição "Gênio Leibnitii". Uma indicação de seus méritos foi dada quando anos depois, quando foi reformada a igreja, os ossos das pessoas que nela estavam enterradas foram exumados. Somente Leibniz foi novamente sepultado no prédio renovado.

Contudo muitos historiadores já comentaram a pequena assistência presente a seu funeral. Um homem chamado John Ker, ou Kersland, que chegou à cidade no dia em que Leibniz morreu, ficou chocado, ao que parece, com a pouca atenção dada pelos moradores locais. Ele teria chegado a comentar que Leibniz foi sepultado mais parecendo um ladrão comum do que um homem eminente em seu país.

A maior parte da corte de Jorge estava em Londres. Mas o rei e seu séquito caçavam perto de Hanover quando receberam a notícia da

252 A GUERRA DO CÁLCULO

morte de Leibniz. A história registra que, apesar de toda a corte ter sido convidada, seus membros, muito especialmente Jorge I, não compareceram ao funeral. Diversos obituários apareceram em honra de Leibniz. O *Journal des Savants* publicou uma notícia de sua morte em 1717, e outra publicação apareceu em Haia em 1718 com um "Éloge historique de M. de Leibniz". A Académie des Sciences em Paris deu atenção ao fato e seu secretário escreveu um elogio a Leibniz e o leu para os membros dessa instituição em 1717.

A Royal Society, contudo, não deu atenção ao falecimento de Leibniz, muito embora ele ainda fosse um de seus membros. Mas talvez o maior insulto a Leibniz foi o fato de a Sociedade de Ciências em Berlim nada fazer para marcar a ocasião, mesmo tendo ele sido seu fundador e primeiro presidente.

Pouco depois de Leibniz ter morrido, o abade Conti escreveu a Newton para informá-lo. "O Sr. Leibniz está morto", escreveu ele, "e a disputa terminada." Mas, para Newton, não estava nem perto disso.

Tão logo Newton soube que Leibniz estava morto, mandou imprimir uma reedição do livro de Raphson, e nela introduziu, com suas próprias palavras, uma resposta à carta que Leibniz lhe havia enviado. Seus sentimentos em relação a Leibniz não pareciam se ter abrandado com o passar dos anos, nem mesmo depois da morte de seu arqui-rival. Dois anos depois, o inglês escreveu uma longa passagem regozijando-se por Leibniz nunca ter sido capaz de refutar seus argumentos. Continuou a escrever cartas e ensaios amargos durante anos após a morte de Leibniz, embora tenha mantido uma grande parte guardada, e estes documentos não foram descobertos senão depois de sua própria morte, uma década depois.

As cartas que estavam ainda em seu poder quando ele morreu revelam quão profundamente maltratado ele se sentia por todo aquele caso, que fora injustamente tratado por Leibniz. Até descer ao túmulo, ele sustentou que Leibniz era o agressor, e ele, Newton, era quem se defendia de acusações de plágio. Só pode haver um único inventor de qualquer coisa, insistia ele, independentemente de alguém vir a melhorar a invenção.

EXPURGADO DE AMBIGÜIDADE   253

Ele foi muito bem-sucedido em espalhar essa crença em sua grandeza em detrimento da de Leibniz — como o foram seus seguidores. Voltaire, é claro, era o maior paladino de Newton na França. Depois de passar alguns anos na Inglaterra, Voltaire escreveu vários ensaios que exaltavam Newton e o newtonianismo, incluindo uma das primeiras popularizações das idéias do inglês. Voltaire era bastante severo em seu tratamento de Leibniz e de sua filosofia, muitos anos após este ter morrido. Leibniz foi satirizado e ridicularizado por Voltaire como o tolo Dr. Pangloss de seu famoso livro *Candide*. Seu próprio nome, Pangloss (sumário amplo), é uma referência à filosofia que veio simplificar demasiadamente a visão de Leibniz depois que este morreu — a crença no melhor de todos os mundos possíveis.

Leibniz teorizava que a total extinção do mal existente no mundo era impossível, mas que os seres humanos viviam no melhor de todos os mundos possíveis, no sentido de que nele só era admitida a menor quantidade de mal. Leibniz não queria dizer por "o melhor de todos os mundos possíveis" que todos os aspectos do mundo eram perfeitamente sem falhas. Ele testemunhou guerras demais e demasiado sofrimento para pensar alguma coisa tão estúpida assim. Tudo o que ele realmente queria dizer era que, do número infinito de mundos possíveis, este era o melhor. Na visão de Leibniz, o sofrimento e os horrores do mundo eram parte de uma ordem maior, que permanecia harmoniosa. Além disso, ele argumentava que o Universo tem que ser imperfeito, porque, de outro modo, ele não seria distinto de um criador perfeito.

Embora a filosofia de Leibniz fosse ridicularizada pelo deboche superficial de Voltaire, Bertrand Russell, que escreveu uma das descrições definitivas da visão de Leibniz, considerou-a um sistema extraordinariamente completo e coerente. Por mais que viesse a ser admirado por Russell, e por mais simples e elegante que fosse o seu conceito do melhor de todos os mundos possíveis, a simplicidade em estilo hollywoodiano de Leibniz veio a representar sua filosofia após a morte dele, e a frase "o melhor de todos os mundos possíveis" tornou-se um mantra que iria ficar colado como penas presas com piche sobre muitos aspectos do trabalho de Leibniz, desde o século XVIII. Nos anos imediata-

254   A GUERRA DO CÁLCULO

mente seguintes, e durante séculos, ele foi vítima da percepção de que era exageradamente otimista — que ele próprio era, nas palavras de um historiador, o melhor de todos os mundos possíveis.

Mesmo no século XX, essa frase foi ainda tema de algumas brincadeiras. No filme de Woody Allen, *Love and Death,* o personagem vivido por Diane Keaton segura duas folhas secas perfeitas, faz comentários sobre a beleza delas e diz que essa beleza demonstra que este é, com certeza, o melhor de todos os mundos possíveis.

— Certamente é o mais caro — replica Allen.

Ser alvo do deboche de Voltaire não foi certamente a única pancada que Leibniz levou. Por todo um século depois de sua morte, ele ficou como uma espécie de pária na Inglaterra, por causa de sua disputa com Newton e por sua anterior oposição a John Locke, dois heróis nacionais.

Newton era o último homem ainda de pé nas guerras do cálculo, e viveu por mais uma década depois de Leibniz ter morrido. Ao envelhecer, tornou-se um cientista com status de celebridade na Inglaterra, e sua fama se espalhou para o exterior. Newton passou os anos do outono de sua vida sendo constantemente procurado pelos intelectuais e pelos homens ricos da Grã-Bretanha e de outros países, que ficavam alvoroçados por encontrarem um de seus heróis e uma das maiores inteligências de todos os tempos. Alguns dos intelectuais que o visitaram voltaram para a Europa continental, onde continuaram a exaltar seu trabalho.

Assim, Newton, na última década de sua vida, tornou-se cada vez mais apreciado por seus livros *Principia* e *Ótica,* e supervisionou a publicação de novas edições deles. Na década de 1720, seus trabalhos no campo da física foram traduzidos e louvados através da Europa, e na década em que as guerras do cálculo foram interrompidas pela morte de Leibniz, seus trabalhos em matemática começaram a ser apreciados fora da Inglaterra.

Isso aconteceu primeiro na Holanda. Ainda que Inglaterra e Holanda houvessem travado mais de uma guerra no século XVII, a ascensão de Guilherme de Orange ao trono inglês havia amenizado dramaticamente as relações entre as duas nações. Além disso, os holandeses estavam agora livres de suas antigas ligações francesas e alemães com Descartes e Leibniz, ambos agora ameaçados por Newton e sua filosofia.

Hermann Boerhaave ensinava em Leiden, na Holanda, e abraçou e disseminou com todo o entusiasmo a filosofia de Newton. Ele chamou Newton de o "Príncipe dos Filósofos". Outro defensor do inglês era Willem Jacob Gravesande, que tem sido considerado o maior popularizador holandês de Newton. Gravesande também ensinava em Leiden — em grande parte graças a Newton, que o havia ajudado a conquistar essa posição em 1717.

Mesmo na França, com sua longa história de guerra e animosidade contra a Grã-Bretanha, Newton estava ganhando terreno — apesar do fato de seus livros *Ótica* e *Principia* serem ambos grandes desafios a certos aspectos da filosofia cartesiana, e de haver surgido naturalmente um antinewtonianismo para se opor à ameaça. O relaxamento dessas tensões começou em 1715, quando um eclipse que não foi visível em Paris, mas o foi na Inglaterra, fez vir a Londres um grupo de eminentes intelectuais. Newton, como seu gentil anfitrião, fez com que eles testemunhassem suas experiências óticas. Ele também providenciou que fossem eleitos para a Royal Society. Tão agradecido ficou um dos membros do grupo, Pierre Rémond de Montmort, que enviou a Newton cinqüenta garrafas de champanhe francês.

A França começou a apreciar Newton depois que ficou definitivamente demonstrado que ele estava correto em uma de suas teorias — que a Terra não é uma esfera perfeita, mas um esferóide achatado nos pólos. Em 1736, Pierre-Louis Moreau de Maupertuis foi à Lapônia para medir um minuto de um arco ao longo do meridiano. Sua cuidadosa medição provou que Newton estava certo, e Maupertuis tornou-se o paladino de Newton na França — a ponto de receber o apelido de "Sir Isaac Maupertuis".

Em 1784, a fama de Newton na França havia crescido tanto que diversas concorrências foram abertas para o projeto de um monumento em sua honra. Uma destas foi ganha por um homem chamado Étienne-Louis Boullée, que projetou um cenotáfio — uma tumba que não estava destinada a guardar os restos mortais de Newton. Era uma esfera com

256 A GUERRA DO CÁLCULO

várias centenas de metros de altura, com o sarcófago de Newton no meio circundado por um imenso espaço. Uma outra concorrência, instituída pela Academia Francesa de Arquitetura no ano seguinte, solicitava que fossem apresentados projetos que, "dedicados à glória de um grande gênio, não deveriam ser tão ostentosos quanto imponentes em sua majestosa grandeza e nobre simplicidade".

Depois que Newton morreu, ele era a personificação da ciência, da descoberta e de outras noções abstratas do gênio no século XVIII — muito como Einstein foi a personificação da ciência no século XX —, e sua fama iria crescer continuamente. Sua imagem apareceu em pinturas, esculturas e outras manifestações artísticas durante o século XVIII. Talvez a mais famosa dessas esculturas seja uma de Roubilliac, inaugurada em 4 de julho de 1755, e que hoje está na Universidade de Cambridge. Newton é representado sobre um pedestal, envolto num ampla toga, segurando um prisma e olhando para cima.

Os homens ricos da Europa encomendaram bustos que colocaram em cima de suas lareiras ou em outros locais proeminentes de exibição, e tornou-se comum as pessoas se fazerem retratar com um desses bustos aparecendo ao fundo. Benjamin Franklin teve um retrato assim pintado.

A celebração de Newton se deu tanto na literatura como na arte. Joseph-Louis Lagrange, que é considerado por alguns como o maior matemático do século XVIII, chamou Newton de o maior e mais feliz de todos os mortais por tudo o que realizou. James Thomson escreveu "Um poema consagrado à memória de Sir Isaac Newton", no qual se referiu a Newton como o sábio que em tudo penetrava: "A grande alma de Newton deve deixar esta Terra / Para se unir às estrelas e a todas as Musas / Silenciada pela surpresa, rejeitar o peso / Das honras devidas a este nome ilustre". Voltaire disse com simplicidade: "Newton é o maior homem que já existiu."

Mesmo em tempos recentes, as honrarias continuam a acumular-se. Em um "Discurso dos mestres, membros e eruditos do *Trinity College*" para uma "Conferência em Jerusalém comemorando o 300º aniversário do nascimento de Isaac Newton", em fevereiro de 1943, declararam: "Homenagem a Newton é homenagem ao espírito da ciência pura."

EXPURGADO DE AMBIGÜIDADE   257

Poucos anos atrás, a revista *Time* escolheu Newton como o "homem do século XVII". E em 12 de setembro de 1999, o *Sunday Times* de Londres designou Newton como o "Homem do Milênio", superando outros cientistas como Darwin e Einstein, assim como políticos, poetas e patriotas britânicos.

Quando Newton morreu, deixou um patrimônio avaliado em 32 mil libras que foi deixado como herança para seus parentes vivos mais próximos, seus meios-sobrinhos e suas meias-sobrinhas do segundo casamento de sua mãe. Mais valiosa do que esta apreciável fortuna, era sua reputação. Ele havia se tornado uma lenda viva e era uma personalidade muito procurada em Londres. Quando morreu, em 1727, estava no ponto mais alto de sua fama, e morrer era a única coisa que lhe faltava fazer.

A morte chegou para Newton pouco depois que ele foi a Londres, no final de fevereiro daquele ano, para, pela última vez, presidir uma reunião da Royal Society, em 2 de março. Estava com ótima aparência, e, a princípio, também se sentia muito bem. Disse ao marido de sua sobrinha, John Conduitt, que tinha dormido ininterruptamente por nove horas, poucos dias antes.

Contudo, na sexta-feira, 3 de março, Newton adoeceu e voltou para casa para descansar. Infelizmente, deixou passar uma semana antes de chamar um médico. A 11 de março, Conduitt soube que o tio de sua esposa estava doente e mandou chamar o Dr. Mead e o Sr. Cheselden. Estes médicos profissionais diagnosticaram uma pedra na bexiga de Newton, a qual, provavelmente, lhe causou severas dores durante seus últimos dias. Apesar da dor, conta-se que ele se mantinha otimista, e que sorria enquanto conversava com os que o visitavam, mesmo quando gotas de suor escorriam por sua testa. Pareceu ter melhorado um pouco no meio da semana seguinte, e, no sábado 18 de março, estava suficientemente bem para ler jornais. Tudo começava a indicar que ele poderia sobreviver à crise.

Mas naquela noite Newton ficou inconsciente, e no dia seguinte piorou, lentamente sucumbindo ao longo de muitas horas ao mal agudo que o acometia, até morrer à 1 hora da madrugada de segunda-feira, 20 de março de 1727. Sua morte foi manchete de primeira página nos

258 A GUERRA DO CÁLCULO

jornais britânicos. Um deles declarou ser Newton "o maior filósofo e a glória da Nação Britânica". James Thomson prontamente compôs e publicou o seu "Poema consagrado à memória de Sir Isaac Newton", e, antes que o ano terminasse, cinco edições separadas desse poema já haviam sido publicadas.

Comparado ao de Leibniz, o funeral de Newton foi um acontecimento para ser lembrado por muito tempo. Newton havia sido um homem acima do normal e teve um funeral digno de sua celebridade. Em 28 de março de 1727, foi enterrado na nave da Abadia de Westminster, onde os reis e as rainhas da Inglaterra são coroados quando chegam ao poder e sepultados quando morrem. Junto a ele jaz a nata dos últimos séculos da sociedade britânica — arquitetos, cientistas, poetas, generais, teólogos e políticos — e ele está enterrado entre vultos como Dryden, Chaucer, Charles Darwin, Henrique VIII e Cecil Rhodes, e também Mary, rainha dos Escoceses.

Seu caixão foi carregado pelo Lord Chanceler da Inglaterra, pelos duques de Montrose e de Roxburghe, pelos condes de Pembroke, Sussex e Macclesfield. Ao longo do cortejo havia coros e multidões de adoradores prestando homenagem. A missa fúnebre foi celebrada por ninguém menos do que um bispo.

Newton está enterrado sob uma lápide no piso da nave — uma grande pedra negra com a inscrição *Hic Depositum est Quod Mortale Fuit Isaaci Newtoni* (Aqui está enterrado aquele que quando mortal foi Isaac Newton). Essa pedra é ladeada por outras que são dedicadas às memórias de Michael Faraday e James Clark Maxwell — a mais alta companhia de físicos ingleses.

Um monumento caro logo foi construído na Abadia de Westminster em honra de Newton, e o diretor de Westminster colocou-o em lugar bem visível na nave. Fatio auxiliou Conduitt com o projeto e a inscrição para o monumento, que foi erigido em 1731. É uma coisa grandiosa — uma estátua de corpo inteiro de Newton em repouso, reclinado sobre uma pilha daqueles livros que, quando ele morreu, seus contemporâneos consideravam suas maiores contribuições para o conhecimento humano — seus livros ainda famosos de física e de ótica, e suas contribuições, hoje quase esquecidas, para a teologia e a cronologia de antigos reinos.

À esquerda de Newton acha-se um par de anjos jovens exibindo um diagrama do sistema solar. Acima de sua cabeça, há um globo com uma mulher chorando sobre ele — "Lady Astronomia", a rainha das ciências, pranteando sua morte. Debaixo de Newton fica um sarcófago de mármore com um trabalho em relevo, mostrando crianças ou querubins com os instrumentos científicos utilizados nas experiências que o tornaram famoso: um telescópio de reflexão, um prisma, um forno e moedas recentemente cunhadas. Uma dessas figuras está vertendo um líquido de um frasco para outro. Dois jovens estão de pé diante dele com um rolo mostrando um diagrama do sistema solar. Acima deste há um série convergente.

O epitáfio, traduzido, diz:

Aqui jaz
Sir Isaac Newton, Cavaleiro,
Que, por um vigor mental quase sobrenatural
Primeiro demonstrou
Os movimentos e as figuras dos planetas
Os cursos dos cometas e as marés dos oceanos
Ele investigou com diligência
As diferentes refratividades dos raios da luz
E as propriedades das cores em que eles se decompõem.
Um intérprete assíduo, sagaz e fiel
Da Natureza, da antiguidade e das escrituras sagradas,
Ele atestou em sua filosofia a majestade de Deus
E exibiu em sua conduta a simplicidade do Evangelho.
Mortais, rejubilai-vos
De que haja existido tal e tão grande
Ornamento para a raça humana.
Nasceu em 25 de dezembro de 1642 Morreu em 20 de março de 1727

Um retrato de 1726 de um Isaac Newton com aparência surpreendentemente jovem aos 83 anos de idade mostra o notável sábio em sua

260 A GUERRA DO CÁLCULO

bata pouco antes de morrer. Ele está sentado junto a uma mesa com um exemplar da recém-impressa terceira edição dos famosos *Principia* aberto em seu colo. O quadro é inspirador — um dos maiores matemáticos de todos os tempos com seu maior trabalho. Newton é para a matemática e a física o mesmo que Elvis Presley é para o rock and roll — o ícone que praticamente inventou a iconografia. E os *Principia* de Newton, seu *opus magnum*, são um clássico que se equipara à *Origem das espécies* de Darwin como um dos livros científicos mais famosos e de maior influência de todos os tempos. Continua a ser traduzido do seu latim original ainda hoje.

A terceira edição dos *Principia,* representada naquele quadro, é um volume realmente bonito. Eu examinei um exemplar na Biblioteca Wren de Cambridge, e fiquei impressionado por sua beleza. A folha de rosto traz um retrato de Newton de 1725. Essa edição inclui tabelas de dados mais extensas do que as anteriores. Também inclui uma página com o nome de Newton e uma homenagem ao rei — Jorge II, filho de Jorge I, o segundo hanoveriano a reinar na Inglaterra.

Newton reescreveu esse livro durante toda sua vida e, através dele e de outros trabalhos, abriu todo um novo mundo de estudos com suas contribuições à física e à ótica, assim como inventou os suportes matemáticos necessários para o desenvolvimento dessas ciências. Ele desenvolveu a matemática como uma maneira de descrever com rigor os fenômenos físicos — coisa que a ciência moderna admite quase como certa. Os estudantes de física hoje podem não ter nunca lido os *Principia,* mas, conheçam ou não seu texto, o livro tem um impacto indelével em seus estudos. Qualquer estudante que hoje estude física em nível universitário irá, provavelmente, iniciar seu semestre por algumas semanas dedicadas ao que é agora chamado ou de mecânica clássica ou de mecânica newtoniana.

E todavia alguma coisa está faltando nessa terceira edição. O que não existe no quadro pendurado na National Portrait Gallery é qualquer sinal do grande rival de Newton, Leibniz. Nem o livro que é mostrado aberto em frente a Newton menciona o nome de Leibniz. Na primeira edição dos *Principia,* Newton havia reconhecido que Leibniz inventara sua própria forma de cálculo e que esta diferia da sua apenas

EXPURGADO DE AMBIGÜIDADE 261

na notação e nas palavras escolhidas para designar esse novo ramo da matemática. Isso se dera na década de 1680. Mas para a segunda edição, que apareceu em 1713, e para a edição de 1724, Newton retirou o nome de Leibniz.

Em exibição no museu da Leibnizhaus em Hanover, Alemanha, existe um retrato de Leibniz que foi pintado antes do de Newton. O retrato de Leibniz mostra-o com um olhar sério e a testa um pouco vincada. Tem o nariz bulboso, um leve queixo duplo, uma grande cabeça e uma peruca ainda maior — uma coisa grande, preta, ondulada. Uma sobrancelha parece muito levemente levantada, como se ele estivesse se divertindo um pouco. Ou está aborrecido?

Leibniz deixou muitas coisas inacabadas em sua vida — algumas, como a história da família de Jorge I, foram deixadas para serem completadas pelas gerações seguintes. Quando os livros finalmente foram distribuídos, não foi por causa de um extraordinário interesse pela narrativa em si, mas devido ao interesse que existia pela publicação das obras completas de Leibniz. Outros de seus projetos, idéias e sonhos nunca serão realizados. Ele deixou um rasto de projetos incompletos atrás de si: o fracassado projeto de um moinho de vento para as minas, relógios avançados que ele nunca construiu, seu nunca completado alfabeto do pensamento humano, novos motores mecânicos que nunca foram além da teoria, e algumas carruagens rápidas com que sonhou, porque as estradas da Europa do seu tempo eram terríveis.

Ironicamente, apesar de todos esses projetos não concluídos, foi uma de suas invenções de maior sucesso, o cálculo, que iria acabar por significar fracasso para Leibniz. Houvesse ele nascido em outra época, e realizado o tipo de coisas que fez sem ter sobre si a sombra de outrem, ele seria agora lembrado como a maior inteligência matemática e científica do seu tempo.

Leibniz foi um noviço em matemática, da qual veio a tornar-se, por sua própria vontade, um mago. Ele foi revolucionário por ter criado a matemática binária e por defender o seu uso. Desenvolveu o uso dos determinantes — uma ferramenta padrão na álgebra linear — e foi, é claro, revolucionário tanto pela invenção como pela disseminação do cálculo. Na verdade, ele pode ter possuído uma das maiores inteligências de todos os tempos. Uma vez ele gabou-se de poder recitar de cor quase toda a *Eneida* de Virgílio (gostaríamos de saber se o próprio Virgílio seria capaz disso). Ele era um consumado advogado e consultor cujos serviços eram intensamente procurados. Foi um dos maiores filósofos do seu tempo, um dos pais da moderna geologia e um *expert* em quase tudo, de medicina e biologia a teologia e estatística. Amigo por correspondência de cientistas, diplomatas, reis, rainhas, clérigos e médicos, durante toda a sua vida trocou cartas com centenas de seus contemporâneos, sobre todos os assuntos imagináveis.

Ele pode ter sabido tanto sobre a China quanto seria possível a qualquer europeu de seu tempo — a história, tecnologia, cultura, religiões e, mesmo, fauna e flora — e, todavia, jamais lá esteve. Toda essa informação ele a obteve através de livros e por correspondência com missionários jesuítas que lá estavam.

Em resumo, além de ser um matemático perito, ele era um polímata — um homem que não somente tinha interesse em muitos campos de conhecimento, mas que também podia contribuir para o desenvolvimento destes — e tem sido chamado de gênio universal.

Mas, em 1700, quando era considerado geralmente como o único inventor do cálculo, e merecia o respeito da maioria dos matemáticos mais importantes da Europa, ele sofreu uma grande queda. Talvez seu erro tenha sido subestimar a ameaça que representava o partido de Newton. Ele deve ter pensado que tinha realmente inventado o cálculo, não havia tomado nada de Newton, e que o próprio Newton reconhecia esse fato. Mas, nos anos que se seguiram à sua morte, existiam provavelmente poucos que teriam alguma dúvida de que Newton, no mínimo, fora o primeiro inventor do cálculo, e muitos iriam aceitar o argumento de Keill de que Leibniz podia, de fato, ter roubado de Newton alguma coisa do seu cálculo.

Leibniz perdeu as guerras do cálculo?

Em certo sentido, sim.

Sua vida e seu legado ficaram marcados indelevelmente pela disputa, e ainda que ele continuasse a ter seus defensores entre os matemáticos que havia influenciado e os matemáticos que seguiam a estes, esta faceta de sua estrela apagou-se depois de sua morte. Ele nunca foi realmente capaz de promover sua posição quanto à origem do cálculo na extensão necessária para que a opinião popular voltasse a ser o que fora duas décadas antes de ele ter morrido — quando, antes de qualquer publicação da descoberta matemática de Newton, Leibniz havia sido o inquestionável inventor do cálculo.

Epílogo

Em 1737, poucos anos após a morte de Newton, seu tratado *Método das Fluxões* finalmente foi publicado. Era a apresentação do seu método de cálculo, que ele havia escrito muito tempo antes, e não foi em absoluto impresso como culto póstumo ao herói. A redação do prefácio somente mostra como Newton havia se tornado objeto de reverência, apenas uma década depois de sua morte: "O tratado que se segue contendo os primeiros princípios das fluxões, embora seja uma obra póstuma, sendo, contudo, um filho legítimo (numa roupagem inglesa) do falecido Sir Isaac Newton, não precisa de nenhuma outra recomendação para o público senão aquela que esse Grande e Venerável Nome traz sempre com ele."

A redação de Newton é, por vezes, difícil de ler. Um exemplo marcante encontra-se na página 60, onde ele explica: "Quando uma quantidade é a maior ou a menor que pode ser naquele momento, ela nem flui para trás, nem para a frente: pois, se ela flui para a frente ou aumenta, então ela era menos, e será agora maior do que é; e, ao contrá-

266 A GUERRA DO CÁLCULO

rio, se ela escoa para trás ou diminui, então ela era maior e presente-
mente será menos do que é. Porque para achar sua fluxão [pelos
métodos de Newton] e supor que esta seja igual a zero." Esse mesmo
sentido pode ser exposto hoje de maneira muito mais sucinta como
"faça a derivada igual a zero e resolva".

Nem era a notação de Newton tão útil como a notação superior que
Leibniz tinha inventado e o cálculo avançado que Johann Bernoulli e
outros matemáticos europeus desenvolveram durante o século. Leibniz
havia suposto corretamente que seus símbolos iriam facilitar o desenvolvimento do cálculo, e esses símbolos, que ele escreveu pela primeira
vez em seu caderno de notas em Paris, em 1675, podem ser ainda hoje
encontrados em todo livro de cálculo.

Neste sentido, a elevada estima de que Newton gozava na Grã-Bretanha não foi sempre uma coisa boa, porque muitos dos matemáticos e
cientistas que lá viviam no século XVIII ficaram atrás da cortina de
ferro representada pela fama e pela glória de Newton. Por ironia, tanto
quanto a reputação de Leibniz sofreu na Grã-Bretanha, este país pode
ter sofrido em um dano auto-imposto por tê-lo depreciado dessa ma
neira. Após as guerras do cálculo, os matemáticos britânicos foram impedidos de aprender o cálculo usando a notação de Leibniz, que era
amplamente usada em todos os outros países, e essa notação só veio a
ser finalmente aceita nesse país no início do século XIX.

Somente em meados do século XIX, a explosão do conhecimento
científico começou a redimir Leibniz, e a devolver-lhe o reconhecimento geral por seu papel na criação do cálculo. Ainda que ele não fosse
mais considerado como o único inventor, os historiadores nessa época
iriam, pelo menos, trazer à luz os fatos que levariam àquela consideração universal dele como co-inventor. Foi a firme definição por eles dos
fatos fundamentais das guerras do cálculo que levou a essa renovada
apreciação das contribuições de Leibniz. Como disse uma resenha erudita de uma nova biografia de Leibniz em 1846:

A maioria das pessoas destes dias que investigaram o assunto já
se decidiu claramente com respeito aos seguintes pontos: em
primeiro lugar, que o sistema das fluxões é em essência o mesmo

EPÍLOGO

que o do cálculo diferencial — diferindo apenas quanto à notação; em segundo lugar, que Newton possuía o segredo das fluxões desde 1665 — 19 anos antes que Leibniz *publicasse* sua descoberta, e 11 antes que ele a comunicasse a Newton; em terceiro lugar, que ambos, Leibniz e Newton, descobriram seus respectivos métodos independentemente um do outro — e que embora este último tenha sido o primeiro inventor, aquele foi também verdadeiramente *um* inventor (...). Se Leibniz foi, na verdade, um inventor auto-suficiente desse método — em princípio idêntico ao das fluxões — é a única dúvida que, em nosso julgamento, afeta seu bom nome; e que ele o *foi*, é hoje, possível dizer, quase universalmente considerado como inegável.

Apesar do entusiasmo desse autor com relação ao fim da disputa, alguns intelectuais ainda discutiam quando ele escreveu essas palavras. Certos escritores do século XIX aceitavam a posição de Newton de que o único inventor era aquele que primeiro apresentara o cálculo e o registrara por escrito — dando assim todo o crédito a si mesmo. Afinal, ele descobriu o cálculo primeiro, vinte anos antes que Leibniz publicasse qualquer coisa. Para Newton, a descoberta e a subseqüente disseminação do cálculo não eram duas partes distintas de uma descoberta completa, e nem iriam ser para seus subseqüentes defensores.

Para outros, Leibniz era quem merecia todo o crédito, já que seus métodos e sua notação eram os que progrediram e sobreviveram. Ele inventou o cálculo independentemente, foi o primeiro a publicar suas idéias, desenvolveu o cálculo mais do que Newton, tinha uma notação muito superior e trabalhou durante anos para colocar o cálculo numa moldura matemática que outros também pudessem utilizar. Além disso, a história está cheia de exemplos de segundos inventores que receberam crédito total ou parcial por uma invenção, incluindo outros do século XVII.

Ainda assim, em meados do século XVIII, muitos escritores, como o autor da resenha transcrita acima, começaram a usar um tom mais conciliatório. No decorrer do século e meio já passado, alguns dos biógrafos de Newton e Leibniz foram ainda mais longe, e menosprezaram a luta entre eles como uma ridícula perda de tempo.

268 A GUERRA DO CÁLCULO

Realmente, existe uma longa história desse tipo de raciocínio, remontando ao meio das guerras do cálculo, quando Varignon, um contemporâneo dos dois matemáticos, expressou pela primeira vez ao escrever uma carta a Leibniz em 1713. O cálculo era tão grande, disse Varignon, que devia ter sido bastante para os dois.

Outra possibilidade é que nenhum dos dois mereça todo o crédito que ambos procuravam retirar do outro. Sob alguns aspectos, o desenvolvimento do cálculo deve a mesma coisa a todos que vieram antes de Leibniz e Newton, aos irmãos Bernoulli e aos outros que, como eles, vieram depois, tomaram o que havia sido publicado e o transformaram em algo muito mais rico com numerosas aplicações.

Para mim, o que é realmente interessante a respeito das guerras do cálculo não é saber quem ganhou ou perdeu, mas sim como eles lutaram. A verdadeira história não é saber quanto foi importante ou ridícula toda a discussão, mas quanto ela foi rica — e quanto ela revela sobre os dois homens.

Suas histórias foram completamente diferentes. Leibniz foi a Paris para impedir uma guerra e lá permaneceu para enriquecer sua mente. Ele se envergonhava de sua falta de conhecimento de matemática, porém mais do que compensou isso quando inventou o cálculo, desenvolveu-o, publicou-o e correspondeu-se com outros sobre a sua descoberta. Décadas mais tarde, enquanto estava atolado em suas obrigações com a corte em Hanover, viu-se forçado a defender sua invenção. Depois, já próximo ao fim da vida, lutou em vão para derrubar as acusações e insinuações de que era um plagiário. Sua história foi trágica.

Newton foi triunfante. Ele inventou o cálculo, registrou-o em suas anotações, partilhou-o com poucas pessoas, esqueceu-se dele por um tempo, foi questionado sobre ele e o esqueceu novamente durante anos. Então, começou a trabalhar nos *Principia* e, quando acabou, descobriu que Leibniz havia publicado a documentação dele sobre o cálculo. Por muitos anos, Newton acreditou que havia sido o primeiro a descobrir o processo, e alguns dos seus partidários disseram a mesma coisa em textos impressos, mas ele nunca fez nada para conquistar a glória da invenção. Mais tarde, após uma crise da meia-idade, um novo cargo na Casa da Moeda e uns poucos anos presidindo a Royal Society, lançou, com a

EPÍLOGO

ajuda de amigos, uma intensa campanha para ganhar o reconhecimento por sua invenção. E, ao final, teve êxito.

Talvez a discussão entre eles revele esses homens em seus aspectos mais desfavoráveis. Afinal de contas, eles representam dois dos perfis originais com os quais o mito arquetípico do cientista moderno tem sido desenhado — ambicioso, desligado de outras coisas, trabalhando duro, prolífico e muito perto de um gênio divino, e ninguém gosta de pensar em seres divinos mergulhados em desagradáveis disputas. Mas, então, talvez as guerras do cálculo revelem alguma coisa mais interessante.

Sem dúvida, é uma história acauteladora sobre a importância de publicar as descobertas científicas. Talvez porque Newton e Leibniz travaram as guerras do cálculo quando cada um deles estava no ápice de sua fama, o embate, para alguns, será sempre lembrado envolto em uma nuvem de infâmia. Mas, para mim, é uma das mais fascinantes histórias ligadas ao desenvolvimento da ciência, porque combina os mais gloriosos cumes da inovação científica com um dos embates intelectuais mais árduos e pessoais. E é, possivelmente, a única disputa na história da ciência que envolveu duas mentes assim tão poderosas — talvez as maiores do seu tempo.

Ensaio Bibliográfico

*H*á *dois verões*, quando, pela primeira vez, eu começava a trabalhar seriamente neste livro, minha mulher e eu ainda não estávamos casados e vivíamos o verão que iria revelar-se o último que iríamos passar despreocupados, antes que ela engravidasse. Uma vez, tivemos um hóspede para passar a noite em nossa casa, no bairro Bunker's Hill de San Diego — um velho amigo dos tempos de universidade que eu não via há anos. Depois de algumas cervejas, ele perguntou em que eu estava trabalhando, e esforcei-me para lhe dar um resumo... Newton, Leibniz e sua famosa briga.

Meu amigo pareceu não entender. "Como é que você se torna um *expert* numa coisa como essa?", perguntou-me ele. Embora eu me recusasse a considerar-me um *expert*, minha resposta foi basicamente ter boas fontes para consulta e aproveitar a quantidade extraordinária de conhecimento acumulada por gerações de escritores e acadêmicos que se interessaram por todos os aspectos das vidas e do trabalho deles.

272 A GUERRA DO CÁLCULO

Depois que Newton e Leibniz morreram, deixaram pilhas de artigos, livros que haviam comprado e cartas, e todo esse material tem sido bem preservado através dos anos, devido à sua óbvia importância como representativo do trabalho e do pensamento de toda a vida desses dois grandes homens — de sua juventude até seu leito de morte, e em todas as etapas intermediárias.

Essa percepção era especialmente verdadeira com relação ao material deixado por Newton, que, por ter sido tão famoso na Inglaterra, teve a coleção de seus pertences instantaneamente reconhecida como o tesouro que era. Por ironia, como essa documentação constituía a corporificação do legado intelectual de Newton, devido à sua fama este legado pode ter sofrido alguma coisa. Newton havia examinado e ordenado cuidadosamente seus papéis antes de morrer, mas nos anos que se seguiram à sua morte seu legado foi embaralhado, reembaralhado, reordenado e, finalmente, dividido.

De início, essa documentação tornou-se propriedade de John Conduitt, o amigo favorito de Newton, que era marido da sobrinha deste, Catherine Barton. Pouco depois da morte de Newton, um Dr. Thomas Pellet foi indicado para examinar os documentos e selecionar aqueles que fossem adequados para publicação. Quase nenhum deles era, segundo Pellet, e hoje alguns desses documentos trazem a herança desse exame sob forma de uma nota em suas capas avisando, "Inadequado para publicação". De tudo o que compunha toda aquela massa, o que ele selecionou para ser publicado foram pequenos trabalhos sobre a cronologia de antigos reinos, e um outro texto intitulado *The System of the World*, que Conduitt publicou logo em seguida.

Depois de Conduitt, a documentação passou para o filho dele e de Catherine Barton, Lord Lymington, e daí passou para um certo Sr. Saunderson, em Londres, e depois para uma família de Portsmouth. Mais tarde, um dos condes de Portsmouth permitiu o acesso de universidades a todos esses papéis, que então já não se encontravam nas melhores condições. Alguns estavam manchados por água, outros parcialmente queimados, e muitas páginas não haviam sido numeradas e estavam fora de ordem. Além disso, alguns dos documentos tratavam de uma mistura de assuntos. Havia artigos sobre teologia, por exemplo, com notas de ma-

ENSAIO BIBLIOGRÁFICO

temática nas margens. O trabalho a ser feito era classificar os documentos por assuntos como alquimia, química, matemática, cronologia, história e teologia, e assim toda a coleção foi reordenada. Em seguida, foi dividida, e o conde doou os documentos relacionados à matemática à Universidade de Cambridge, guardando para si o trabalho de Newton sobre teologia, alquimia e a cronologia de antigos reinos.

Do século XIX em diante, os biógrafos de Newton têm sido mais ou menos capazes de recorrer aos seus escritos e à sua correspondência para ajudá-los em seu trabalho, e no século XX esse material de fonte primária tornou-se especialmente acessível com a publicação de uma coleção de sete volumes da correspondência de Newton, com notas e traduções. Essas cartas variam de interessantes textos históricos a mensagens extremamente banais, como a que Newton enviou a Humfrey Ditton, datada de 16 de maio de 1714 — bem no meio das guerras do cálculo. Essa carta diz em sua totalidade: "Senhor, se lhe aprouver visitar-me na manhã da próxima sexta-feira pelas dez horas em seu relógio me encontrará em casa. Sou Seu mais humilde Servidor Is. Newton." Outras cartas me foram muito mais valiosas para escrever esta história, pois tratavam diretamente das guerras do cálculo, e eu as tenho citado e, em muitos casos, as transcrevi diretamente ao longo de meu livro. Outro trabalho que me foi útil para conhecer algumas das primeiras cartas escritas por Newton, e sobre ele, foi *The Correspondence of Henry Oldenburg, Volume IX*.

Na elaboração da edição americana deste livro tomei, em muitos casos, a liberdade de modernizar palavras, quando as transcrevi dessas cartas. Também alterei muitas palavras para livrá-las de vogais e consoantes extras[1] e substituí algumas outras por suas equivalentes modernas óbvias. Também americanizei a grafia de certas palavras. Acredito que alguns leitores irão arrepiar-se com a arbitrariedade da minha decisão, mas penso que essas grafias apenas prejudicavam os textos, sem lhes acrescentar coisa alguma. Assim, peço desculpas aos editores da correspondência de Newton.

---

[1] Exemplos em inglês: *philosophicall*, *concerne*, *planetts*, *centrall* e sufixos como "*ye*" e "*wch*". (*N. da T.*)

274 A GUERRA DO CÁLCULO

Além dos sete volumes da correspondência de Newton já mencionados, os *Principia* e o *Opticks* ainda são impressos e facilmente encontrados. Existem também numerosos livros, alguns dos quais são citados na bibliografia que se segue, que reproduzem passagens e fazem extensos comentários sobre essas obras. Os comentários mais abrangentes e úteis que encontrei sobre as grandes obras de Newton foram escritos, respectivamente, por A. R. Hall, sobre o *Opticks,* intitulado *All Was Light,* e por I. B. Cohen, *An Introduction to Newton's Principia.*

Mas esses trabalhos são apenas o início. Tanto já foi escrito sobre Newton, e tantas vezes seus antigos escritos e notas já foram analisados, que parece não haver fim para os estudos newtonianos. Pesquisadores têm lido, imprimido e psicanalisado listas das palavras que ele escrevia quando, ainda menino, praticava sua gramática latina, e eu uma vez li um estudo escrito por um importante humanista analisando o modo como os livros da biblioteca pessoal de Newton tinham as pontas das páginas dobradas formando "orelhas" — e o que essas "orelhas" revelavam sobre seu interesse por passagens importantes desses livros. E, depois, temos as biografias — algumas das quais eu posso citar.

A biografia em que mais me baseei foi *Never at Rest*, escrita por Richard Westfall, que é extraordinariamente completa. Uma leitura muito interessante foi *Portrait of Isaac Newton*, por Frank E. Manuel, especialmente pelo modo como apresenta a casa de Newton; e também gostei do trabalho mais antigo e curto de E. N. da C. Andrade, *Sir Isaac Newton.* Um livro que me foi útil sobre o período de Newton na Casa da Moeda foi *Newton at the Mint*, de Craig. Dos trabalhos mais antigos apreciei a grande obra em dois volumes, publicada em 1855, *Memoirs of the Life, Writings, and Discoveries of Sir Isaac Newton*, de Sir David Brewster. Outra obra antiga que li foi *History of the Royal Society*, de Birch, que me forneceu alguns dos detalhes apresentados no Capítulo 3.

Tive muitas fontes de informação a respeito da fama e da celebridade crescentes de Newton — cujas expressões mais evidentes foram o solene funeral, o túmulo decorado e a explosão de arte e poesia em sua homenagem. Uma das interpretações mais interessantes sobre a influência de Newton sobre a maneira de ver o mundo foi escrita por Alexander Koyré em seu livro *Newtonianism*. Koyré também expõe o choque

ENSAIO BIBLIOGRÁFICO

entre as metafísicas de Newton e de Leibniz em um ensaio incluído no livro editado por H. G. Frankfurt (vide Bibliografia). Este ensaio trata extensamente da correspondência entre Leibniz e Samuel Clarke, em *Leibniz-Clarke Correspondence*, a qual é também facilmente encontrada impressa em edições muito bem traduzidas para o inglês e anotadas.

Também me foi útil para entender a posição de Newton no mundo na época de sua morte, o livro de A. R. Hall, *Newton: Eighteenth Century Perspectives*, que contém algumas interessantes biografias que apareceram pouco depois de sua morte. Outro livro escrito por Hall, intitulado *The Revolution in Science 1500-1750*, tem um capítulo dedicado ao legado Newton, e um outro livro útil que traz essa espécie de comentário é *Let Newton Be!*, editado por Fauvel et al.

Uma apresentação muito visual da influência de Newton como aparece na arte e nos textos de muitos autores no século XVIII foi a exposição dividida em duas partes realizada no Huntington Gardens and Museum, em Pasadena, Califórnia, denominada *All Was Light*. Esta exposição, juntamente com o livro *The Newtonian Moment*, escrito pelo curador Mordechai Feingold, foram muito úteis para mim, porque apresentaram cópias de alguns documentos originais das guerras do cálculo, como as famosas cartas de Newton de 1676, e focalizaram o crescimento e a generalizada aceitação do newtonianismo em seguida à sua morte.

Leibniz também deixou uma pilha de livros, artigos e manuscritos após sua morte e, devido a ter passado seus últimos anos na biblioteca da corte em Hanover, sua coleção de livros e papéis, naturalmente, foi lá conservada. Isto criou um interessante dilema para o rei Jorge e sua família, porque os papéis de Leibniz não eram somente importantes pelo seu conteúdo intelectual. Ele havia escrito numerosos memorandos sobre assuntos do interesse da corte, intrigas políticas e fatos desabonadores, que haviam ocorrido em Hanover. Como novo rei da Inglaterra, Jorge estava preocupado com a possibilidade de que esses documentos pudessem lançar uma luz desfavorável sobre ele e sua família. Quando Leibniz morreu em 1716, Jorge estava no trono da Inglaterra havia apenas dois anos, e os inimigos do seu reinado eram numerosos. Embora Leibniz houvesse sido um súdito leal, esses documentos, caindo em mãos erradas, podiam fornecer algum tipo de munição contra Jorge, e, assim, ele tomou posse de tudo.

Isso gerou uma pequena controvérsia, porque os parentes de Leibniz esperavam herdar seus livros e seus artigos. Não se tratava de uma herança destituída de importância — livros eram coisa valiosa naqueles dias, e, como Leibniz era famoso, seus artigos também tinham valor. A família abriu um processo contra Jorge, e o julgamento se estendeu por anos, por décadas, e durante cinqüenta anos não houve decisão. Afinal, os herdeiros foram compensados pelo valor dos livros, mas a demora e a decisão final do julgamento tiveram como resultado que a pilha dos escritos de Leibniz fosse mantida essencialmente em uma só coleção.

E que pilha de documentos... Leibniz deixou uma quantidade esmagadora de artigos, anotações e, especialmente, correspondência. Segundo sua própria estimativa, ele escrevia cerca de trezentas cartas por ano, o que significa que, no decorrer de uma década, ele teria escrito perto de 3 mil, e, durante as cinco décadas de sua vida adulta, teria produzido cerca de 15 mil — tanto material, de fato, que, segundo uma estimativa, caso uma pessoa se sentasse para ler tudo o que Leibniz havia escrito, e admitindo que fosse capaz de ler cerca de oito horas por dia, levaria mais de vinte anos para ler tudo isso — admitindo-se ainda, é claro, que fosse capaz de ler o latim, o alemão e o francês, além do ocasional holandês e inglês, em que Leibniz escreveu sua correspondência. "Parecia, na verdade", como foi colocado por uma biografia do século XIX, "que todos esses textos constituíam uma mina que não podia ser esgotada".

No mundo atual de e-mails e textos transmitidos por computador, pode parecer uma coisa simples enviar trezentas cartas num único ano — algumas vezes uma pessoa pode mandar trezentos e-mails numa semana. Mas havia uma profunda diferença naquilo que Leibniz escrevia. Leibniz não soltava mensagens próprias apenas para uma sala de chat, como as pessoas fazem hoje. Muitas de suas cartas pareciam mais artigos eruditos — a espécie de carta que era adequada para publicação em seus dias, e que continua a ser publicada até hoje.

Evidentemente, essa não é a coleção de documentos com a qual se pode trabalhar mais facilmente. Leia as páginas originais de Leibniz e você não estará meramente lendo as palavras, mas também os cancela-

Ensaio Bibliográfico

mentos e as adições — tudo isto se combina numa complicada trama que transborda de uma mente genial, algumas vezes descontroladamente. Cópias de algumas de suas cartas originais encontram-se em exibição no museu da Leibnizhaus em Hanover, Alemanha. São impressionantemente detalhadas. Sua caligrafia é pequena e exata, embora formasse um texto que era, sem dúvida, tão difícil de entender quanto seu sotaque. Conforme a tradição da época, ele escreve por toda a superfície da página, escrevendo algumas vezes comentários adicionais pelas margens, verticalmente

Talvez por ser o legado de Leibniz uma enciclopédia inacabada, em vez de uma obra em especial, um grande livro pelo qual ele seria particularmente lembrado, da mesma maneira como Newton o é pelo *Principia*, seja um pouco difícil montar um quadro completo de suas opiniões. Alguns podem argumentar que um quadro tão completo ainda não existe em nenhum lugar, visto que apesar de dois séculos de intenso estudo de seus trabalhos, sua obra completa ainda não foi publicada.

Durante anos, numerosos pesquisadores vêm empreendendo a tarefa hercúlea de compilar tudo o que foi escrito por Leibniz. As primeiras tentativas neste sentido foram realizadas há mais de um século, quando um bibliotecário em Hanover chamado G. H. Pertz encarregou-se da parte relativa à história. Seu colega C. L. Grotefend o ajudou na obra filosófica e C. I. Gerhardt cuidou da parte matemática. Estes trabalhos sobre matemática abrangem sete volumes, que foram publicados em meados do século XIX. E algumas décadas mais tarde Gerhardt contribuiu com mais sete volumes com trabalhos filosóficos. Outros onze volumes com artigos históricos e políticos foram elaborados por O. Kloppe e L. A. Foucher de Careil coligiu outros sete volumes com artigos sobre história, política e reunificação das igrejas.

Desde esse esforço inicial de compilação, um outro mais longo e abrangente está em andamento para coligir as obras completas de Leibniz. Este trabalho vem sendo desenvolvido sem interrupção há vários anos na Alemanha, na biblioteca conhecida como a Niedersachsische Landesbibliothek, um moderno prédio baixo de vidro e concreto no centro de Hanover que visitei no decorrer de minha pesquisa. Ali, e em outros lugares, pesquisadores estão coletando cartas, artigos e manus-

278 A GUERRA DO CÁLCULO

critos produzidos por ele em assuntos como leis, política, teologia, história, filologia, lógica, geologia, matemática e física, e sobre o trabalho que vem sendo realizado.

Até agora, mais da metade de tudo o que Leibniz escreveu tem sido editado e publicado sob uma ou outra forma, e até março de 2005, cerca de 42 volumes desse material já compunham essa coleção definitiva. Cada volume tem cerca de oitocentas a mil páginas e isso é um pouco menos da metade do total a ser publicado. Li que esse trabalho teve início em 1923, e um pesquisador estima que quando, finalmente, tudo tiver sido coligido, talvez possa estender-se por um total de 110 volumes. Eles ainda não chegaram à metade do trabalho, embora se estime que possam atingir essa metade no decorrer da próxima década.

Por que tanta coisa foi escrita? Leibniz viajou extensamente pela Europa e manteve contato com o mundo intelectual exterior através de sua enorme correspondência. Desejava corresponder-se quase que com qualquer pessoa. Muitas dessas cartas têm sido traduzidas para o inglês em livros isolados, que comprei e li durante minha pesquisa.

As mais notáveis foram as traduções por Leroy Loemker de algumas centenas de páginas de artigos e cartas filosóficos. Também foi importante para meu trabalho um livro de 1925 intitulado *Early Mathematical Manuscripts*, de J. M. Child.

Adicionalmente a essas fontes "primárias", recorri freqüentemente a algumas biografias de Leibniz para compor este livro. No século XIX, houve uma explosão do conhecimento sobre ele, e uma redescoberta do valor de seus antigos escritos e cartas — pelo menos de uma parte deles. A melhor biografia, escrita por um humanista alemão chamado Dr. G. E. Guhrauer, surgiu na Alemanha em 1842 e baseou-se largamente em documentos antigos. Uma biografia baseada na obra de Guhrauer e escrita em inglês surgiu em meados do século XIX, e foi para mim uma leitura muito útil. Refiro-me ao livro de John Milton Mackie *Life of Godfrey William von Leibniz*, que me forneceu muitas traduções das cartas de Leibniz, das quais pude fazer citações. Outro texto de pequena extensão do século XIX útil para mim foi uma resenha do livro de Guhrauer que apareceu na revista *Edinburgh Review*, em meados do século XIX.

Como um aparte, merece ser notado que existem muitos casos, especialmente na literatura mais antiga, em que o nome de Leibniz é escrito com um "t". Realmente, Newton, Keill e muitos contemporâneos do alemão preferiam escrever seu nome dessa maneira, e essa ortografia perdurou em livros de língua inglesa durante mais de um século depois de Leibniz ter morrido. Em meu livro, preferi usar somente a grafia sem o "t", e, para evitar confusão, retirei a grafia alternativa onde ela iria aparecer nas transcrições de textos de outros autores.

Um tratamento moderno da vida de Leibniz pode ser encontrado no livro de E. J. Aiton, *Leibniz*, publicado em 1985, que talvez seja o melhor tratamento dado em língua inglesa à vida e à obra do alemão. Curiosamente, Aiton ignora em grande medida a controvérsia sobre a invenção do cálculo, tocando no assunto apenas casualmente. Não obstante, sem a meticulosa erudição de Aiton, não me teria sido possível penetrar o caráter de Leibniz, nem reconstituir os fatos narrados neste livro.

Existem várias outras biografias que também me foram úteis. O livro de J. E. Hofman, *Leibniz in Paris*, é um exame completo e excelente do período entre 1672 e 1676. Outra obra interessante, embora muito mais curta, é *Leibniz*, de G. MacDonald Ross. Também útil foi o pequeno resumo biográfico de Leibniz em *The Philosophy of Leibniz*, de Benson Mates, assim como um capítulo semelhante em *Cambridge Companion to Leibniz*, editado por Nicholas Jolley.

Além dos citados, existem alguns outros livros que li sobre os trabalhos de Leibniz em outros campos, aos quais dei apenas uma rápida atenção em meu texto. A filosofia de Leibniz, seus escritos políticos e seus trabalhos sobre a China, para citar somente alguns desses campos, são ricos e interessantes, e, embora eu tenha lido com interesse vários livros sobre eles, não fui capaz, dentro dos estreitos limites desta minha narrativa, de nela incluir tudo — já que minha principal preocupação eram as guerras do cálculo.

A disputa entre Newton e Leibniz tornou-se tão lendária que quase todo resumo biográfico que encontrei sobre qualquer um desses homens tocava, até certo ponto, nas guerras do cálculo. E onde certos biógrafos, como Aiton, parecem conscientemente ignorar a disputa, outros, como Westfall, biógrafo de Newton, dedicam considerável atenção a ela. Pelo que sei, meu livro é o primeiro a narrar a história das guerras do cálculo de forma mais acessível, embora o livro de Hall *Philosophers at War* seja uma excelente história erudita da contenda. Para leitores que desejem conhecer mais sobre os detalhes apresentados neste livro, *Philosophers at War* é um ótimo ponto de partida.

Finalmente, é suficiente dizer que ninguém pode abordar uma história como esta, ocorrida no final do século XVII e no princípio do século XVIII sem também se familiarizar com essa época — a história política geral da Europa naqueles dias e a revolução científica como um todo. Eu passei muitas tardes pesquisando as estantes dos livros pouco procurados na filial central da biblioteca pública de San Diego, e listei diversos livros na bibliografia que se encontra mais adiante que me ajudaram a melhor entender aqueles tempos. As obras mais úteis para a pesquisa sobre a Casa de Hanover foram *The House of Hanover*, de Alvin Redman, e *The Hanoverians*, de Jeremy Black. Informação biográfica muito útil sobre outros matemáticos do século XVII foi colhida em *A History of Mathematics*, de Carl Boyer. Também *History of Calculus*, deste mesmo autor, revelou-se uma leitura muito útil.

Lista de Ilustrações

Diagrama dos fenômenos óticos do livro *Opticks* de Isaac Newton — Biblioteca do Congresso dos EUA

Problemas difíceis que o cálculo resolve com facilidade #1

Isaac Newton — Royal Society

Gottfried Willhelm Leibniz — Royal Society

O plano de Christopher Wren para reconstrução de Londres depois do incêndio de 1666 era impressionante — mas assim também era o plano de Isaac Newton para reconstruir o mundo baseado na gravitação universal — Biblioteca do Congresso dos EUA

Desenho do próprio Newton de seu telescópio de reflexão — Royal Society

Uma página das *Philosophical Transactions of the Royal Society*, mostrando a experiência que levou Newton a concluir que a luz branca é composta de raios de diferentes cores — Biblioteca do Congresso dos EUA

Gravura de uma mosca, como é vista em um microscópio — do livro de Hooke *Micrographia* — Biblioteca do Congresso dos EUA

Christian Huygens — Royal Society

Modelo da máquina de calcular de Leibniz — Gottfried Willhelm Leibniz Bibliothek, Niedersachsische Landesbibliotek

Henry Oldenburg — Royal Society

Problemas difíceis que o cálculo resolve com facilidade #2

Leibnizhaus antes de ser destruída durante a Segunda Guerra Mundial, a casa em que Leibniz passou seus últimos dias — Biblioteca do Congresso dos EUA

Notas de Leibniz sobre seus moinhos de vento horizontais — Gottfried Willhelm Leibniz Bibliothek, Niedersachsische Landesbibliotek

Edmond Halley — Royal Society

Nicholas Fatio de Duiller — Biblioteca em Genebra

John Wallis — Royal Society

Problema da braquistócrona

Jorge Ludwig, que depois tornou-se Jorge I, rei da Inglaterra, governou Hanover durante os últimos anos de Leibniz — Biblioteca do Congresso dos EUA

Quando Newton assumiu a Casa da Moeda Britânica, passou a residir nesta fileira de edifícios na Torre de Londres — Fotografia de Jason S. Bardi

Parte de uma carta escrita à mão por Leibniz, descrevendo alguns dos seus trabalhos sobre o cálculo — Gottfried Willhelm Leibniz Bibliothek, Niedersachsische Landesbibliotek

Uma cópia da *Charta Volans* — Gottfried Willhelm Leibniz Bibliothek, Niedersachsische Landesbibliotek

Fachada da Abadia de Westminster — onde Newton foi sepultado em meio a grande cerimonial, em 28 de março de 1726 — Fotografia de Jason S. Bardi

O lugar final onde estão depositados os restos mortais de Leibniz fica nesta igreja, em Hanover, Alemanha — Fotografia de Jason S. Bardi

Bibliografia

Ainsworth, John H., *Paper: The Fofth Wonder*. Wisconsin (1959).

Aiton, E. J., *Leibniz: A Biography*. Bristol (1985).

Alexander, H. G., org., *The Leibniz-Clarke Correspondence*.Manchester (1998).

Algarotti, Sig., *Sir Isaac Newton's Philosophy Explain'd for the Use of the Ladies, Translated from the Italian*. Original edition in Wren Library, Cambridge(1739).

Andrade, E. N. da C, *Sir Isaac Newton*. Londres (1954).

Barber, W. H., *Leibniz in France from Arnauld to Voltaire: A Study in French Reactions to Leibnizianism, 1670-1760*. Oxford (1955).

Benecke, Gerhard, *Germany in the Thirty Years War*. Nova York (1979)
Bertoloni-Meli, Domenico, *Equivalence and Priority: Newton Versus Leibniz*. Oxford (2002).

Birch, T. *The History of the Royal Society of London for Improving Knowledge from its First Rise*. Londres (1756).

Black, Jeremy, *The Hanoverians:The History of a Dynasty*. Londres (2004)

Boyer, Carl, *A History of Mathematics, Second Edition*. Nova York (1991).

Boyer, Carl. *The History of the Calculus and its Conceptual Development (The Concept of the Calculus)*. Nova York (1959).

Brewster, Sir David. *Memoirs of the Life, Writings, and Discoveries of Sir Isaac Newton*. Edinburgh (1855).

Brown, Beatrice Curtis. *The Letters and Diplomatic Instructions of Queen Anne*. Nova York (1968).

Burrell, Sidney A. *Elements of Modern European History: The Main Strands of Development Since 1500*. Howard Chandler (1959).

Cairns, Trevor, *The Birth of Modern Europe*. Cambridge (1975).

Cajori, Florian, *A History of the Conceptions and Limits of Fluxions in Great Britain from Newton to Woodhouse*. Chicago (1919).

Cajori, Florian, "Leibniz, the Master Builder of Mathematical Notation" *Isis* 7 (1925), 412-429.

Cassirer, Ernst, "Newton and Leibniz." *The Philosophical Review*, volume 52, 366-391 (1943).

Child, J.M., *The Early Mathematical Manuscripts of Leibniz*. Chicago (1920).

Clark, David, and Clark, Stephen P.H., *Newton's Tyranny: The Suppressed Scientific Discoveries of Stephen Gray and John Flamsteed*. Nova York (2001)

Cohen, I. Bernard, *Introduction to Newton's Principia*. Harvard (1999)

Cohen, I. B., and Westfall, R. S., orgs., Newton: *A Norton Critical Edition*. Nova York (1995).

Cohen, I. B., "Newton's Copy of Leibniz's Theodicee: With Some Remarks on the Turned-Down Pages of Books in Newton's Library." *Isis*, 73, 410-414 (1982).

Costabel, Pierre, *Leibniz and Dynamics*. Cornell (1973).

Craig, Sir John, *Newton at the Mint*. Cambridge (1946).

Davis, Martin, *The Universal Computer:The Road from Leibniz to Turing*. Nova York (2000).

Ditchburn, R.W, "Newton's Illness of 1692-3." *Notes and Records of the Royal Society of London*, volume 35, 1-16, julho (1980).

BIBLIOGRAFIA

285

Durant, Will & Ariel, *The Age of Louis XIV*. Nova York (1963) Durant, Will & Ariel, *The Age of Voltaire*. Nova York (1965).

Ede, Mary, *Arts and Society in England Under William and Mary*. Londres (1979).

Evans, R.J.W, "Learned Societies in Germany in the Seventeenth Century." *European Studies Review*, 7, 129-151 (1977).

Evelyn, John, *John Evelyn's Diary (Selections)*. Philip Francis, org. Londres (1965).

Fauvel, J., Flood, R., Shortland, M., and Wilson, R., *Let Newton Be! A New Perspective on his Life and Works*. Oxford (1988).

Feingold, Mordechai, *The Newtonian Moment*. Nova York/Oxford (2004).

Field, John, Kingdom Power and Glory: *A Historical Guide to* Westminster Abbey. Londres (2004).

Frankfurt, Harry G., org., Leibniz: *A Collection of Critical Essays*. Notre Dame (1976).

Hall, A. Rupert, *All Was Light: An Introduction to Newton's Opticks*. Oxford (1995).

Hall, A. Rupert, *Isaac Newton: Adventurer in Thought*. Cambridge (1992).

Hall, A. Rupert, *Isaac Newton: Eighteenth Century Perspectives*. Oxford (1999).

Hall, A. Rupert, *Philosophers at War: The Quarrel Between Newton and Leibniz* (1980).

Hall, A. Rupert, *The Revolution in Science 1500-1750*. Londres (1989).

Hall, Marie Boas, *Nature and Nature's Laws*. Nova York (1970).

Hankins, Thomas L., "Eighteenth-Century Attempts to Resolve the *Vis viva* Controversy." *Isis*, 56, 281-297 (1965).

Hofman, Joseph Ehrenfried, *Classical Mathematics:A Concise History of Mathematics in the Seventeenth and Eighteenth Centuries*. Nova York (1959).

Hofman Joseph Ehrenfried, *Leibniz in Paris 1672-1676: His Growth to Mathematical Maturity*. Cambridge (1974).

Hollingdale, S. H., Leibniz and the First Publication of the Calculus in 1684. *The Institute of Mathematics and its Application,* volume 21, maio/junho (1985), 88-94.

Inwood, Stephen, *A History of London.* Nova York (1998).

Janiak, Andrew, org., *Newton: Philosophical Writings.* Cambridge (2004).

Jolley, Nicholas, org., *The Cambridge Companion to Leibniz.* Cambridge (1998).

Keynes, Milo, "Sir Isaac Newton and his Madness of 1692-93." *The Lancet,* março, 8 (1980), 529-530.

Koyré, Alexandre, *From the Closed World to the Infinite Universe.* Nova York (1958).

Koyré, Alexandre, *Newtonian Studies.* Harvard (1965).

Koyré, Alexandre e Cohen, I. Bernard, "Newton & the Leibniz-Clarke Correspondence with Notes on Newton, Conti & Des Maizeaux." *Archives Internationale d'Histoire des Sciences,* volume 15, 63-126 (1962).

Langer, Herbert, *The Thirty Years'War.* Nova York (1978).

Leasor, James, *The Plague and the Fire.* Nova York (1961).

Leibniz, Gottfried Wilhelm, *Leibniz Selections.* Wiener, Philip P., org. Nova York (1951).

Leibniz, Gottfried Wilhelm, *New Essays Concerning Human Understanding.* Alfred Gideon Langley, org. Chicago (1994). Newport (1896).

Leibniz, Gottfried Wilhelm, *Writings on China.* D. Cook e H. Rosemont, org. Chicago (1994).

Lieb, Julian, and Hershman, Dorothy, "Isaac Newton: Mercury Poisoning or Manic Depression?" *The Lancet,* dezembro, 24/31 (1983), 1479-1480.

Loemker, Leroy E., *Gottfried Wilhelm Leibniz Philosophical Papers and Letters, Second Edition.* The Netherlands (1989).

Macaulay, Lord, *History of England.*

Mackie, John Milton, *Life of Gottfried Wilhelm Leibniz on the Basis of the German Work of Dr. G. E. Guhrauer.* Boston (1845).

Manuel, Frank E., *A Portrait of Isaac Newton* Harvard (1968).

BIBLIOGRAFIA

Mason, H. T, *The Leibniz-Arnauld Correspondence*, Manchester (1967).

Mates, Benson, *The Philosophy of Leibniz: Metaphysics & Language*. Oxford (1986).

Maury, Jean-Pierre, *Newton:The Father of Modern Astronomy*. Nova York (1992).

Moore, Cecil A., org., *Restoration Literature: Poetry and Prose 1660-1700*, Nova York (1934).

Munck, Thomas, *Seventeenth Century Europe*. Nova York (1990).

Newton, Isaac, *The Correspondence of Isaac Newton*, volumes 1-7, 1661-1727. Turnbull, Scott, Hall, and Tilling, org. Cambridge, 1959-1977.

Newton, Isaac, *The Principia: Mathematical Principles of Natural Philosophy*. I.B. Cohen e Anne Whitman, org. California (1999).

Newton, Sir Isaac, *Opticks or a Treatise of the Reflections, Refractions, Inflections, & Colours of Light* (Based on the Forth Edition). Nova York (1979).

Nussbaum, Frederick, *The Triumph of Science and Reason 1660-1685*. Nova York (1962).

Ogg, David, *England in the Reigns of James II and William III*. Oxford (1955).

Oldenburg, *The Correspondence of Henry Oldenburg*, volume 9.1672-1673. Hall e Hall, org. Wisconsin (1973).

Palter, Robert, org., *The Annus Mirabilis of Sir Isaac Newton 1666-1966*. Cambridge, MA (1970).

Parker, Geoffrey e Smith, Lesley, *The General Crisis of the Seventeenth Century*. Nova York (1978).

Parker, Geoffrey, "The 'Military Revolution', 1560-1660 — a Myth?" *Journal of Modern History 48*, 195-214 (1976).

Pepys, Samuel, *Passages from the Diary of Samuel Pepys*. Richard Le Gallienne, org., Nova York (1923).

Ramati, Ayval, "Harmony at a Distance: Leibniz's Scientific Academies." *Isis, 87*, 430-452 (1996).

Redman, Alvin, *The House of Hanover*. Nova York (1960).

Ross, G. MacDonald, *Leibniz*. Oxford (1986).

288 A GUERRA DO CÁLCULO

Ross, G. MacDonald, "Leibniz and the Nuremburg Alchemical Socie-ty": *Studia Leibniz, Band VI, Heft 2* (1974).

Rowen, Herbert H., *A History of Early Modern Europe 1500-1815*. Nova York (1960).

Russell, Bertrand, *A Critical Exposition to the Philosophy of Leibniz*. Londres (1937).

Rutherford, Donald, "Demonstration and Reconciliation: The Eclipse of the Geometrical Method in Leibniz's Philosophy." *Firenze*, (1996), Leo S. Olschki, org., 181-201.

Rutherford, Donald, "Leibniz: I volume 12 e 13. Dell'Edizione Dell' Accademia." *Il Cannocchiale Rivista Di Studi Filosofici n° 3*, setem-bro-dezembro (1992), 69-75.

Scriba, Christoph J., "The Inverse Method of Tangents: A Dialogue between Leibniz and Newton (1675-1677)." *Archive for History of Exact Sciences*, volume 2 (1964).

Symcox, Geoffrey, *War, Diplomacy, and Imperialism, 1618-1783*. Nova York (1974).

Voise, Waldemar, "Leibniz's Model of Political Thinking." *Organon 4*, 187-205 (1967).

Voltaire, *Ancient and Modern History, volume Six*. Nova York (1901).

Voltaire, *Candide*. Nova York (1930).

Voltaire, *Letters Concerning the English Nation*. Nicholas Cronk, org. Oxford (1999).

Westfall, Richard, *Never at Rest: A Biography of Isaac Newton*. Cam-bridge (1980).

Westlake, H.E, *The Story of Westminster Abbey*. Londres (1924).

White, Michael, *Isaac Newton The Last Sorcerer*. Londres (1998) Whi-teside, D.T. *The Mathematical Papers of Isaac Newton*, volumes I-VIII. Cambridge (1968-1981).

Whiteside, D.T., The Mathematical Principles Underlying Newton's *Principia Mathematica. Journal for the History of Astronomy, i*, 116-138 (1970).

BIBLIOGRAFIA 289

OUTRAS OBRAS CITADAS

Address to the Masters, Fellows, and Scholars of Trinity College to a Conference in Jerusalem Commemorating the 300th Anniversary of the Birth of Isaac Newton. Edição original: Wren Library, Cambridge, Fevereiro, 1943.

Calculating Machine. A display at the Niedersaechsische Landesbibliothek, Hanover Germany.

A Catalogue of the Portsmouth Collection of Books and Papers Written by or Belonging to Sir Isaac Newton. Edição original: Wren Library, Cambridge. Cambridge (1888).

Commercium Epistolicum. Uma cópia de 1722 está na Royal Society Library, London England.

Communication Made to the Cambridge Antiquarian Society n° XII. Cambridge (1892).

Leibniz Korrespondenz. Display at Leibnizhaus, Hanover, Germany
Leibniz Reisen. Display at Leibnizhaus, Hanover, Germany.

Lowery, H., "Newton Tercentenary, 1642-1942." Cópia original: Royal Society of London reimpresso de *Dioptric Review and the British Journal of Physiological Optics,* volume 3, 105-113.

Newton, Sir Isaac, *A Treatise of the Method of Fluxions and Infinite Series with its Application to the Geometry of Curve Lines.* Edição original: Wren Library, Cambridge (1737).

"Gottfried Wilhelm Freiherr von Leibniz—Eine Biographie (Review)." *The Edinburgh Review,* volume LXXXIV, número CLXIX. Julho, (1846).

The Wren Library Trinity College Cambridge. Livreto informacional, Abril (2004).

Índice

Abadia de Westminster, túmulo de
Newton na, 258-260
Académie des Sciences (França), 78, 82,
83, 93, 196
"Achar as velocidades dos corpos pelas
linhas que descrevem" (Newton), 51
Act of Settlement (Ato de
Entendimento), 190
Acta Eruditorum Lipsienium (Atas dos
Intelectuais de Leipzig, ou Atas dos
Eruditos)
fundação, 131, 132
Leibniz responde a Fatio, 194-195
Leibniz sobre o livro de Wallis, 169-
170
Leibniz sobre os movimentos dos
planetas, 147-148
resenha do *Principia*, 147
resumo do *Protogaea*, em, 166
acusações de plágio
Leibniz acusado de, 193, 201-202,
211, 230
Newton acusado de, 25-26, 168
"O caso da sobrancelha", 87
Alemanha
estrutura política da, 71-72

Guerra dos Trinta Anos e a, 31-33
primeira revista científica na, 131
Algarotti, Francesco, 153
alquimia, 38, 70, 128-129, 130
amoreiras, 208
Ana, rainha da Inglaterra, 18, 190, 191,
199, 222
anagramas, 115
Analyse de Infiniment Petits (L'Hôpital),
(Análise das Quantidades
Infinitesimais), 157
annus mirabilis (ano milagroso), 44
Arithmetica universalis (Newton), 210
Arnauld de Pomponne, Simon, 74
Arnauld, Antoine, 121, 139, 162
Arquimedes, 23
arte, e matemática, 131
astronomia, Newton e a, 145
avanços científicos, no século XVII, 28,
64, 82
avanços da matemática, no século XVII,
28
Ayscough, Rev. W., 41

Barrow, Isaac, 24, 52, 57, 58-59

292 A GUERRA DO CÁLCULO

Bayle, Pierre, 170
Bernoulli, Jacob, 132, 148, 172, 173
Bernoulli, Johann
compêndio de L'Hôpital e, 157
erro encontrado no *Principia*, 227
guerras do cálculo e, 168, 224-228, 234-235, 241
Leibniz e, 224-226, 234-235, 241
problema da braquistócrona e, 171-172, 173
sobre o *Commercium Epistolicum*, 224-226
Bernoulli, Nikolaus, 227
biblioteca em Hanover, 109, 120-121
Bignon, Abade, 218
Birch, Thomas, 58
Bludworth, Thomas, 54
Boerhaave, Hermann, 255
Boineburg, Johann Christian von, 71-72, 76, 80
Boineburg, Philip William von, 92
Boyle, Robert, 59-60, 82, 86
Brand, Heinrich, 121
Breisach, sítio de, 33
Bruno, Giordano, 65
Brunswick-Lüneberg, história da família, 160-161, 163-166
Bunyan, John, 48, 64
Burnet, Thomas, 165, 169, 178, 183, 197, 221

cadeira dobrável, 161-162
cafeterias, 135
cálculo
atribuído a Leibniz, 21, 25, 138
atribuído a Newton, 167-168, 218
de compêndio L'Hôpital, sobre o, 157
descrição do, 6-7, 51
geometria e, 23, 25, 51
inevitabilidade da invenção do, 45-46
Leibniz inventa, 14, 25, 67-68

métodos de Newton e de Leibniz comparados, 167-168
Newton inventa, 13-14, 21, 46-47, 51-52
notação para, 102-103, 139, 196, 233, 266
publicações de Leibniz, sobre, 14, 25, 132-133, 138-139
textos de Newton, sobre, 21-22, 51-53, 265-266. *Ver também* "Sobre a quadratura de curvas"; *De Analysi*
cálculo diferencial, 137-138
cálculo integral, 79, 138-139
cálculos logarítmicos (Newton), 51-52
Calvino, João, 123
Carlos I, rei da Inglaterra, 35-37
Carlos II, rei da Inglaterra, 46, 81, 83, 149
Caroline, princesa de Gales, 245
casa da moeda da Grã-Bretanha, 19, 179, 185-189
casa da moeda, Newton como administrador da, 19, 179, 185-189
"caso da sobrancelha, o", 86-88, 217
Cassini, Giovanni, 96
Catellan, Abade, 172
Cavalieri, Bonaventura, 24, 80, 89
Challoner, William, 188-189
Chamberlayne, John, 230, 236
characteristica universalis (Leibniz), 68. Ver também linguagem universal
Charta Volans (Carta Voadora) (Leibniz), 228-230
Cheyne, George, 198, 199
China, 162, 262
Choet, Jean-Robert, 156
Chuno, Johann Jakob, 206
ciência, história da, 145-146
Clarke, Samuel, 245
colapso nervoso (Newton), 174-175
Colbert, 93, 97
Collins, John

De Analysi e, 57, 210, 217
encoraja Newton a publicar seu
trabalho sobre o cálculo, 111
escreve *Historiola*, 106
Leibniz e, 88, 99-102, 105-106,
108-109
Papéis póstumos de, 210, 216-218
cometas, aparições, 46
cometas, órbitas dos, 135, 145
Commercium Epistolicum (Royal
Society), 217-219, 224-226, 230, 236
"Como traçar tangentes a linhas
mecânicas" (Newton), 51
Conduitt, John, 45, 257, 258
Conti, abade, 226, 227, 238, 240, 252
cores, teoria de Newton sobre as, 20,
49, 59-65
Craig, John, 138
crenças sobrenaturais no século XVII, 27
Cromwell, Oliver, 36, 46, 48, 149
cronologia antiga, de Newton, 129-130
cronologia, de Newton, 129-130
Crowne, William, 33
cuidados com a saúde, Leibniz sobre os,
162-163

Dahl, Michael, 190
De Analysi (Newton)
Collins e, 57, 210, 217
escrito, 53
Leibniz e, 110, 112
publicação, 210
De Casibus Perplexis (Sobre Casos
Difíceis) (Leibniz), 69
De Motu Corporum (Newton), 137
De Principio Individui (Leibniz), 40
De quadratura curvarum. Ver "Sobre a
quadratura das curvas"
Demonstrationes Catholicae (Leibniz),
123
desafios matemáticos, 171-173, 226-227
Descartes, René

artigo de Leibniz baseado no
Géométrie, 132
estudos de Leibniz, 88
estudos de Newton, 46
exílio de, 64
inventa a geometria analítica, 24
sobre a teoria dos vórtices para os
orbitais planetários, 145
Deschales, Claude Milliet, 103
Diálogos (Galileo), 64
diferenciais, definição de, 22
Dilherr, Johann Michael, 69
"Discurso sobre a metafísica" (Leibniz),
139
disputa sobre dispositivo oscilante para
regular o movimento de relógios
(Hooke/Huygens), 84, 97
"Dissertação sobre a arte combinatória"
(Leibniz), 68
Dissertatio de Arte Combinatori
(Leibniz), 68-69
dobrável, cadeira, 161-162
doença, no século XVII, 47-48

eclipse da lua, 47
Egito, proposta de guerra contra o, 74, 75
Einstein, Albert, sobre *Ótica*, 8
empirismo, 146
"Ensaio sobre as causas dos movimentos
dos corpos celestes". (Leibniz), 147
envenenamento por mercúrio, 174
epidemia de peste bubônica (1665),
47-49
epistola posterior (Newton), 109, 115
epistola prior (Newton), 106-107
Ernst August, duque de Hanover, 124,
127, 160-161, 164, 181, 191
escólio do *Principia* (Newton), 237
Este, House of, 161, 163, 164, 165
Evelyn, John, 48, 54

falsificação, 186, 187

famílias nobres, histórias de, 160-161, 163-166
Fatio de Duiller, Nicholas, 154-157, 176-177, 191-195, 197, 211
Fermat, Pierre, 24
filosofia do "melhor de todos os mundos possíveis", 253-254
Flamsteed, John, 178, 229, 232
Fogel, Martin, 121
fósforo, fabricação do, 121
França
declara guerra (1688), 151-152
guerra contra a Inglaterra, 153
perseguição aos Huguenotes na, 149
prepara-se para a Guerra com a Holanda, 73. *Ver também* guerra franco-holandesa
reputação de Newton na, 254
Franklin, Benjamin, 18
Fréret, Nicolas, 129-130
Friesenegger, Mauros, 32

Galileu, 37, 64
Gallois, Abade, 93
Gasto, príncipe de Florença, 130
geologia, Leibniz e a, 128, 166
Geometria
cálculo e, 23, 25, 51
história da, 23-25
Geometria (Bonaventura), 80, 89
geometria analítica, 24
Géométrie (Descartes), 45, 132
gota, 250
Grande Aliança, 151
grande incêndio de Londres, o, 54-56
Grantham, 44, 49-52
Gravesande, Willem Jacob, 255
Gravitação
fenômenos explicados pela, 144-145
Newton sobre a natureza da, 146, 243
universal, lei da, 49-50, 144-146, 147, 242-246

gravitação universal, lei da. *Ver* gravitação, universal lei da
Gregory, David, 143, 201
Gregory, James, 21, 24, 100, 106
Grimaldi, Claudius Philip, 162
Guerra dos Trinta Anos, 31-33, 120
guerra franco-holandesa, 76, 81, 113, 148
guerras do cálculo, 14, 26-27. *Ver também Commercium Epistolicum*; acusações de plágio
Bernoulli e as, 168, 224-228, 234-235, 241
Chamberlayne e as, 230, 236-237
Cheyne e as, 197, 198
envolvimento da comunidade científica, 232, 236, 237-238
Fatio e as, 191-195
Keill *versus* Leibniz, 201-203, 211-214, 230-231
Keill, colaboração com Newton, 214-215, 231
Keill, sua reputação posta em dúvida, 237
Leibniz ataca a teoria da gravitação, 242-247
Leibniz escreve *History and Origin of the Differential Calculus*, 239-240
Leibniz se defende, 228-230, 232-233
Leibniz toma conhecimento do *Commercium Epistolicum*, 224-225
Leibniz, ataques anônimos a Newton, 26-27, 169-170, 214-215
Leibniz, resenha do *Ótica* por, 199, 214-215
Leibniz, sua ira é despertada, 225-226, 229, 236-237
Newton prossegue após a morte de Leibniz, 252-253
Newton, relato anônimo de, 233
Newton, respostas a Leibniz não publicadas, 231
Newton, sua ira é despertada, 215, 236

ÍNDICE   295

Newton-Leibniz, correspondência
entre (1716), 240-242
Principia scholium e as, 238
resultado final das, 261-262, 268-269
Royal Society, e as, 211-214, 216-219,
237
sob anonimidade, 200, 215, 230-231
Wallis e as, 167-170
Wolf, Christian, sobre as, 233-234
Guilherme III, rei da Inglaterra
(Guilherme de Orange), 151-152, 154,
189
Guilherme o Piedoso. Ver Guilherme,
duque de Lüneberg
Guilherme, duque de Lüneberg, 120

Halley, Edmond, 135-137, 139-140
Hanover, Alemanha
cidade moderna, 117-119
no século XVII, 122
Hanover, corte de
carreira de Leibniz na, 93-94, 119-120,
121-128, 164
estilo de vida da, 180-182
Hanover, duques de, 120. *Ver também*
Ernst August, duque de Hanover;
Johann Friedrich, duque de Hanover
Hartzingk, Peter, 124-125
histórias, de famílias nobres, 160-161,
163-166
Historiola (Collins), 106, 110-111
*History and Origin of the Differential
Calculus* (Leibniz), 239-240
History of Fluxions (Raphson), 238-239
Holanda
guerra com a França. *Ver* guerra
franco-holandesa
guerra iminente com a França, 73
Leibniz visita a, 113
peste bubônica na, 47
reputação de Newton na, 254
Hooke, Robert

chama Fatio de "capanga de
Newton", 157
correspondência com Newton sobre
o movimento planetário, 134-135
disputa com Huygens, 84, 97
disputa com Leibniz, 84-85
disputas com Newton, 20-21, 62-64,
85, 105, 140
escreve *Micrographia*, 63, 105
inventa máquina de calcular
mecânica, 85
morte de, 197
Oldenburg acusado de espionagem
por, 97
ótica, trabalhos sobre, 59, 62
realizações de, 84
sobre a máquina de calcular de
Leibniz, 84
Hudde, Johann, 24, 89, 112
huguenotes, 149, 153
Huygens, Christian
contribuições matemáticas de, 24
disputa com Hooke, 84-89
encontra Newton, 155
Fatio e, 192
Leibniz e, 77-80, 88, 169
Oldenburg e, 96
reputação de, 78
sobre o cálculo de Newton, 169
sobre o trabalho de Newton em
ótica, 65
trabalho e ótica de, 59

Igrejas cristãs, sua reunificação, 123
Império otomano, 74, 151
indústria editorial
grande incêndio de Londres e, 56-57
publicações científicas, 95-96, 103-104.
Ver também publicação de periódicos
Inglaterra
condições de vida na, 48
epidemia de peste bubônica (1665),
47-49

296   A GUERRA DO CÁLCULO

guerra civil na, 35-37
guerra contra França, 153
Huguenotes franceses e a, 149, 153
introdução do cálculo de Leibniz na, 138
visita de Leibniz, 81, 84-87, 110-112
integrais, definidas, 22

Jaime II, rei da Inglaterra, 137, 150-151, 152
João Casimiro, rei da Polônia, 72
Johann Friedrich, duque de Hanover
  alianças de, 73
  antecedentes de, 120
  financia o projeto do cato-vento, 126
  morte de, 124
  oferece emprego a Leibniz, 93-94
Jones, William, 210
Jorge I, rei da Inglaterra, 166, 223-224
Jorge Ludwig, eleitor de Hanover, 191, 206, 222-223, 249-250. *Ver também* Jorge I, rei da Inglaterra
Jorge Ludwig, príncipe herdeiro de Hanover, 166, 180-182
Journal Littéraire de la Haye, 230, 231, 233

Keill, John
  acusações contra Leibniz, 201, 211, 230
  carta a Chamberlayne, 237
  Commerdum Epistolicum e, 218, 219
  Leibniz responde às acusações, 205-206, 211-212, 213-214
  Newton e, 214-215, 231
  Wolf sobre, 232-233, 237
Kepler, Johannes, 23, 64
Kochanski, Adam, 165
König, Samuel, 106-107
Königsmarck, Philip Christopher von, 182

L'Hôpital, marquês de, 157, 170, 173

Lagrange, Joseph-Louis, 256
Lasser, Herman Andrew, 71
Leeuwenhoek, Antoni van, 96, 113
Leibniz, Catharina Schmuck, 33
Leibniz, Friedrich, 33-34
Leibniz, Gottfried Wilhelm
  acusações de plágio contra, 87, 193, 201-202
  alquimia e, 70
  Bernoulli e, 139, 224-226, 234-235, 241
  Boineburg e, 70-72, 76, 80
  cálculo atribuído a, 21, 25, 138
  cálculo inventado por, 14, 25, 67-68, 102-103
  cálculo, notação para, 102-103, 139, 196, 233, 266
  carreira
    conselheiro de Boineburg, 70-77
    na corte de Hanover, 93-94, 119-120, 121-128, 164
    nomeado historiador da corte, 161
    segue a carreira das leis em Mogúncia, 69-70, 71
  casamento cogitado, 183
  citado por Newton no *Principia*, 141, 238, 260
  como estrategista político, 73-77, 81
  como filósofo, 132, 139, 170, 221, 253-254
    linguagem universal, 68-69, 125-126
    teologia, 123, 200
  como racionalista, 243
  correspondência com Arnauld, 139, 162
  correspondência com Clarke, 245
  correspondência com Newton (1676-1677), 104, 106-109, 113-115, 133-134, 141
  correspondência com Newton (1693), 171

correspondência com Newton (1696), 178

correspondência com Newton (1716), 240-242

correspondência com Oldenburg, 83, 88, 94, 97-101, 104

cria o termo "cálculo", 25

descrição de, 260

doença de, 250-251

e a história da família Brunswick-Lüneberg, 160, 163-166

educação de, 34-35, 39-40, 68-69

eleito para a Académie des Sciences, 196

eleito para a Royal Society, 85

em Paris, 75-81, 88-89, 91-95, 110

em Viena, 221-222, 224, 232

erudição de, 40

escritos. *Ver também* trabalhos específicos:

    panfletos políticos, 72, 73

    sobre filosofia, 40, 68, 93, 139, 170, 221

    sobre leis, 69, 71

    sobre Luis XIV, 149

    sobre movimentos dos planetas, 147-148

    sobre o cálculo, 25, 132-133, 138-139, 239-240

    sobre teologia, 123, 200

    trabalhos sobre números binários, 196-197

estudos sobre a China, 162, 262

Fatio e, 157, 191-195

geologia e, 128, 166

guerras do cálculo e. *Ver guerras* ao cálculo

Huygens e, 78-79, 88, 169

infância, 31, 33-35

invenções de, 78. *Ver também* cálculo, máquina de calcular, 83-85, 94-95, 107, 110, 170

cadeira dobrável, 161-162

moinho de vento, 126-127

isolamento de, em Hanover, 183, 221, 224

Johann Friedrich e, 122, 126

Jorge Ludwig e, 191, 249-250

Keill e, 201-202, 211-214

matemática, estudos de, 78-81, 89, 95, 102

matemática, usos imaginados para a, 130-131

melhoria da sociedade como objetivo de, 119-120, 122-123

morte e funeral de, 251-252

Newton louvado por, 194, 211-212

Newton não reconhecido por, 133

Obituários por, 252

panfletos políticos escritos por, 72, 73

Pedro, o Grande e, 219

plano das minas de prata, 124-128

problema braquistócrono resolvido por, 173

publicações sobre o cálculo, 14, 25, 132-133, 138-139

realizações de, 261

reputação de, 25-26, 67, 170, 252-254

    redenção de, no século XIX, 266-268

sobre a contribuição de Newton's para o cálculo, 133

sobre a gravitação, 146, 147-148, 242-247

sobre a reunificação das igrejas cristãs, 123

sobre a saúde de Newton, 178

sobre cuidados com a saúde e medicina, 162-163

sobre o movimento dos planetas, 146-148, 244

sobre o *Optiks (Ótica)*, 198-199, 214-215

sobre o *Principia*, 147

298   A GUERRA DO CÁLCULO

sobre sua falta de conhecimentos, 87
sobre teologia, 123, 200
sociedades científicas visualizadas
   por, 125-1236, 206-208, 221-222
Sociedade das Ciências de Berlim,
   206-209
Viagem à Alemanha e à Itália (1687-
   1690), 159-163
viaja de Paris para Hanover, 109-113
visão newtoniana do mundo e,
   242-246
visitas a Londres, 81, 84-88, 110-112
Leibnizhaus, Hanover, 118-119, 261
"Lei da Atração na Razão Inversa do
   Quadrado da Distância", 135, 136, 140
Leipzig, 32, 40, 69
Leis de Kepler, 144
Lely, Peter, 152
lenda da maçã, a, 50
Lichtenstern, Christian Habbeus von, 92
Liga de Augsburgo, 151
Lilly, William, 47
linguagem universal (Leibniz), 68-69,
   125-126
Linus, Franciscus, 65
Locke, John, 157, 167, 177, 254
Londres
   epidemia de peste bubônica (1665),
      47-49
   grande incêndio de, 54-56
   Leibniz visita, 81, 83-88, 110-112
   Newton em, 179, 185-189
Louvois, marquês de, 154
Luis XIV, rei da França
   audiência a Schönborn, 80
   declara guerra (1688), 151-152
   declara guerra contra os holandeses,
      76
   financia Carlos II, 150
   mantém o controle sobre a Lorena,
      148-149
   planeja guerra contra os holandeses,
      72, 73, 74

Lüneberg, duques de, 120
Lutero, Martinho, 72, 123
luz branca, 60-61
luz. *Ver também Ótica*
   teorias contemporâneas da, 59-60
   teoria de Newton da, 18, 49, 59-62,
      105

Malpighi, Marcello, 96
máquinas de calcular, mecânicas, 83-86,
   94-95, 107, 110, 170
marés, movimento das, 144
Mars Christianissimus (Leibniz), 148
Mary II, rainha da Inglaterra, 152, 190
Matemática
   história da, 23-24
   visão de Leibniz para, 130
Mazarino, cardeal, 75
medicina, Leibniz sobre, 162-163
Mencke, Otto, 131, 132, 133, 147
Mercator, Nicholas, 52-53, 57
método da exaustão, 23
Método das Fluxões (Newton), 265-266
método das fluxões e dos fluentes, 25,
   51, 115, 167-168. *Ver também*
   Método de Determinar as Quadraturas
   de Figuras (Craig), 138
Micrographia (Hooke), 63, 105
minas da Montanha Harz, 124-128
minas de prata, 124-128
minas, 124-128
Mogúncia, 71-73
Monadologia (Leibniz), 221
Monreau de Maupertuis, Pierre-Louis,
   255
Montague, Charles, 167, 177, 178
Montmort, Rémond de, 235, 242
Morland, Samuel, 85
Mouton, Gabriel, 87
movimento da lua, 177-178, 229
movimento, análise do, 22-23, 46, 144,
   147-148. *Ver também* movimento dos
   planetas

movimentos planetários
  Hooke e, 134-135
  Kepler e, 64
  Leibniz sobre, 147-148, 244
  Newton e, 136-137
  teoria do vórtice e, 145, 147-148, 244
música e matemática, 131

Napoleão, 76
Newton, Hannah Ayscough, 37-38
Newton, Isaac
  amizade com Fatio, 154-157, 176-177
  anos em Grantham, 44, 49-52
  aversão à publicação, 20, 21, 65, 88, 111
  Bernouilli e, 227-235
  cálculo inventado por, 14, 21, 46-47, 51-52
  carreira
    em Cambridge, 46, 52-54, 57-65, 210
    na casa da moeda da Grã-Bretanha, 19, 179, 185-189
  colaboração de Keill, 214-215, 231
  colapso nervoso de, 173-177
  como estudante em Cambridge, 41, 43-47, 52
  como presidente da Royal Society, 21, 198, 209-210
  conferências em Cambridge sobre álgebra, 210
  correspondência com Leibniz (1676-1677), 104, 106-109, 113-115, 133-134, 141
  correspondência com Leibniz (1693), 171
  correspondência com Leibniz (1696), 178
  correspondência com Leibniz (1716), 240-242
  cronologia antiga de, 129-130
  disputa com Flamsteed, 177-178, 229
  educação, 38, 39, 40-41, 52

eleito para a Royal Society, 58
eleito para Parlamento, 153, 166
elevado ao grau de cavaleiro, 199
em Londres, 179, 185-189
escritos. *Ver também Principia*; nomes de trabalhos específicos
estudos de alquimia, 38, 128-129, 130
estudos teológicos, 128-129, 130
fogo destrói papéis de, 176
guerras do cálculo e. *Ver* guerras do cálculo
hábitos de trabalho de, 18-19, 43-45
Halley e, 136-137, 139-140
Hooke, correspondência sobre os movimentos dos planetas, 134-135
Hooke, disputas com, 20-21, 62-64, 85, 105, 140, 229
Huygens e, 65, 105, 155, 169
inaptidão para negócios de, 40-41
infância, 35, 37-40
monumentos e honrarias a, 255-256
morte e funeral de, 257-259
problema da braquistócrona resolvido por, 173
reputação de, 17, 18, 153, 254-256
sexualidade de, 155-156
sobre a natureza da gravidade, 146, 243
sobre gravitação, 49, 144-146
sobre mecânica do movimento, 49, 144-145
sobre o cálculo, 21, 51-53, 265-266. *Ver também* "Sobre a quadratura das curvas"; *De Analysis*
sobre o movimento dos planetas, 137, 144-145
sobre ótica, 20, 61, 105. *Ver também* Ótica
telescópio de reflexão inventado por, 58-59
teoria da gravitação. *Ver* lei da gravitação universal

300 A GUERRA DO CÁLCULO

teoria da ótica 17-21, 49, 58-62, 105. *Ver também Ótica*
Wallis publica o trabalho matemático de, 167-170
Newton, Isaac (pai), 37
Nizolius, 103
"Non fingo hypotheses" (Newton), 146
notação para o cálculo. *Ver cálculo, notação para Nova Methodus Pro Maximus et Minimus*
"Nova teoria sobre a luz e as cores" (Newton), 20, 61
(Novo Método para Máximos e Mínimos*)*, (Leibniz), 132
números binários, 196

Observationes diametrorum solis et lunae (Mouton), 87
"O Colégio Invisível", 82
Oldenburg, Henry, 61, 83-85
  acusado de espionar, 98
  cartas entre Leibniz e Newton e, 97-101
  correspondência com Leibniz, 83, 88, 94, 97-101, 104
  Hooke acusa de espionar, 97
  intercâmbio científico/publicações e, 95-96
  morte de, 116
  Royal Society e, 96
  traduz *Historiola*, 106
"On Analysis by Means of Equations Having an Infinite Number of Terms" ("Sobre a análise por meio de equações tendo um Número Infinito de Termos"). (Newton).*Ver De Analysi*
Ótica (Newton). *Ver também* "Sobre a quadratura das curvas"
  anni mirabilis e, 21, 49
  Einstein sobre, 18
  impacto de, 17-21
  Leibniz sobre, 199, 214-215

Principia e, 153
  publicação de, 17-21, 198-199
ótica, trabalho de Newton sobre, 19-21, 49, 58-62, 105

"Para resolver problemas resultantes do movimento" (Newton), 52
Pardies, Ignatius, 65
Paris, Leibniz em, 75-81, 88-89, 91-95, 110
Pascal, Blaise, 24, 83, 89, 95
Paz de Augsburgo, 72
Pedro o Grande, czar da Rússia, 219
Pell, John, 86, 217
Pepys, Samuel
  cartas de Newton para, 177
  como presidente da Royal Society, 210
  publicação do *Principia* e, 143
  sobre a peste bubônica, 48-49
  sobre *Micrographia*, 63
  sobre o grande incêndio de Londres, 54, 55
Périer, Etienne, 95
peste bubônica, 47-49
Pfalz, Ruprecht von der, 112
Philosophiae Naturalis Principia Mathematica. Ver Principia
Philosophical Transactions of the Royal Society
  artigos de Craig sobre cálculo, 138
  defesa por Newton do *Commercium Epistolicum*, 233
  fundação da, 57-58, 96
  Newton sobre a ótica em, 20, 59, 61
Pilgrim's Progress ("A marcha do Peregrino") (Bunyan), 64
Placcius, Vincent, 165
poesia e a matemática, 131
Principia (Newton)
  anni mirabilis e, 49
  apresentado à Royal Society, 139-140
  Bernoulli (Johann) sobre, 225, 227

conteúdo do, 144-146
correspondência de Leibniz
  mencionada em, 141, 238, 260
dedicatória do, 151
edições revisadas do, 153, 157, 227,
  260-261
erro encontrado no, 227
Halley incita Newton, 137
publicação do, 19, 134, 143
reação ao, 144, 146-147
problema da braquistócrona, 172-173
problema da quadratura do círculo. *Ver*
  quadratura do círculo
projeto do cata-vento (Leibniz), 126
protestantes. *Ver também* huguenotes
protestantismo, 72
Protogaea (Leibniz), 166
publicação de livros. *Ver* indústria
  editorial
publicação de periódicos, 57-58, 95-96,
  131. *Ver também Acta Eruditorum
  Lipsienium*; *Journal Littéraire de la
  Haye*; *Philosophical Transactions of the
  Royal Society*
publicações anônimas, 201, 214-215,
  230-231
publicações científicas, 95-96, 103-104.
  Ver também publicação de periódicos
punção, experiência com o, 44-45

quadratura do círculo, 89, 108
quadraturas, 102

Ramazzini, Bernardino, 162-163
Raphson, Joseph, 238, 252
reconciliação entre católicos e
  protestantes, interesse de Leibniz por,
  123
reconciliação entre luteranos e católicos,
  Leibniz sobre, 123
reconciliação entre protestantes e
  católicos, Leibniz sobre, 123

recorte de moedas, 186
reforma legal no Sacro Império
  Romano, 71
reforma protestante, 123
Regnauld, François, 87
relacionamento com Leibniz, 122, 126
Roberval, Gilles Personne de, 24, 89
Royal Academy of Sciences. Ver
  Académie des Sciences
Royal Society of London
  apelos de Leibniz à, sobre as
    acusações de Keill, 211-214,
    216-219, 237
  declara ser Newton o primeiro
    inventor do cálculo, 218
  Fatio eleito para, 155
  história da, 81
  Leibniz encontra-se com, 81, 84-86
  Newton como presidente, 21, 198,
    209-210
  Newton eleito para, 59
  Oldenburg e, 96
  Principia e, 139-140, 143
  programa típico para, 61
  telescópio de reflexão, apresentado
    à, 58-59
Russell, Bertrand, 119, 165, 253

Sacro Império Romano, 71
Sacro Império Romano, imperador do
  163-164
Sanuto, Marino, 74
Schönborn, Johann Philipp von, 71, 73,
  76
Schönborn, Melchior Friedrich von, 80,
  88
Secreta Fidelium Crucis (Sanuto), 74
Século XVII
  avanços científicos no, 28, 64, 82
  condições de vida no, 48
  novas visões do mundo no, 27-29
  resistência a novas idéias no, 27, 64

302 A GUERRA DO CÁLCULO

séries infinitas, 46, 79
símbolos do cálculo. *Ver* cálculo,
notação para "Systéme nouveau de la
nature et de la communication des
substances" (Leibniz), 170
sinal de integral, invenção do, 102
Sir Isaac Newton's Philosophy Explain´d
for the Use of the Ladies ("A filosofia
de Sir Isaac Newton explicada para o
uso das senhoras") (Algarotti), 153
Sloane, Hans, 211, 213, 215
Sloman, H., 98
Sluse, René François de, 24, 89
Smith, Barnabas, 38
"Sobre a geometria recôndita e a análise
dos indivisíveis e das infinidades"
(Leibniz), 138
"Sobre a quadratura das curvas"
(Newton), 21, 25, 26, 198, 214
"Sobre o método inverso das fluxões"
(Cheyne), 198
"Sobre o movimento dos corpos"
(Newton), 137
Sociedade de Ciências de Berlim,
206-209
sociedades acadêmicas. *Ver* sociedades
científicas
sociedades científicas, 82, 206, 207. *Ver*
também Académie des Sciences; Royal
Society de Londres
como imaginada por Leibniz, 125-
126, 206-208, 221-222
Leibniz propõe em Hanover, 125
Sociedade das Ciências de Berlim,
206-209
Sophia Dorothea (esposa de Jorge
Ludwig), 180-182
Sophia, rainha, 183, 190, 222
Sophie Charlotte, rainha da Prússia,
200, 206
St.Vincent, Gregory, 79

Storer, Miss (amiga de infância de
Newton), 39
Strype, John, 41
sublevações políticas, no século XVII, 27
Swift, Jonathan, 209

telescópio de reflexão, 58-59
Teodicéia (Leibniz), 200
Teologia
estudo de Newton sobre, 128-129,
130
Leibniz sobre, 123, 200
Teorema da transmutação (Leibniz),
102, 108
teorema do binômio de Newton, 107,
113-115
teoria do vórtice sobre as órbitas dos
planetas, 145, 147-148, 244
Testelin, Henri, 82
The Skeptical Chymist (Boyle), 86
Thomasius, Jacob, 40
Torricelli, Evangelista, 24, 89
Tractatus de Methodis Serierum et
Fluxionum (Newton), 53
Tractatus de Quadratura Curvarum. *Ver*
"Sobre a quadratura das curvas"
Transactions of the Royal Society. *Ver*
Philosophical Transactions of the Royal
Society
Tratado de Nijmegen, 113
Tschirnhaus, Ehrenfried Walther von, 105

"Um novo método de ensinar e
aprender leis" (Leibniz), 71
"Uma hipótese explicando as
propriedades da luz..." (Newton), 105
"Uma investigação geométrica de duas
partes sobre a linha de queda mais
curta" (Fatio), 192
Universidade de Cambridge
e a epidemia de peste bubônica
(1665), 48

estudos de Newton na, 41, 43-47, 52
Newton, conferencista na, 45, 52-54, 57-65, 210
Universidade de Leipzig, 40

Vestefália, tratado de, 31-2
Viagens de Gulliver, As (Swift), 209
Vienna, Leibniz em, 221-222, 224
visão do mundo newtoniana, rejeição por Leibniz, 242-246
Voltaire
  defensor de Newton, 252-253, 256
  sobre a gravitação, 246
  sobre a lenda das maçãs, 50
  sobre a virgindade de Newton, 156
  sobre Carlos II, 150
  sobre Mercator, 53
  sobre o cálculo, 51

sobre o grande incêndio de Londres, 56
sobre o Sacro Império Romano, 71

Wallis, John
  Arithmetica Infinitorum, 24, 46, 79
  pede a Newton que publique seu trabalho sobre ótica, 19-20
  Royal Society e, 82
  séries infinitas e, 46
  sobre o ataque de Fatio, 195
  trabalhos matemáticos de Newton publicados por, 167-170
Walter, Christian, 94
Weigel, Erhard, 103
Whiston, William, 210
Wolf, Christian, 230, 232-233, 237
Wren, Christopher, 82, 135, 136, 140, 210